W9-BNN-094

Chitra Banerjee DIVAKARUNI

La Maîtresse des épices

Roman traduit de l'anglais
par Marie-Odile Probst

OUVRAGE PUBLIÉ AVEC LE CONCOURS
DU CENTRE NATIONAL DU LIVRE

Éditions
Philippe Picquier

DU MÊME AUTEUR
AUX ÉDITIONS PHILIPPE PICQUIER

Mariage arrangé, nouvelles

Les Erreurs inconnues de nos vies, nouvelles

Un répertoire en fin de volume rassemble les mots et expressions d'origine indienne ou se rapportant à la culture indienne.

Titre original : *The Mistress of Spices*

Mas de Vert
B.P. 150
13631 Arles cedex

En couverture : © Stuart Haygarth
par l'intermédiaire de Trans World Publishers Ltd.

Conception graphique : Picquier & Protière

ISBN : 2-87730-612-7
ISSN : 1251-6007

Sommaire

Mes remerciements aux personnes et organisations suivantes, chacune ayant aidé à ce que le rêve de ce livre devienne une réalité.

A Sandra Dijkstra, mon agent, qui a eu foi en moi dès ma première histoire.

A Martha Levin, mon éditeur, pour son discernement et ses encouragements.

A Vikram Chandra, Shobha Menon Hiatt, Tom Jenks, Elaine Kim, Morton Marcus, Jim Quinn, Gerald Rosen, Roshni Rustomji-Kerns et C. J. Wallia pour leurs très importants commentaires et suggestions.

Au Arts Council, Santa Clara County, et au prix C. Y. Lee Creative Writing Contest pour son soutien financier.

Au Foothill College qui m'a offert, avec une année sabbatique, le don du temps.

A ma famille – surtout à ma mère, Tatini Banerjee, et ma belle-mère, Sita Shastri Divakaruni – pour leurs bénédictions.

Et à Gurumayi Chidvilasananda, dont la grâce illumine ma vie, à chaque page et à chaque mot.

La traductrice remercie, pour leur soutien amical, Mme Tuhina Ray pour le bengali, M. Alain Porte pour le sanskrit, Patrick Loughran pour certains détails américains et Malavika et D. Delorme pour leur danse avec les dieux.

Pour mes trois hommes

Murthy
Anand
Abhay

tous maîtres en épices

Avertissement aux lecteurs :

les épices décrites dans ce livre
doivent être prises
uniquement
sous la supervision
d'une Maîtresse émérite.

Tilo

Je suis Maîtresse des Epices.

J'ai aussi appris à travailler d'autres matériaux. Les minéraux, les métaux, la terre, le sable et la pierre. Les gemmes avec leur eau pure et froide. Les liquides qui embrasent la vue de leurs teintes aveuglantes. J'ai appris à manier tout cela sur l'île.

Mais ce que j'aime, moi, ce sont les épices.

Je connais leur histoire, la signification de leurs couleurs, et leurs odeurs. Je peux les appeler par leurs véritables noms, ceux qu'elles ont reçus à l'origine quand la terre creva comme une écorce et qu'elles jaillirent pour la première fois à la lumière. Leur feu court dans mes veines. De l'*amchûr* au *safran*, elles se plient à ma volonté. Sur un murmure de moi, elles me livrent leurs propriétés cachées, leurs pouvoirs magiques.

Oui, elles recèlent toutes de la magie, même les épices qu'on verse d'une main distraite tous les jours dans sa marmite.

Vous n'êtes pas convaincus ? Ah ! Vous avez oublié les vieilles recettes que les mères de votre mère connaissaient. En voilà une : les gousses de vanille mises à tremper dans du lait de chèvre et frottées sur le poignet prémunissent contre le mauvais œil. Une autre : une pincée de poivre au pied du lit, disposée en forme de croissant, protège des cauchemars.

Mais les épices vraiment puissantes viennent de mon pays natal, pays de poésie ardente et d'oiseaux aux plumages bleu outremer. De crépuscules d'un rouge sang éclatant. C'est avec celles-là que je travaille.

Mettez-vous au centre de cette pièce et faites-en lentement le tour des yeux, vous trouverez rassemblées ici sur les rayonnages de ma boutique toutes les épices indiennes qui existent – même celles qu'on ne trouve plus.

Je crois que je n'exagère pas quand je prétends que vous ne trouverez nulle part au monde d'endroit semblable à celui-ci.

*

L'épicerie n'est ouverte que depuis un an. Mais plus d'un s'imagine, en la regardant, qu'elle a existé de tout temps.

Je comprends pourquoi. Postez-vous à l'angle d'Esperanza Street dans le coin où s'arrêtent les bus en faisant crisser leurs pneus, et vous verrez. Elle s'insère parfaitement entre l'étroite porte grillagée de la « Pension Hebdomadaire Rosa », encore noircie de l'incendie de l'année dernière, et la boutique « Réparation de Machines à Coudre et Aspirateurs de Lee Ying » avec son enseigne fêlée entre le *R* et le *é*. Une vitrine maculée de crasse. Les lettres en boucles de BAZAR DES ÉPICES ont pris une teinte terreuse d'un brun fade. A l'intérieur, les toiles d'araignée nervurent les murs là où étaient accrochées les images fanées de dieux avec leurs yeux tristes et ténébreux. Des caisses de métal dont le lustre s'est effacé depuis longtemps, débordantes d'*atta,* de riz basmati et de *masoor dâl.* Rangée sur rangée de films vidéo, même des bandes qui remontent au temps du noir et blanc. Des pièces de tissu teint de coloris désuets. Du jaune paille, du vert printemps, du rouge de mariée.

Et dans les coins, accumulés parmi les moutons de poussière, exhalés par ceux qui sont entrés ici, les désirs. De tout ce que contient mon épicerie, c'est ce qu'il y a de plus vieux. Car même ici dans ce pays neuf, l'Amérique, dans cette ville qui s'enorgueillit de n'être pas plus vieille qu'un battement de cœur, tout le monde veut les mêmes choses, encore et encore.

C'est aussi à cause de moi qu'ils croient que la boutique est si vieille. Moi aussi, j'ai l'air d'avoir toujours été là. Quand les clients entrent en baissant la tête sous la guirlande de feuilles de mangue en plastique vert qui orne le seuil comme porte-bonheur, la première chose qu'ils voient, c'est une femme voûtée avec un teint couleur vieux sable derrière un comptoir en verre renfermant des *mithai*, les sucreries de leur enfance. Sorties des cuisines de leur mère. Des *burfi* vert émeraude, des *rasogollah* blancs comme l'aube, et, faits avec de la farine de lentille, les *laddu* semblables à des pépites d'or. Cela leur semble normal que j'aie toujours été là, normal que je comprenne, sans qu'on ait besoin de m'en parler, la nostalgie qu'ils éprouvent pour les coutumes qu'ils ont choisi de quitter pour venir en Amérique. Cette nostalgie et la honte qui va avec, comme l'arrière-goût un peu amer que laisse dans la bouche l'*âmalaki* qu'on mâche pour se rafraîchir l'haleine.

Ils ne savent pas, bien sûr. Ils ne savent pas que je ne suis pas vieille, que ce corps d'emprunt que j'ai revêtu dans le brasier de Shampâti en prononçant mes vœux de Maîtresse, n'est pas mon vrai corps. Je ne revendique pas plus son aspect chiffonné et tordu que l'eau ne revendique les ondulations qui rident sa surface. Ils ne voient pas, cachés sous les paupières tombantes, les yeux vifs qui brillent – je n'ai nul besoin de miroir interdit (car les miroirs sont interdits aux Maîtresses) pour me le dire – tel un feu sombre. Seuls les yeux sont mes yeux.

Non. Il y a autre chose qui est à moi. Mon nom : Tilo, diminutif de Tilottama, car je porte le nom de la graine de sésame brunie par le soleil, l'épice qui restaure les forces. Cela non plus, mes clients ne le savent pas, ni qu'autrefois j'ai porté d'autres noms.

Parfois cela me pèse, lac verglacé, de penser que sur toute l'étendue de cette terre, personne ne sait qui je suis.

Dans ces moments-là, je me dis à moi-même, ça ne fait rien. Cela vaut mieux ainsi.

« Souvenez-vous, nous enseignait la Vieille, la Première Mère, quand nous étions sur l'île. Vous n'êtes pas importantes. Aucune Maîtresse ne l'est. Ce qui importe, c'est l'épicerie. Et les épices. »

L'épicerie. Même pour ceux qui ignorent tout de l'existence de la chambre intérieure avec ses rayonnages secrets, sacrés, la boutique reste une excursion dans le pays de ce qui aurait pu avoir lieu. Une indulgence dangereuse pour ce peuple à la peau brune qui vient d'ailleurs, à qui des Américains de souche pourraient demander *Pourquoi ?*

Ah, l'attrait de ce danger !

Ils m'aiment parce qu'ils sentent que je comprends cela. Ils me détestent aussi un peu pour la même raison.

Et puis, il y a les questions que je pose. A la femme dodue vêtue de caleçons en polyester qui peluche et d'une tunique achetée chez Safeway, les cheveux rassemblés en un chignon serré, qui se penche au-dessus d'un petit monticule de piments verts qu'elle choisit avec le plus grand sérieux : « Est-ce que votre mari a retrouvé du travail depuis le licenciement ? »

A la jeune femme qui entre en coup de vent avec un bébé sur la hanche pour acheter de la poudre de *dhania jîra* : « Le saignement, ça fait encore mal, vous voulez quelque chose qui soulage ? »

Je vois la secousse électrique, la même à chaque fois, se propager dans leur corps. Je pourrais presque en rire, si la pitié ne me tiraillait pas tant. Les traits de leur visage tressautent comme si j'avais posé les mains sur l'ovale délicat de la mâchoire et de la pommette pour les tourner vers moi. Alors que, bien sûr, je n'en ai rien fait. Il n'est pas permis aux Maîtresses de toucher ceux qui viennent à elles. De bouleverser le mécanisme fragile du donner et du recevoir qui règle nos vies de façon si précaire.

L'espace d'un instant, je soutiens leur regard, et l'air autour de nous s'immobilise et s'alourdit. Quelques piments s'éparpillent en une pluie drue et verte, tombent sur le sol. L'enfant se tord sous l'étreinte resserrée de la mère, et pleurniche.

Leur regard, sous l'aiguillon de la peur et du désir, fuit.

Sorcière, disent les yeux. Sous leurs paupières baissées, ils se souviennent d'histoires qu'on racontait la nuit autour des feux dans les villages où ils sont nés.

« C'est tout pour aujourd'hui », me dit la femme, en s'essuyant les mains sur ses cuisses moulées de polyester et glissant un paquet de piments vers moi.

« Chut, ma petite princesse », chantonne l'autre qui s'absorbe dans les boucles emmêlées de l'enfant jusqu'à ce que j'aie fait le compte de ses achats.

Elles détournent précautionneusement leur visage en sortant.

Mais elles reviendront plus tard. Quand le soir sera tombé. Elles cogneront à la porte fermée de la boutique qui conserve l'odeur de leurs désirs, et demanderont.

Je les emmènerai dans la chambre intérieure, celle qui n'a pas de fenêtres, où je range les épices les plus pures, celles que j'ai cueillies sur l'île pour les cas particuliers. J'allumerai la bougie que je garde toujours prête et fouillerai l'obscurité striée de suie à la recherche de racine de lotus et de *methi* en poudre, de pâte de fenouil et d'assa-fœtida séchée au soleil. Je psalmodierai. J'administrerai. Je prierai pour chasser la tristesse et la souffrance comme la Vieille me l'a enseigné. Je donnerai des conseils de prudence.

C'est pour cela que j'ai quitté l'île où chaque jour on continue à mélanger le sucre et la cannelle, où chantent des oiseaux à la voix de diamant, et où le silence tombe avec la légèreté d'une brume de montagne.

J'ai quitté l'île pour cette boutique, où j'ai rassemblé tout ce dont vous avez besoin pour être heureux.

*

Mais avant l'épicerie, c'était l'île, et avant l'île, c'était le village où je suis née.

Je ne sais plus exactement quel jour, c'était pendant la saison sèche, le soleil brûlait les champs de paddy craquelés, et ma mère se débattait sur la natte à accoucher et réclamait de l'eau en gémissant.

Puis l'éclair bleu acier zébra le ciel, et la foudre fendit en deux le vénérable banian de la place du marché. La sage-femme, à la vue du capuchon pourpre et veiné qui recouvrait mon visage, poussa un cri et le devin, dans le soir empli de mouches de pluie, hocha une tête chagrine à l'adresse de mon père.

Ils me nommèrent Nayan Târâ, Pupille, mais sur le visage de mes parents se peignit l'amère déception que leur causait la naissance d'une nouvelle fille, et qui plus est, une fille dont la peau était couleur de boue.

Emmaillotée dans son vieux tissu, elle gisait face contre terre. Qu'apportait-elle à la famille si ce n'est une dot à payer pour laquelle il faudrait s'endetter ?

Trois jours, les villageois mirent trois jours à maîtriser le feu sur la place du marché. Et ma mère couchée avec la fièvre pendant tout ce temps-là – les vaches n'avaient plus de lait – avec moi qui ne cessai de hurler que quand ils me donnèrent à boire le lait d'une ânesse blanche.

Peut-être est-ce pour cela que les mots me sont venus si tôt.

Et la vue.

Ou alors à cause de la solitude, le besoin né de la colère chez cette gamine noiraude qu'on laissait vagabonder sans surveillance dans le village, personne ne se souciant assez d'elle pour lui interdire quoi que ce soit.

Je savais qui avait volé le buffalo du porteur d'eau Banku, et quelle servante couchait avec son maître. Je sentais les endroits où l'on avait enfoui l'or sous la terre, devinais pourquoi la fille du tisserand avait cessé de parler depuis la dernière pleine lune. Je disais au *zamîndâr* où trouver sa bague perdue. J'avertissais le chef du village des inondations avant qu'elles ne surviennent.

Nayan Târâ, je suis ; le nom veut dire aussi : Prophète.

Ma renommée s'étendit. Des villes voisines et de plus loin encore, de cités qui se trouvaient de l'autre côté des montagnes, les gens se mettaient en route pour que d'une imposition de ma main, je change leur destin. Ils m'apportaient des cadeaux qu'on n'avait jamais vus auparavant au village, des cadeaux si somptueux que les villageois en parlaient pendant des jours entiers. Je trônais sur des coussins tissés de fils d'or et mangeais dans des assiettes d'argent serties de pierres précieuses, étonnée par la facilité avec laquelle on s'habitue au luxe ; il me semblait juste qu'il en fût ainsi. Je guérissais la fille d'un souverain, prédisais la mort d'un tyran, traçais des dessins sur le sol pour que les vents soient propices au commerce des marins. Sous mon regard, des hommes adultes tremblaient et se prosternaient à mes pieds, et cela aussi me semblait facile et juste.

C'est ainsi que je devins fière et entêtée. Je portais des mousselines si fines qu'on aurait pu les passer par le chas d'une aiguille. Je coiffais mes cheveux avec des peignes façonnés dans l'écaille des grandes tortues des îles Andamans. Je m'admirais longuement dans des miroirs au cadre de nacre, alors même que je savais que je n'étais pas belle. Je giflais les servantes, si elles ne m'obéissaient pas assez vite.

Pendant les repas, je mangeais les meilleurs morceaux et jetais les restes sur le sol pour mes frères et sœurs. Mon père et ma mère n'osaient pas élever la voix, car ils craignaient mes pouvoirs. Ils aimaient la vie de luxe que je leur offrais.

Et quand je lisais cela dans leurs yeux, je ressentais pour eux du dédain ; un triomphe noir comme de la bile bouillonnait dans mon ventre parce que moi qui étais venue la dernière, j'étais maintenant la première. Je ressentais aussi autre chose, une profonde tristesse, inexprimée, mais je la repoussais et ne voulais pas la voir.

Moi, Nayan Târâ, qui avais depuis longtemps oublié l'autre sens de mon nom : La Fleur qui Pousse au Bord du Chemin Poussiéreux. Et ignorais alors que je ne garderais pas ce nom très longtemps.

Pendant ce temps les *bâul* errants chantaient mes louanges, les artisans gravaient mes traits sur des médaillons fétiches portés par des milliers de gens, et les marchands colportaient au-delà des mers dans toutes les contrées les récits de ma puissance.

C'est ainsi que les pirates entendirent parler de moi.

Curcuma

Quand vous ouvrez la caisse qui trône près de la porte d'entrée, vous le sentez immédiatement, bien que votre cerveau ait besoin de quelques instants avant de reconnaître cette senteur subtile, légèrement amère comme la peau et presque aussi familière.

Effleurez-en de la main la surface, et la poudre jaune et soyeuse collera aux coussinets de votre paume et au bout de vos doigts. De la poussière d'aile de papillon.

Puis portez votre main à votre visage. Frottez-vous-en les joues, le front, le menton. N'hésitez pas. Depuis des millénaires, depuis que le monde est monde, les épouses – et celles qui aspirent à devenir des épouses – ont fait ce même geste. Cela effacera les taches et les rides, éliminera l'âge et la graisse. Pendant des jours, votre peau rayonnera d'un éclat jaune pâle, doré.

Chaque épice est liée à un jour particulier. Le curcuma est lié au dimanche, jour faste où la lumière grasse couleur de beurre dégouline dans les caisses, illuminant les légumes secs à faire tremper, jour où on prie les neuf planètes d'accorder amour et chance.

Curcuma, que l'on appelle aussi *halud*, qui veut dire jaune, couleur de point du jour et son de conche. Curcuma qui conserve, préserve la nourriture dans un pays de chaleur et de faim. Curcuma, épice de bon augure, qu'on met sur la tête des nouveau-nés pour leur porter bonheur, dont on saupoudre les noix de coco pour les *pûjâ,* avec lequel on frotte les bordures des saris de mariage.

Mais il y a plus encore. C'est pour cela que je les choisis seulement au moment précis où la nuit se transforme en jour, ces racines bulbeuses comme de noueux doigts bruns, c'est pour cela que je les broie seulement quand Svâti, l'étoile de la foi, resplendit, incandescente, au nord.

Quand je la tiens dans mes mains, l'épice me parle. Sa voix évoque le soir, le début du monde.

Je suis le curcuma qui surgit de l'océan de lait que les deva *et les* asura *barattèrent pour en faire surgir les trésors de l'univers. Je suis le curcuma qui apparut après le poison et avant le nectar et se trouve, en conséquence, entre eux.*

Oui, je chuchote en me balançant à son rythme. Oui. Curcuma, fortifiant pour les peines de cœur, onction pour les morts, espoir de renaissance.

Ensemble nous chantons cette chanson, comme nous l'avons si souvent fait.

Quand la femme d'Ahuja entre dans ma boutique ce matin avec des lunettes noires sur le nez, je pense tout de suite au curcuma.

*

La femme d'Ahuja est jeune, mais elle fait plus jeune que son âge. Pas le genre jeune effrontée-énergique mais sans expérience et sans défense, plutôt comme quelqu'un qu'on vient de rabrouer et à qui on a dit qu'elle n'était pas bonne à grand-chose.

Elle vient toutes les semaines après la paie et achète les denrées les plus communes : du gros riz bon marché, des *dâl* en solde, une petite bouteille d'huile, parfois un peu d'*atta* pour faire des *chapati.* Je la vois saisir d'une main hésitante un bocal d'*achâr* à la mangue ou un paquet de *papad.* Mais elle finit toujours par les replacer sur le rayon.

Je lui offre un *gulab jamun* que je sors de la réserve de *mithai,* mais elle rougit violemment, péniblement et refuse d'un mouvement de tête.

La femme d'Ahuja a un prénom, bien sûr. Lalitâ. *La-li-tâ*, trois syllabes liquides parfaitement adaptées à sa douce beauté. J'aimerais bien l'appeler par son prénom, mais comment le pourrais-je alors qu'elle ne se conçoit elle-même qu'en tant qu'épouse ?

Ça, elle ne me l'a pas dit. Elle ne m'a pas fait de confidences ; toutes ces fois où elle est venue, à part « *Namaste* » ou « C'est en solde ? » et « Où se trouve… ? », elle ne m'a rien dit. Mais je le sais comme je sais bien d'autres choses.

Je sais par exemple qu'Ahuja est gardien sur les docks et qu'il aime bien boire un verre ou deux. Ces derniers temps, même trois ou quatre.

Je sais qu'elle aussi a un don, un pouvoir, bien qu'elle-même ne le considère pas comme un don. Le moindre bout de chiffon auquel elle applique son aiguille se transforme en brocart.

Un jour, penchée sur la vitrine où je range les tissus, elle regardait le *pallu* d'un sari brodé avec du fil *zari.*

Je l'ai sorti. « Voilà, lui ai-je dit en le lui drapant sur l'épaule. Cette couleur de mangue vous sied si bien.

— Non, non. » Elle a reculé vivement en s'excusant : « Je regardais seulement le travail.

— Ah. Vous vous y connaissez en couture ?

— J'ai fait beaucoup de couture, autrefois. J'adorais ça. A Kanpur, j'allais à l'école de couture, j'avais ma propre machine Singer, beaucoup de dames me confiaient leurs travaux. »

Elle baissa les yeux. Dans la courbe abattue de sa nuque, je voyais ce qu'elle ne disait pas, le rêve qu'elle avait osé caresser : un jour, peut-être, pourquoi pas, son propre magasin. Confection Lalitâ.

Mais il y a quatre ans de cela, un voisin bien intentionné rendit visite à sa mère et lui dit « *Bahenjî*, y a un garçon, tout ce qu'il y a de bien, il vit à l'étranger, il gagne des dollars américains », et sa mère a dit « Oui ».

« Pourquoi vous ne travaillez pas dans ce pays ? ai-je demandé. Je suis sûre qu'il y a beaucoup de dames ici aussi qui ont des travaux à confier. Vous aimeriez… »

Elle m'a jeté un regard ardent : « Oh oui ! » Puis elle s'est tue.

Voilà ce qu'elle veut me dire, mais elle ne sait pas comment s'y prendre ; ce n'est pas convenable pour une femme de dire des choses pareilles de son mari ; toute la journée à la maison elle se sent si seule, le silence comme du sable mouvant qui vous englue les poignets et les chevilles. Les larmes qu'elle ne peut arrêter de verser, les larmes de désobéissance comme des graines de grenade renversées, et Ahuja en colère quand il rentre et voit ses yeux gonflés.

Il refuse que sa femme travaille. *Ne suis-je pas assez mâle, assez mâle, assez mâle ?* Les mots s'entrechoquant comme des assiettes qu'on balaie du revers de la main de la table du dîner.

Aujourd'hui j'enveloppe ses achats, parcimonieux comme d'habitude : *masoor dâl*, deux livres d'*atta,* un peu de *jîra.* Puis je la vois regarder de ses yeux noirs comme un puits où se jeter dans la vitrine en verre un hochet d'enfant argenté.

Car ce que la femme d'Ahuja désire plus que tout, c'est un bébé. Sûrement un bébé arrangerait tout, même les interminables nuits de soupirs et de grognements, avec son poids qui la cloue sur le dos, et la chaude haleine, animale, aigre haletant au-dessus d'elle. Sa voix comme le plat calleux d'une main menaçante surgie de l'obscurité.

Un bébé, accroché à son sein avec sa bouche douce de lait, pour oublier tout le reste.

Le désir d'enfant, le plus profond des désirs, plus profond que celui de la richesse, d'un amant, ou même de la mort. Cela alourdit l'air de la boutique, l'empourpre comme avant l'orage. Cela sent le tonnerre. Met les nerfs à vif.

O Lalitâ, qui n'es pas encore Lalitâ, j'ai le baume dont tu as besoin pour apaiser ta brûlure. Mais comment te le donner, si toi-même tu n'es pas prête à t'ouvrir à l'orage ? Comment si tu ne demandes rien ?

Pour l'instant, je te donne du curcuma.

Une poignée de curcuma enveloppée dans un morceau de vieux papier journal en murmurant au-dessus les formules de guérison, glissée dans ton sac à provisions pendant que tu ne regardes pas. La ficelle nouée en un triple nœud en forme de fleur, et dedans le curcuma doux comme du satin, de la couleur de la meurtrissure qui coule sur ta joue de dessous le bord noir de tes lunettes de soleil.

*

Parfois je me demande si ce qu'on appelle la réalité, une nature objective et inaltérable, existe. Ou si tout ce que nous éprouvons a déjà été transformé par ce que nous avons imaginé. Ou encore, si c'est nous qui, à force de l'imaginer, l'avons fait advenir.

Je pense surtout à cela quand je repense aux pirates.

Les pirates avaient des dents comme de la pierre polie et des cimeterres dont les manches étaient des défenses d'ours. Leurs doigts étaient chargés de bagues, améthyste, émeraude et escarboucle, et à leurs cous pendaient des saphirs qui portent bonheur en mer. Massées avec de l'huile de baleine, leurs peaux luisaient noires comme l'acajou ou pâles comme le bouleau, car les pirates viennent de diverses races et de divers pays.

Tout cela, je le savais par les histoires qu'on nous racontait enfants avant de se coucher.

Ils raflaient, pillaient et brûlaient, et ils emmenaient les enfants en partant. Les garçons pour en faire d'autres pirates, et les filles, murmurait notre vieille servante, tremblante de délices, en soufflant sur nos lampes de chevet, pour leur méchant plaisir.

Elle n'en savait pas plus long sur les pirates que nous les enfants. On n'avait aperçu aucun pirate autour de notre petit village de rivière depuis cent ans au moins. Je doute même qu'elle y crût.

Mais *moi*, je croyais en eux. Les histoires achevées, je restais éveillée longtemps et me languissais de les rencontrer. Quelque part sur le vaste océan, grands et volontaires à la proue de leurs bateaux, ils se dressaient les bras croisés, tournant leurs visages de granit vers notre village, les cheveux fouettés par le vent salé.

Ce même vent salé qui me traverserait plus tard. Impatience. Ma vie était devenue tellement ennuyeuse, les intarissables louanges, les chants d'adulation, les montagnes de cadeaux, la déférence craintive de mes parents. Et ces nuits interminables où je gisais sans trouver le sommeil entourée par le caquetage de filles qui laissaient échapper en gémissant dans leur sommeil des noms de garçons.

J'enfonçais le visage dans l'oreiller pour échapper au vide qui s'ouvrait telle une main noire à l'intérieur de ma poitrine. Je fixais mon attention sur mon insatisfaction jusqu'à ce qu'elle se détachât de moi affûtée comme un harpon que je jetais sur l'océan à la recherche de mes pirates.

J'utilisais l'invocation, bien que ce ne fût que plus tard, sur l'île, que j'appris que cela s'appelait ainsi. L'invocation qui, comme la Vieille nous l'a enseigné, peut attirer à vous la personne de votre choix – un amant à vos côtés, un ennemi à vos pieds. Qui peut sortir une âme du corps et la placer nue et vibrante au creux de votre paume. Qui, utilisée imparfaitement et sans contrôle, peut causer des ravages inimaginables.

C'est ainsi. Certains rendent les marchands qui colportaient des histoires sur mon compte responsables de la venue des pirates. Mais moi, je sais à quoi m'en tenir.

Ils arrivèrent à la nuit tombante. Moment propice entre tous, entre chien et loup quand on ne peut distinguer la réalité du désir. Un mât noir fendant la brume du soir, une vingtaine de torches d'un rouge rapace projetant leurs lueurs irrégulières sur les huttes, les meules de foin et les étables, avec déjà l'odeur de la chair calcinée. Puis les yeux injectés des villageois, leurs bouches béantes hurlant, et les volutes ondoyantes de la fumée.

Nous étions en train de manger quand les pirates entamèrent à la hache les murs de bambou de la maison de mon père et nous tombèrent dessus. La graisse dégoulinait de leurs visages noircis, et entre leurs lèvres retroussées, leurs dents de pierre polie étincelaient. Leurs yeux aussi étincelaient. Etincelants et aveugles étaient leurs yeux quand ils vinrent vers moi, attirés par la force de mon invocation, ce harpon d'or que j'avais envoyé si négligemment sur les eaux. Un pied renversa bols et brocs, éparpilla riz, poisson et miel de palme, un bras désinvolte décrivant une courbe dans l'air enfonça une épée dans la poitrine de mon père. D'autres mains arrachèrent les tapisseries des murs, tirèrent les femmes dans des coins, empilèrent colliers, boucles d'oreilles et ceintures en pierres précieuses sur la robe verte qu'une de mes sœurs portait.

Mère, je n'avais jamais pensé que cela se passerait ainsi.

J'essayai de les arrêter. Prononçai à tue-tête tous les charmes que je connaissais jusqu'à ce que ma gorge s'enrouât, fis, les mains tremblantes, les gestes de protection. Soufflai sur un tesson de poterie pour le transformer en silex et le dirigeai sur le cœur du chef des pirates. Il l'écarta d'une chiquenaude, et fit signe à ses hommes de m'attacher.

Mon invocation avait mis en mouvement une gigantesque roue que je ne pouvais plus arrêter.

Ils me portèrent à travers le village en flammes, hébétée par le choc, la honte, et ma soudaine impuissance. Cendres et décombres. Animaux beuglant de terreur. La voix du chef des pirates au-dessus des grognements des mourants, prononçant – terrible ironie – mon nouveau nom. Bhagavatî, Porte-Bonheur, car c'est ainsi qu'ils me voyaient.

Père, sœurs, pardonnez-moi, moi qui étais Nayan Târâ, je voulais votre amour mais n'avais provoqué que votre peur. Pardonnez-moi, mon village, moi dont l'ennui et l'insatisfaction furent cause de ce malheur.

Leur douleur m'élançait la poitrine comme des charbons ardents quand les pirates me jetèrent sur le pont de leur bateau ; nous mîmes à la voile, et la ligne fumante de ma patrie disparut à l'horizon. Longtemps après, quand l'invocation eut épuisé ses effets et quand mes pouvoirs me furent revenus, renforcés par la haine comme c'est souvent le cas avec le pouvoir, longtemps après avoir renversé le chef, alors que j'étais devenue la reine des pirates (que pouvais-je devenir d'autre ?), cette douleur continua de me ronger. La vengeance ne l'apaisa pas, comme j'avais cru qu'elle le ferait.

En d'autres circonstances, je me méprendrais encore sur le mode de fonctionnement de mon cœur.

Ah, je pensais que je brûlerais éternellement, cicatriserais, pèlerais puis brûlerais de nouveau, et j'acceptai le châtiment.

Pendant un an – était-ce deux, trois ? Le temps s'enchevêtre parfois dans mon récit – je menai ma vie de reine, conduisant mes pirates à la célébrité et la gloire, et les bardes chantaient leurs exploits intrépides. Je portais en secret ma douleur qui stigmatisait les moindres recoins de mon cœur. Cette douleur était l'envers de la vérité que j'avais apprise si durement : le sortilège est plus puissant que le faiseur de sortilèges ; une fois lâché, rien ne peut plus le contrer.

La nuit j'arpentais, seule, insomniaque, les docks, moi Bhagavatî, sorcière, reine des pirates, pourvoyeuse de bonne fortune et de mort, ma cape traînant dans la poussière de sel comme une aile tordue.

J'aurais ri, mais je ne savais plus même sourire. Ni pleurer.

Je ne les oublierai jamais, la douleur et la vérité, me disais-je. Jamais.

Je ne savais pas alors que tout s'oublie. Un jour.

*

Mais maintenant il faut que je vous parle des serpents.

Les serpents sont partout, oui, même dans votre maison, dans votre pièce préférée. Sous l'âtre peut-être, ou bien ils s'enroulent dans un nid isolé du mur, se fondent dans le tapis de corde. Ce petit tressautement au coin de votre œil, évanoui dès que vous vous retournez.

L'épicerie ? L'épicerie en est pleine.

Vous êtes surpris ? Vous n'en avez jamais remarqué, aucun ? C'est bien pour ça qu'ils sont passés maîtres dans l'art de la dissimulation. S'ils l'ont décidé, vous ne les verrez jamais.

Non, je ne les vois pas non plus. Plus maintenant.

Mais je sais qu'ils sont ici. C'est pourquoi le matin avant l'arrivée des clients, je mets des bols en terre emplis de lait dans les coins reculés de la boutique. Derrière les sacs de réserve de basmati, dans le mince ruban sous les rayonnages de *dâl*, près de la vitrine en verre où s'entassent les bibelots criards que les Indiens n'achètent que quand ils ont des cadeaux à faire à des Américains. Il faut que mon geste soit précis, que je sente de la main l'endroit exact, chaud comme la peau et palpitant, sur le sol. Je dois me placer dans la bonne orientation, nord-nord-est, qu'on appelle *ishânâ* dans la vieille langue. Je dois susurrer des mots d'invite.

Serpents. Les plus vieilles des créatures, les plus proches de la terre-mère, tout en nerfs, glissant sur son sein. Je les ai toujours aimés.

Autrefois, eux aussi m'aimaient.

Dans les champs lézardés par la sécheresse derrière la maison de mon père, les serpents de terre m'abritaient du soleil quand j'étais fatiguée de jouer. Leur capuchon ondoyant déployé, leur odeur fraîche comme la terre mouillée au fond des bananeraies. Dans les ruisseaux enrubannant le village, les serpents de rivière nageaient avec moi, peau contre peau, flèches d'or striant l'eau mouchetée de soleil, en me racontant des histoires. Comment, après un millier d'années, les os des noyés se transforment en corail blanc et leurs yeux deviennent des perles noires. Que le Roi des serpents, Nâgarâja, trône dans une caverne sous-marine d'une profondeur incommensurable, où il veille sur des monceaux de trésors.

Et les serpents de l'océan, les serpents de mer ?

Ils m'ont sauvé la vie.

Ecoutez, je vais vous raconter.

J'étais alors reine des pirates depuis un certain temps ; une nuit, je me tenais à la proue du bateau. Nous voguions dans les calmes eaux équatoriales. Tout autour de moi s'étendait l'océan noir et épais comme du plomb. Il m'opprimait comme m'opprimait ma vie. Je pensais aux années derrière moi, à toutes les rapines que j'avais menées, à tous les bateaux que j'avais dépouillés, toutes les richesses que j'avais amassées sans raison puis distribuées sans raison. Je pensais aux années à venir et ne voyais rien qui pût changer ; vagues après vagues d'un noir d'encre, figées.

« Je veux, je veux », murmurai-je. Mais ce que je voulais avec tant d'ardeur, je ne le savais pas, je savais seulement ce que je ne voulais plus.

Etait-ce la mort ? Peut-être.

C'est ainsi que j'envoyai une deuxième invocation à la surface des eaux.

Le ciel prit la couleur sombre des écailles d'un poisson *hilsa* échoué sur le sable, l'air crissait d'étincelles et picotait, le vent fit l'assaut de notre mât, malmenant les voiles. Alors apparut à l'horizon le grand typhon que j'avais réveillé de son sommeil dans les profondeurs de l'est. Il se jeta sur moi ; la mer, en dessous, bouillonnait.

Sous mes pieds, dans les cales, les pirates poussaient des cris de terreur mais le son, tel un écho venu de mon passé, était assourdi. Quand votre cœur est endurci par une croûte de douleur, rester insensible à la souffrance des autres est aisé. Une question surgit en moi comme la pointe d'un mât brisé sur une mer démontée par l'orage : d'autres voix m'avaient-elles appelée au secours, autrefois, de cette façon-là ? Mais je la laissai retomber dans le grondement général sans y répondre.

O joie enivrante, pensai-je. Etre soulevée et emportée par l'œil du chaos, osciller, le souffle coupé, au bord du vide. Et le plongeon qui allait suivre, mon corps fragile comme une allumette allait se fracasser en mille morceaux, les os s'envoler légers comme l'écume, le cœur enfin libéré.

Mais quand je vis cette bouche d'entonnoir parcourue d'éclairs de gris comme des couteaux tournoyants planer au-dessus de moi, un froid pesant envahit mes membres. Je compris que je n'étais pas prête. Le monde me sembla plus doux qu'il ne l'avait jamais été, devenu soudain d'une douceur pénétrante, et de toutes les forces de mon être, je voulais vivre.

« S'il vous plaît », implorai-je. Mais à l'adresse de qui, je l'ignorais.

Trop tard, Bhagavatî, pourvoyeuse de mort.

Puis je les entendis.

Un son bas, guère plus fort qu'un bourdonnement, rien qui pût rivaliser avec les stridences de la tempête, mais venu d'un endroit profond et lent à se mouvoir, le centre de l'océan peut-être, le bateau vibrait à son rythme et mon cœur aussi. Et leurs têtes immobiles au-dessus de l'eau tourbillonnante, l'éclat tranquille du bijou que chacun portait sur sa crête. A moins que ce ne fût l'éclat de leurs yeux qui me fascinât tant.

Je ne saurais dire quand le typhon s'évanouit dans le ciel, ni quand les vagues s'apaisèrent. Mon corps empli de leur chant, léger comme l'air, était incandescent.

Les serpents de mer qui dorment tout le long du jour dans des caves de corail, ne remontent à la surface que quand Dhruva, étoile du nord, déverse sa fiole de lumière laiteuse sur l'océan. Leur peau ressemble à de la nacre fondue, leurs langues forment des ondes d'un vif-argent. Ils se montrent rarement aux mortels.

Plus tard, je demandai : « Pourquoi m'avez-vous sauvée, pourquoi ? »

Les serpents ne répondirent jamais. Y a-t-il une réponse à l'amour ?

Ce sont les serpents de mer qui me parlèrent de l'île. Et ce faisant, me sauvèrent une fois de plus.

Est-ce bien eux ? Certains jours, je n'en suis plus si sûre.

« Dites-m'en plus.

— L'île existe depuis toujours, dirent les serpents, la Vieille aussi. Mais nous qui avons vu les bourgeons de pierre sur le lit de l'océan croître et se transformer en montagnes, nous qui étions déjà là quand Samudra Purî, la cité parfaite, fut engloutie par la grande inondation, nous ignorons depuis quand.

— Et les épices ?

— Elles existent depuis la nuit des temps. Avec leur arôme qui rappelle les longues notes ourlées du *shehnai,* le rythme endiablé du *madôl* qui fouette le sang, et s'entend même par-delà l'océan.

— L'île elle-même, à quoi ressemble-t-elle ? Et Elle ?

— Nous ne l'avons vue que de loin : vert volcan endormi, sable rouge des plages, affleurements de granit comme des dents grises. Les nuits où la Vieille grimpe jusqu'au point le plus haut, elle se dresse telle une colonne de feu. Ses mains dessinent des éclairs sur la voûte du ciel.

— Vous n'avez pas eu envie d'y aller ?

— C'est dangereux. Sur l'île et aussi sur les eaux qui baignent ses fondements, seul son pouvoir prévaut. Autrefois nous avions un frère, Ratnanâga, le curieux, celui aux yeux d'opale. Il entendit le chant, s'aventura plus près malgré notre mise en garde.

— Et alors ?

— Quelques jours plus tard, sa peau, flottant sur les eaux, nous est revenue, sa peau parfaite et souple comme une algue fraîche, sentant les épices. Et dans le ciel, poussant des cris sauvages, décrivant des cercles jusqu'au crépuscule, un oiseau aux yeux d'opale.

— L'île des épices », dis-je tout haut, j'avais l'impression de pouvoir donner enfin un nom à mon attente.

« N'y va pas, crièrent les serpents. Viens plutôt avec nous. Nous te donnerons un nouveau nom, une nouvelle vie. Tu seras Sarpa Kanyâ, la vierge-serpent. Nous te ferons traverser les sept mers sur notre dos. Nous te montrerons où Samudra Purî dort sous l'océan, attendant son heure ; peut-être seras-tu celle qui l'éveillera. »

Que ne l'avaient-ils demandé plus tôt !

Les premières lueurs d'une aurore pâle illuminaient la surface de l'eau. La peau des serpents devint translucide, prit la couleur des vagues. L'appel des épices coulait dans mes veines, rien ne pouvait l'arrêter. Je me détournai des serpents pour regarder l'endroit où je m'imaginais que l'île m'attendait.

A la fois tristes et en colère, ils émirent un sifflement et fouettèrent l'eau de leurs queues avec une telle vigueur qu'elle en devint blanche.

« Elle perdra tout, l'insensée. La vue, la voix, le nom. Peut-être même la vie. »

« Nous n'aurions jamais dû lui en parler. »

Mais le plus vieux d'entre eux dit : « Quelqu'un d'autre lui en aurait parlé. Voyez, l'éclat des épices brille sous sa peau, signe de son destin. »

Et avant que l'océan opaque se refermât sur sa tête, il m'indiqua le chemin.

Je n'ai pas revu les serpents de mer.

De tout ce dont me privèrent les épices, ils furent les premiers.

J'ai entendu dire qu'ici aussi en Amérique, dans l'océan qui s'étend au-delà du pont rouge doré au bout de la baie, il y a des serpents.

Je ne suis pas allée les voir. Je n'ai pas le droit de quitter l'épicerie.

Non, ce n'est pas pour ça. Je vous dois la vérité.

J'ai peur qu'ils ne veuillent pas m'apparaître. Qu'ils ne m'aient pas pardonné de leur avoir préféré les épices.

Je glisse la dernière assiette sous la vitrine de bibelots, me redresse en me tenant les reins d'une main. Y a des jours où il me fatigue, ce vieux corps – et les douleurs qui vont avec – que j'ai emprunté quand je suis venue en Amérique. La Première Mère m'avait prévenue.

Je pense un instant aux autres avertissements auxquels je n'ai pas prêté garde non plus.

Demain je ramasserai l'assiette vide, luisante d'avoir été léchée avec soin, et je ne trouverai pas le moindre petit bout de dépouille qui témoigne de leur présence.

Pourtant, j'ai envie d'essayer, d'aller me planter dans la bruine du soir à la pointe extrême de la terre, dans un bosquet de cyprès tordus, parmi les cornes de brume et les jappements des phoques noirs, et de les appeler. Je mettrai sur ma langue du *shâlaparnî,* herbe de la mémoire et de la persuasion, et psalmodierai les formules anciennes. S'ils ne viennent pas, j'aurai du moins essayé.

Peut-être demanderai-je à Haroun, le chauffeur de la Rolls de Mme Kapadia, Haroun dont je reconnais les pas légers comme un rire à la porte maintenant ; il est prêt à m'y emmener pendant son jour de congé.

*

« Lady », dit Haroun en entrant précipitamment, embaumant le vent qui souffle dans les pins et l'*akhrot*, la noix à coque blanche et ridée des collines du Cachemire où il est né.

« Lady. J'ai du nouveau pour vous. »

Ses pieds volent sur le linoléum défraîchi, l'effleurant à peine. La bouche ouverte, impatiente.

Il est toujours comme ça. Le premier jour où il est entré dans la boutique derrière Mme K. avec ses hanches hautaines tout en dénichant, empilant, portant, faisant des salamalecs, il avait déjà cette pointe d'ironie dans son regard triste comme pour dire, je fais ça en attendant, pour jouer. Ce soir-là, il est revenu seul et m'a dit : « S'il vous plaît, Lady, lisez mon avenir », et il m'offrit ses mains calleuses, paumes retournées.

« Je ne fais pas de prédiction », lui répondis-je.

C'est vrai, je ne prévois pas le futur. La Vieille ne l'enseignait pas aux Maîtresses. « Cela vous empêcherait d'espérer, disait-elle. De faire de votre mieux. D'accorder une confiance totale aux épices. »

« Oh, mais Ahmad me dit, vous aidez lui à avoir carte de travail, non non refusez pas, et Najib Mokhtar, ils décident licencier lui, il vient vous voir, vous donnez lui un thé spécial à boire bouilli, *subhan Allah*, et trois jours après son patron transféré à Cleveland, et Najib peut garder poste.

— Je n'y suis pour rien. C'était le *dashmul*, l'herbe aux dix racines. »

Mais il tendait toujours les mains, ces mains si durcies et si confiantes, et j'ai fini par demander, en indiquant les coussinets grossiers : « Qu'avez-vous fait ?

— Oh ça. Je pellette du charbon sur le bateau quand je viens, puis travaille dans une boutique d'accessoires auto. Des clefs à molette, des chaînes de pneus et entre deux, le cantonnier avec des marteaux-piqueurs et la poix pour bitume.

— Et avant ça ? »

Un petit tremblement dans les mains. Un silence.

« Oui, avant ça aussi. A la maison, on est marins sur le lac Dal, le grand-père, le père et moi, on rame notre *shikara* pour les touristes d'Europe et d'Amérique. Une année on gagne tellement d'argent, on ganse les sièges avec de la soie rouge. »

Je ne désirais pas en savoir plus. Je voyais son passé dans le dessin des sillons sombres comme l'orage qui striaient ses paumes.

De sous le comptoir, je sortis une boîte de *chandan*, poudre de santal qui soulage les douleurs de mémoire. Je saupoudrai de fragrance soyeuse les mains de Haroun, en faisant bien attention de ne pas le toucher. Recouvrai les lignes de sa vie.

« Faites-le pénétrer. »

Il obéit, mais distraitement. Et en le frottant, il me raconta son histoire.

« Un jour les combats commencent, et les touristes arrêtent de venir. Les rebelles viennent à cheval des passes des montagnes, avec des fusils et des yeux comme des trous noirs dans leurs visages, oui, ils entrent dans les rues de Shrînâgar, ça veut dire Cité Prospère, je dis alors, Père Abhajan, faut partir tout de suite, mais le grand-père a dit, *toba, toba,* pour aller où, ici c'est le pays de nos ancêtres.

— Du calme », dis-je, chassant de ses paumes les vieilles lignes, rendant leur liberté à ses chagrins dans l'air trouble de l'épicerie. Ses chagrins tournoyèrent et tournoyèrent au-dessus de nos têtes à la recherche d'un nouveau lieu à investir, comme tous les chagrins libérés sont contraints de le faire.

Malgré tout, il continuait à raconter, des mots *staccato* comme des éclats de pierre.

« Une nuit les rebelles. Dans notre village près du lac. Viennent prendre les hommes jeunes. Abhajan essaye de les arrêter. Des coups de feu. Se répercutent sur l'eau. Du sang, du sang et du sang. Même le grand-père qui dormait. Soie rouge de *shikara* plus rouge encore. Si j'avais pu moi aussi, moi aussi… »

Comme les derniers grains de *chandan* fondaient dans ses paumes, il frémit puis se tut.

« J'en étais où ?

— Vous vouliez connaître votre avenir.

— Ah oui ! » Un sourire s'ébaucha sur ses lèvres avec une lenteur à fendre le cœur, comme s'il devait tout réapprendre.

« Ça m'a l'air bon, très bon. De grandes choses vont vous arriver dans ce nouveau pays, cette Amérique. La richesse et le bonheur et même peut-être l'amour, une belle femme avec des yeux de lotus sombres.

— Ah ! » fit-il en poussant un petit soupir. Et avant que je puisse l'en empêcher, il s'est penché pour m'embrasser les mains. « Lady, je vous remercie. » Ses boucles luisaient d'un doux éclat noir comme un ciel d'été la nuit. Sa bouche imprima un cercle de feu sur ma peau, la brûlant, et son plaisir m'enflamma les veines, les brûlant aussi.

Je n'aurais pas dû le laisser faire. Mais comment me retirer...

Toutes ces choses contre lesquelles vous m'avez mise en garde, Première Mère, je les désirais. Ses lèvres reconnaissantes, innocentes et ardentes au creux de ma paume, ses chagrins miroitant comme des lucioles posées dans mes cheveux.

Pourtant, quelque chose se tordait de peur à l'intérieur de moi. En moi un peu, mais en lui bien plus fort. Je ne lis pas le futur, c'est vrai. Mais le battement désespéré de son pouls dans ses poignets, le sang coulant trop vite comme s'il savait qu'il lui restait peu de temps…

Il sortit de la boutique d'un pas vif pour s'engouffrer dans l'obscurité peuplée de dangers, Haroun le téméraire, n'avais-je pas promis, moi qui peux tout faire arriver, les cartes de travail, les promotions et les filles aux yeux de lotus.

Moi Tilo, architecte du rêve des immigrés.

O Haroun, dans l'air crépitant de ta présence après ton passage, j'ai fait un vœu. Que le bois de santal conserve la vivacité de ton regard ! Mais il y eut dehors une explosion soudaine, était-ce le bruit d'allumage prématuré d'un bus ou un coup de feu ?

Le bruit recouvrit ma prière.

Aujourd'hui, j'admets avec joie que je me suis trompée. Car il y a trois mois de cela, et Haroun, souriant de toutes ses dents étincelantes et employant de nouveaux mots américains, m'a dit : « Lady, vous allez pas croire vos oreilles. Je quitte boulot avec cette *memsaab* Kapadia. »

J'attends qu'il s'explique.

« Tous ces gens riches, ils pensent qu'ils sont encore en Inde. Vous traitent comme des *janwaar*, des animaux. Fais ci, fais ça, ça arrête pas, et quand vous avez usé les semelles à courir dans tous les sens pour eux, pas même un mot de remerciement. »

— Quoi d'autre, Haroun ?

— Attendez, attendez. Hier soir, je suis chez McDonald's, à côté de la laverie Thrifty, dans la quatrième rue, quelqu'un pose la main sur l'épaule. Je sursaute, vous vous souvenez, le mois passé, y a un meurtre, quelqu'un demande argent et trouve qu'on lui donne pas assez. Je prie Allah tout en me retournant, c'est que Mujibar, du village de mon oncle près de Pahalgaon. Mujibar que je sais pas qu'il est en Amérique. Il se débrouille, il a déjà deux taxis à lui et cherche un chauffeur. Bonne paie, il me dit, traitement spécial pour un camarade du Cachemire et qui sait une possibilité d'acheter sa propre voiture plus tard. Pensez donc, être son propre patron. Donc je dis ok et je vais dire à la *memsaab* que je m'en vais. Lady, sans mentir, son visage devient pourpre comme une aubergine. A partir de demain, je conduis un taxi noir et jaune comme des tournesols.

— Un taxi », je répète bêtement. Je sens comme un bloc de glace m'enserrer l'estomac, mais allez savoir pourquoi.

« Lady, il faut que je remercie vous, c'est grâce à votre *keramat*, maintenant venez voir mon taxi. Je le gare juste devant. Venez venez, la boutique peut bien se passer de vous une minute. »

O Haroun, dans tes yeux suppliants, je vois qu'un plaisir ne devient réel que s'il est partagé avec quelqu'un de cher, et dans ce pays étranger qui d'autre trouver ? Il me faut fouler le sol de béton interdit de l'Amérique et abandonner l'épicerie, ce que je suis censée ne jamais faire.

Derrière moi un sifflement comme une respiration suffoquée, retenue, ou est-ce seulement la vapeur qui s'élève d'une grille de souterrain.

Le taxi est là, comme Haroun le décrivait, dans sa coque de beurre sculptée, lisse et douce mais un frisson me traverse avant même que Haroun ne m'incite « Touchez », et j'avance la main.

La vision explose derrière mes paupières comme un feu d'artifice détraqué. Il fait nuit, les portes ouvertes de la voiture ballottent frénétiquement, celle de la boîte à gants aussi, quelqu'un est effondré sur le volant, est-ce un homme ou une femme ? Et les boucles, sont-elles brunes et luisantes de sueur comme la peur, est-ce là une bouche autrefois radieuse, et la peau est-elle contusionnée ou est-ce seulement un effet de l'ombre ?

Cela passe.

« Lady, quelque chose qui va pas ? Votre visage est gris comme de vieux journaux, ça vous épuise, vous occuper toute seule de cette grande boutique. Combien de fois je dis vous passer une annonce dans *India West* et vous faire aider ?

— Je vais très bien, Haroun. C'est une belle voiture. Mais soyez prudent.

— Oh, Ladyjaan, vous vous faites trop souci, vous me rappelez ma vieille *nani* au pays. Ok vous savez quoi, vous préparez un de vos paquets magiques et la prochaine fois je viens, je le mets dans la voiture pour me porter chance. Faut que je file maintenant. Je promets aux gars de les rencontrer chez Atbar et de payer à eux des *khânâ* géants. »

Il a besoin, il a besoin de…

Mais avant que j'aie pu trouver le nom de l'épice, il est parti. Rien que le claquement sec tel un coup de feu de la porte de la voiture qui se referme, le ronron joyeux du moteur, l'odeur légère d'essence flottant dans l'air, promesse d'aventure.

Tilo, ne sois pas fantasque…

De retour dans l'épicerie, je dois affronter le courroux des épices. Je dois leur demander pardon. Mais je ne cesse de penser à Haroun. L'air sent le roussi, j'ai un goût de cuivre dans la bouche, comme un cauchemar qui vous laisse un instant de répit quand vous vous efforcez de vous réveiller, parce que si vous vous rendormez, ça va recommencer mais vos yeux sont trop lourds et se referment malgré vous.

Je me trompe peut-être cette fois encore.

Pourquoi est-ce que je n'arrive pas à m'en persuader ?

Cumin noir, cela me traverse juste avant que la vision ne s'impose de nouveau à moi, du sang et des membres fracassés et un gémissement ténu, fil rouge étranglant la nuit. Il faut du *cumin noir*, épice de la sombre planète Ketu, qui protège contre le mauvais œil. Epice d'un noir bleu, chatoyante comme la forêt Sundarbans où on l'a découverte. *Cumin noir* qui a la forme d'une larme, à l'odeur forte et sauvage comme les tigres, pour contrecarrer ce que le destin réserve à Haroun.

*

Vous vous en doutez peut-être déjà. Ce sont les mains qui tirent le pouvoir des épices. *Hater gun,* ça s'appelle.

La première chose que la Vieille regarde attentivement quand les filles arrivent sur l'île, ce sont les mains.

Voilà ce qu'elle dit :

« Une bonne main n'est ni trop légère, ni trop lourde. Les mains légères sont des créatures du vent, elles volent dans une direction puis dans une autre à sa fantaisie. Les mains lourdes, affaiblies par leur propre poids, n'ont pas d'esprit. Ce ne sont que des morceaux de viande pour les vers qui attendent sous terre.

« Une bonne main n'a pas de taches brunes sur la paume, signe d'un caractère pervers. Si vous la tenez serrée en forme de coupe et la regardez face au soleil, il n'y a pas de jour entre les doigts qui laisse échapper les épices et les charmes.

« Une bonne main n'est ni froide ni sèche comme le ventre du serpent, car une Maîtresse des Epices doit ressentir la douleur de l'autre.

« Elle n'est ni chaude ni humide comme l'haleine d'un amant qui attend contre la vitre d'une fenêtre, car une Maîtresse doit oublier ses propres passions.

« Dans le creux d'une bonne main est gravé un lis invisible, fleur de froide vertu, perle étincelante à minuit. »

Vos mains répondent-elles à cette litanie ? Les miennes n'y répondaient pas.

Comment donc, demandez-vous, suis-je devenue Maîtresse ?

Attendez, je vais vous raconter.

Dès l'instant où le plus vieux des serpents m'eut indiqué le chemin, je me suis mise en quête de l'île, menant sans relâche, jour et nuit, mes pirates jusqu'à ce qu'ils tombent épuisés sur le pont, sans oser demander ni notre destination ni le pourquoi de tant de hâte. Puis un soir, nous l'avons aperçue à l'horizon, une noircissure telle une volute de fumée ou une nappe de brume. Moi, je savais que c'était l'île. Mouillez l'ancre, ordonnai-je, sans rien ajouter. Et tandis que l'équipage fatigué dormait comme hypnotisé, je plongeai dans l'océan de minuit.

L'île était loin, mais j'avais confiance. Je chantai une incantation qui délivre de la pesanteur, et progressai dans les vagues légère comme l'air. Mais alors que l'île était encore petite, de la taille d'un poing tendu vers le ciel, la formule magique s'éteignit dans ma gorge. Mes bras et mes jambes s'alourdirent peu à peu et refusèrent de m'obéir. Dans ces eaux enchantées par une plus grande magicienne que moi, mon pouvoir ne valait rien. J'ai lutté et me suis débattue, j'ai avalé de l'eau salée comme n'importe quelle simple mortelle jusqu'à ce que j'échoue sur le sable et m'effondre dans un tourbillon vertigineux de rêves.

Les rêves, je ne m'en souviens pas, mais la voix qui me tira de ces rêves, je ne l'oublierai jamais. Fraîche et rugueuse avec une pointe de moquerie, mais profonde, profonde, une voix où plonger son cœur.

« Mais qu'est-ce donc que le dieu de la mer a vomi sur notre rivage ce matin ? »

C'était la Vieille, entourée de ses novices, le soleil décrivant un halo derrière sa tête, un miroitement multicolore dans ses cils. Si bien que me hissant tant bien que mal sur les genoux, je me sentis contrainte de baisser mes propres cils agglutinés par le sable.

Je me rendis compte alors que j'étais nue. La mer m'avait dépouillée de tout, vêtements et magie et même, pour un temps, de mon arrogance. M'avait jetée à ses pieds, privée de tout sauf de mon corps disgracieux et noir.

De honte, je tirai sur mes cheveux raidis par le sel pour me couvrir. De honte, je me croisai les bras sur la poitrine et baissai la tête.

Mais déjà elle enlevait, pour le placer autour de mes épaules, son châle doux et gris telle une gorge de colombe ; une odeur d'épices s'en exhalait comme un mystère que je brûlais d'apprendre. Et ses mains. Douces, mais la peau d'un blanc rosâtre semblait brûlée et plissée jusqu'aux coudes comme si elle les avait autrefois plongées dans un brasier.

« Qui es-tu, mon enfant ? »

Qui étais-je ? Je ne savais que répondre. Déjà mon nom s'était effacé dans le soleil se levant sur l'île, comme l'étoile d'une nuit révolue. Ce n'est que beaucoup plus tard, quand elle nous enseignerait les herbes de la mémoire, que je me souviendrais de cela… et de ma vie passée.

« Que veux-tu de moi ? »

Confondue, je la regardais fixement, elle qui m'apparut immédiatement la plus vieille et la plus belle des femmes avec ses rides argentées, même si par la suite je m'aperçus qu'elle n'était pas belle au sens où les hommes utilisent ce mot. Sa voix, que j'apprendrais plus tard à connaître dans toutes ses nuances – colère et moquerie et tristesse – était douce comme le vent dans les canneliers qui formaient un rideau derrière elle. Un ardent désir de lui appartenir me secouait comme les vagues contre lesquelles j'avais lutté toute la nuit.

Je crois qu'elle lisait dans mon cœur, la Vieille. Ou peut-être était-ce simplement que tout ce qui venait à elle était irrésistiblement mû par le même désir.

Elle poussa un petit soupir. Le poids de l'adoration est lourd à porter, je sais cela maintenant.

« Laisse-moi voir. » Et elle prit mes mains dans les siennes qui étaient passées par le feu, personne ne savait quand.

Trop léger, trop chaud, trop humide. Mes mains couvertes de taches de rousseur comme le dos d'un vanneau. Des paumes dans lesquelles sur le coup de minuit s'épanouiraient les fleurs pourpres et épineuses du sang-de-dragon.

La Vieille avait reculé d'un pas, me lâchant les mains.

« Non. »

Tous les ans, un millier de filles sont renvoyées de l'île à cause de leurs mains. Elles peuvent avoir le don de double vue, ou quitter leur corps pour voyager à travers l'espace. La Vieille est intraitable.

Tous les ans, un millier de filles dont les mains ont été jugées inaptes, du bateau qui les ramène chez elles, se jettent dans la mer. Parce que mourir est plus facile que mener la vie ordinaire, faire la cuisine, laver les vêtements, se baigner dans le lac des femmes et porter des enfants qui vous quitteront un jour, quand le souvenir de celle à qui vous avez donné votre cœur vous poursuit sans relâche.

Elles deviennent des fantômes d'eau, des esprits de brume et de sel, et leurs cris ressemblent à ceux des mouettes.

J'aurais pu devenir l'une d'entre elles, si je n'avais eu les bons os.

C'est grâce à eux que la Vieille ne put s'empêcher de reprendre mes mains dans les siennes. Grâce à eux qu'elle m'a permis de rester sur l'île, bien que la raison aurait dû crier *non*.

Le plus important dans une bonne main, ce sont les os. Ils doivent être lisses comme la pierre polie par l'eau et répondre dociles au toucher de la Vieille quand elle tient votre paume dans la sienne, quand elle met les épices au creux de votre main. Ils doivent savoir comment s'accorder au chant des épices.

« J'aurais dû te renvoyer, me dira par la suite la Vieille, en secouant tristement la tête.

« C'étaient des mains volcaniques, débordantes de risques, prêtes à exploser. Mais je n'ai pas pu.

— Et pourquoi, Première Mère ?

— Tu étais la seule à avoir des mains capables de faire chanter les épices. »

Cannelle

Laissez-moi vous raconter pour le piment.

Le piment sec, *lanka,* est l'épice la plus puissante. Dans sa cosse rouge et bosselée, c'est la plus belle. Son deuxième nom, c'est : danger.

Le piment chante avec la voix d'un faucon décrivant des cercles au-dessus des collines blanchies par le soleil où rien ne pousse. *Moi,* lanka, *je suis fils d'Agni, le dieu du feu, je suis tombé du bout de ses doigts pour apporter du goût à cette terre fade.*

Lanka, je crois que je suis profondément amoureuse de toi.

Le piment pousse au centre de l'île, au cœur même d'un volcan assoupi. Il ne nous est pas permis de nous en approcher avant d'avoir atteint le troisième degré de l'apprentissage.

Piment, épice du jeudi rouge, qui est le jour des comptes. Le jour qui nous invite à rassembler le sac de notre vie, à en renverser tout le contenu pour l'examiner. Jour du suicide, jour du meurtre.

Lanka, lanka. Parfois je roule ton nom sur ma langue. Goûte ta saveur piquante, affriolante.

La Vieille nous a mises si souvent en garde contre tes pouvoirs.

« Mes filles, ne l'utilisez qu'en dernier recours. Allumer un feu est chose facile. Mais comment l'éteindre ? »

C'est pour cela que j'hésite à t'invoquer, *lanka*, que Râvana, le roi-démon aux dix têtes, donna pour nom à son royaume enchanté. Cité aux innombrables joyaux qui finit en cendres. Bien que j'aie été tentée plus d'une fois de faire appel à toi.

Quand Jagjit vient à la boutique, par exemple.

Dans la pièce au fond de la boutique, sur le rayon le plus haut, il y a un bocal hermétiquement soudé rempli de doigts rouges de lumière. Un jour, je l'ouvrirai et les piments scintillants se répandront sur le sol. Et s'enflammeront.

Lanka, enfant du feu, qui purifie du mal. Le jour où il n'y aura plus d'autre remède.

*

Jagjit vient à l'épicerie avec sa mère. Il reste à demi caché derrière elle, s'agrippant de ses doigts à son *dupatta* bien qu'il ait déjà dix ans et demi et qu'il soit grand comme un bambou sauvage.

« Jaggi, reste pas pendu à moi comme une fille, va me chercher un paquet de *sabu papad.* »

Jagjit avec ses fins poignets timides qui a des problèmes à l'école parce qu'il ne parle encore que le panjâbî. Jagjit que le professeur a relégué au dernier rang près du garçon aux yeux d'un bleu presque blanc qui bave. Jagjit qui a appris son premier mot anglais. *Idiot. Idiot. Idiot.*

Je le rejoins dans le fond là où il scrute d'un air ahuri les étagères de *papad,* les paquets estampillés d'hindi et d'anglais.

Je lui tends les *sabu papad.* Je lui dis : « Ce sont les blancs bosselés, tu vois. La prochaine fois, tu sauras. »

Jagjit aux yeux apeurés, coiffé de son turban vert dont les gosses à l'école se moquent, sais-tu que ton nom signifie Conquérant du Monde ?

Mais déjà sa mère crie : « Pourquoi es-tu si lent, Jaggi, tu trouves pas les *papad,* tu es aveugle, mes cheveux seront blancs avant que tu reviennes à force de t'attendre, toujours t'attendre. »

Dans la cour de récréation, ils essaient de le lui arracher de la tête, le turban vert comme une gorge de perroquet. Ils balancent le tissu au bout de leurs doigts et éclatent de rire à la vue de ses longs cheveux. Puis le laissent tomber par terre.

Asshole, son second mot d'anglais. Ses genoux saignent sur le gravier.

Jagjit se mord la lèvre pour qu'on ne l'entende pas crier. Il ramasse son turban maculé de boue puis l'enroule lentement autour de sa tête avant de pénétrer dans la salle de classe.

« Jaggi, comment ça se fait que tu salisses toujours tes vêtements, il y a un bouton qui manque, et regarde-moi cette grande déchirure sur ta chemise, *badmash*, tu crois que je croule sous l'argent ? »

La nuit, il reste les yeux grands ouverts, le regard fixe jusqu'à ce que les étoiles se mettent à trembloter comme les lucioles dans le *kheti* de sa grand-mère près de Jullunder. Elle chante tout en ramassant pour le dîner des bouquets de *saag* du même vert que son turban. Mots panjâbî qui font un bruit de pluie.

Jagjit, te souviens-tu de ces mots, quand tu finis par fermer les yeux, parce qu'après tout, tu n'y peux rien. Les voix railleuses, les bouches qui crachent, les mains. Les mains qui baissent ton pantalon au beau milieu de la cour de récréation, avec les filles qui regardent.

« *Chhodo mainu !* »

« Parle anglais, fils de put' ! Parle plus fort, trouduc', nègre, pisseux ! »

« Jaggi, comment ça, tu veux pas aller à l'école, et ton père qui se tue au travail, au travail à l'usine, deux claques, tu vas voir, et tu vas y aller ! »

« *Chhodo !* »

Au comptoir, je dis : « Tiens, prends ce *burfi*, non, non, Madame, c'est gratuit pour les enfants. » Je le regarde mordre avidement dans le morceau brun parfumé de clou de girofle, de cardamome et de cannelle. Il m'adresse un sourire timide en réponse au mien.

Du clou de girofle et de la cardamome broyés, Jagjit, pour parfumer ton haleine. De la cardamome que je sèmerai à la volée ce soir au gré du vent. Le vent du nord qui l'emportera pour guérir ton professeur de son aveuglement. Et aussi le suave et puissant clou de girofle, *lavang*, épice de la compassion. Pour que ta mère levant tout à coup les yeux de sa planche à linge, et repoussant de son front une mèche de cheveux fatigués, te dise « Jaggi *betâ*, raconte-moi ce qui s'est passé », et te prenne dans ses bras humides d'eau savonneuse.

Et voilà la cannelle, petit os creux et brun que je fourre sans que tu t'en rendes compte dans ton turban juste avant que tu t'en ailles. Cannelle qui favorise l'amitié, *dâlchînî* cannelle d'un brun chaud comme la peau, pour que tu trouves quelqu'un qui puisse te prendre par la main, pour courir et rire avec toi, et te dise : « Tu vois, ça c'est l'Amérique, ce n'est pas un si mauvais pays. »

Quant aux autres avec leurs yeux durs comme des cailloux, la cannelle pourfendeuse d'ennemis te donnera de la force, la force qui grandit dans tes jambes et tes bras et surtout dans ta bouche jusqu'à ce qu'un jour tu puisses crier *non* assez fort et qu'interloqués ils arrêtent.

*

Quand nous eûmes célébré la cérémonie de purification, quand nous fûmes prêtes à quitter l'île et à partir chacune vers notre destinée particulière, la Vieille déclara :

« Mes filles, le temps est venu pour moi de vous donner vos nouveaux noms. Quand vous êtes arrivées sur cette île, vous avez abandonné vos noms, et n'en avez pas reçu d'autres depuis.

« Mais auparavant, laissez-moi vous poser une dernière fois cette question. Etes-vous certaines que vous voulez devenir des Maîtresses ? Il n'est pas trop tard, vous pouvez choisir une vie plus facile.

« Etes-vous prêtes à abandonner vos jeunes corps, à accepter l'âge, la laideur et à vous dévouer sans compter ? Prêtes à ne jamais quitter les lieux où vous serez affectées, magasin, école ou hôpital ?

« Etes-vous prêtes à ne jamais rien aimer d'autre que les épices ? »

Autour de moi mes sœurs novices, leurs vêtements encore humides de l'eau de mer qu'elle avait versée sur nous, tremblant un peu, se taisaient. Et il me sembla que les plus jolies d'entre elles gardaient les yeux baissés plus longtemps.

Ah, maintenant que je connais la puissance qu'exerce la vanité sur le cœur humain, vanité qui n'est que l'envers de la peur de ne pas être aimé !

Mais ce jour-là, moi, la plus douée des élèves de la Vieille, moi qui appris vite à maîtriser épices et incantations, vite à dialoguer avec les épices, même avec les plus dangereuses, moi si souvent arrogante et impatiente, j'avais jeté sur mes consœurs un coup d'œil où se mêlaient pitié et dérision. J'avais regardé la Vieille hardiment et déclaré : « Moi, je suis prête. »

Moi qui n'étais pas belle et pensais en conséquence que j'avais peu à perdre.

Le regard appuyé de la Vieille me piqua comme une ortie. Elle dit seulement « Très bien ». Puis nous fit signe de nous approcher d'elle, l'une après l'autre.

Autour de nous, l'île irradiait sa lumière nacrée dans la brume marine. Sur la voûte au-dessus de nous, des arcs-en-ciel dessinaient des sortes d'ailes. Les filles s'agenouillèrent une à une, et la Vieille traça sur leurs fronts leurs nouveaux noms. Quand elle parlait, il semblait que les traits des filles se dissolvaient et que quelque chose de neuf se formait dans chaque visage.

« Désormais on t'appellera Aparâjitâ du nom de la fleur dont le jus, étalé sur les paupières, mène à la victoire. »

« On t'appellera Pia du nom de l'arbre *pial* dont les cendres frottées sur les membres apportent la vigueur.

« Et toi… »

Mais j'avais déjà choisi.

« Première Mère, mon nom sera Tilo.

— Tilo ? » Il y avait du mécontentement dans sa voix, et les autres novices levèrent craintivement les yeux.

« Oui », répétai-je, et bien que j'eusse peur moi aussi, je m'efforçai de contrôler ma voix pour ne pas me trahir. « Tilo, diminutif de Tilottama. »

Ah, comme j'étais naïve de penser que je pouvais cacher quelque chose à la Vieille, elle qui plus tard m'enseignerait à lire dans le cœur des autres !

« Depuis ton arrivée ici, tu n'as fait que causer des problèmes, et enfreindre les règles. J'aurais dû te rejeter à la mer dès notre première rencontre. »

Je m'étonne encore qu'elle n'ait pas été plus en colère ce jour-là, la Première Mère. Retrouvait-elle, reflétée dans ma nature entêtée, sa propre jeunesse ?

Les racines pendant comme des tresses de cheveux des branches des banians bruirent dans la brise. Où était-ce le bruit de son soupir ?

« Ce nom, sais-tu ce qu'il signifie ? »

Je m'attendais à cette question. Ma réponse est prête.

« Oui, Première Mère. *Til* est le grain de sésame brun doré comme s'il venait d'effleurer la flamme que gouverne la planète Vénus. La fleur est si petite, si droite et si pointue que les mères font des prières pour que leurs filles naissent avec un nez qui ait cette forme. *Til* qui réduit en pâte et mêlé au bois de santal guérit les maladies de cœur et de foie, *til* qui frit dans sa propre huile redonne du lustre à la vie quand on a perdu tout intérêt. Je serai Tilottama, l'essence de *til*, la pourvoyeuse de vie, celle qui rend santé et espoir. »

Son rire fait penser à des feuilles sèches qui s'écrasent sous le pied.

« Ce n'est certainement pas la confiance qui te manque, ma fille. Emprunter le nom de la plus belle *apsarâ* de la cour d'Indra, roi de la pluie ! Tilottama, la plus élégante des danseuses, femme entre toutes les femmes ! Tu l'ignorais ? »

Je baisse la tête. Pendant un instant, je redeviens l'ignorante du premier jour passé dans l'île, nue, mouillée, trébuchant sur les pierres aux arêtes vives et glissantes. Elle m'humilie toujours de cette façon. Je pourrais la détester pour cela si je ne l'aimais pas si fort, elle qui fut pour moi une première vraie mère, moi qui avais abandonné tout espoir d'être maternée.

Le bout de ses doigts, légers comme un souffle, sur mes cheveux.

« Ah, mon enfant, tu y tiens beaucoup, n'est-ce pas ? Mais souviens-toi : quand Brahmâ donna à Tilottama le titre de première danseuse à la cour d'Indra, il l'avertit : elle ne devrait jamais donner son cœur à un homme... seulement à la danse.

— Oui, Mère. » Je ris de joie, de soulagement d'avoir remporté cette bataille, et presse sur mes lèvres les paumes rugueuses de la Vieille. « Je n'ignore pas les règles. N'ai-je pas prononcé les vœux ? »

Puis elle trace mon nouveau nom sur mon front. Mon nom de Maîtresse, enfin et pour toujours, après tant de changements de personnalité. Mon vrai nom que je ne dois révéler à personne d'autre qu'à mes sœurs. Son doigt est frais et glisse comme de l'huile. L'air s'emplit du parfum propre, astringent des graines de sésame.

« Souviens-toi aussi de cela : Tilottama finit par désobéir, et fut déchue de son rang. Elle fut bannie des cieux, dut aller vivre sur terre comme une simple mortelle pendant sept vies. Sept vies de mortelle avec la maladie et la vieillesse, les gens se détournant d'elle de dégoût à la vue de ses membres tordus, lépreux.

— Mais moi, je ne vais pas déchoir, Mère. »

Pas le plus petit tremblement dans ma voix. Mon cœur déborde de passion pour les épices, mes oreilles sont pleines de la musique de leur danse. Mon sang brûle de notre pouvoir partagé.

Je n'ai nul besoin d'un pitoyable mortel à aimer.

Je le crois. De tout mon être.

Fenugrec

Donnez-moi votre main. Ouvrez, puis fermez. Sentez.

Les grains compacts et drus de fenugrec, durs comme des cailloux, reposent au creux de votre paume, couleur de sable au fond d'une vieille crique. Mettez-les à tremper et ils s'épanouiront.

Mâchez les grains gonflés et savourez-en l'âpre douceur. Goût de plantes aquatiques récoltées dans un endroit sauvage, cri d'oies cendrées. Le fenugrec est l'épice du mardi, quand l'air est vert comme des mousses d'après la pluie. Epice des jours où j'ai envie de me pelotonner sous une couette cousue de feuilles de *pîppal* et de raconter des histoires comme j'avais coutume de le faire sur l'île. Si ce n'est qu'ici, il n'y a personne pour m'écouter.

Fenugrec, je t'ai demandé ton secours lorsque Ratna vint me voir le poison dévorant son ventre, fruit des vagabondages de son mari. Et quand Ramaswamy délaissa sa femme après vingt ans pour se consacrer à un amour plus jeune.

Ecoutez la chanson du fenugrec : *Je suis frais au palais comme le vent de la rivière, je plante le désir dans la terre devenue stérile.*

Oui, j'ai fait appel à toi quand Alok qui aime les hommes m'a montré les lésions ouvrant leurs bouches avides sur sa peau et dit « Je crois que c'en est fini de moi. » Quand Binita leva vers moi son visage de fleur fanée. Binita avec une grosseur comme une pépite de plomb dans le sein ; les docteurs ont dit « Coupez », et son mari, l'effroi dans les yeux, faisant les cent pas dans l'épicerie, me demanda « Que dois-je faire, s'il vous plaît ? »

Moi fenugrec qui rends au corps sa douceur, qui l'apprête pour l'amour.

Fenugrec, grain moucheté que Shabati, la plus vieille femme du monde, fut la première à semer. Les jeunes te dédaignent, pensant n'avoir jamais besoin de toi. Mais un jour, plus tôt qu'ils ne le pensent...

Tous, oui. Même les filles-bougainvillées.

*

Les filles-bougainvillées entrent en foule, comme des libellules à midi. Leurs éclats de rire carillonnants ricochent autour de moi. Vagues chaudes et salées qui coupent le souffle et submergent. Elles flottent dans l'obscurité à l'odeur de renfermé de l'épicerie, atomes de poussière dansant sur un rai de lumière. Et pour la première fois, j'ai honte et regrette que tout ne soit pas flambant neuf.

Les filles-bougainvillées ont des cheveux lisses comme l'ébène, tressés en nattes agiles. Ou ondulés comme des cascades ruisselant autour de leurs visages levés si confiants que vous ne pouvez imaginer que quoi que ce soit de mal leur soit jamais arrivé.

Elles portent des bracelets cliquetants aux tons pastels et des boucles d'oreilles qui caressent la peau satinée de leur cou. Leurs pieds cambrés perchés dans de scintillantes chaussures à fins talons, elles oscillent sur leurs longues jambes. Leurs ongles peints ressemblent à des fleurs de bougainvillées pourpres. Leurs lèvres aussi sont pourpres.

Ce n'est pas pour elles, la litanie monotone du riz-farine-haricots-cumin-coriandre. Elles veulent des pistaches pour le *pullao*, et des graines de pavot pour le *rogan josh*, qu'elles prépareront un œil rivé sur le livre de recettes.

Les filles-bougainvillées ne me voient pas, pas même quand elles élèvent la voix pour demander « Où est l'*amchûr* ? » et « Le *rasmalai* est frais, vous êtes sûre ? » Des voix de merles haut perchées comme si elles s'adressaient à des sourds ou à des faibles d'esprit.

Un instant, je suis en colère. Les petites imbéciles. Leurs yeux aveugles papillonnant sous le mascara. Ma main se referme en forme de poing sur les feuilles de laurier qu'elles ont jetées avec désinvolture sur le comptoir.

Je pourrais en faire des impératrices. Océans d'huile et de miel pour le bain, palais de sucre candi étincelants. Feuille d'hyacinthe d'eau posée sur la paume pour que tout ce qu'elles touchent se transforme en or. Onguent de racine de lotus sur les mamelons pour enchaîner les hommes à leurs pieds. Si je voulais.

Ou je pourrais…

Elles se croient si extraordinaires. Filles de la Fortune, hors d'atteinte de tout mal. Mais une goutte de jus de noix ajouté à de la mandragore, en murmurant leurs noms. Et…

La poussière des feuilles de laurier écrasées s'échappe de mon poing telle une fumée. Un désir, acéré comme une griffe de tigre, surgit d'un endroit enfoui en moi.

Je vais faire bouillir des pétales de rose avec du camphre, y mêler de la poudre de plumes de paon. Prononcer les formules adéquates et me débarrasser de ce déguisement que j'ai mis en quittant l'île. Ce déguisement glissera à mes pieds comme une vieille peau de serpent, et je me dresserai rose et humide, neuve. Drapée dans un voile constellé de diamants, Tilottama, belle entre les belles, en comparaison de qui ces filles ne seront plus que la boue qu'on gratte de ses semelles avant de franchir le seuil.

Mes ongles s'enfoncent dans mes paumes. Avec le sang vient la douleur. Et la honte.

« Tu seras tentée, dit la Vieille avant mon départ. Toi surtout avec tes mains de lave qui exigent tant du monde. Ton cœur de lave qui cède si vite à la haine, à la jalousie et à la passion d'amour. Souviens-toi des raisons pour lesquelles ton pouvoir t'a été accordé. »

Pardon, Première Mère.

J'essuie mes mains repentantes sur mon sari, mon vieux sari rapiécé et taché, pour me prémunir de cette vanité qui me gonfle la tête d'une vapeur et me brouille la vue. Je pousse une longue expiration, brume rouge. Et quand j'inspire à nouveau, je me concentre sur l'odeur des épices. Propres, nettes, saines. Ma vue se dégage.

Je les bénis, mes filles-bougainvillées. Bénis les os ronds de leurs coudes, l'éclat de leurs hanches sous les soyeux *salwaar*, les jeans Calvin Klein. Avec la ferveur du repentir, je bénis leurs paumes moites enserrant les pots de citron vert confit qu'elles inspectent à contre-jour, les boîtes de feuilles de *patra* qu'elles feront sauter ce soir pour leurs maris ou leurs amants, car ce sont d'éternelles jeunes épousées, les filles-bougainvillées, ou bien tout sauf des épouses.

Je plisse les yeux et les imagine le soir : lumières tamisées, coussins de soie d'un noir profond comme le milieu de la nuit, incrustés de minuscules miroirs. Un peu de musique en sourdine, peut-être du sitâr ou du saxophone.

Elles servent à leurs hommes du *biriyani* qui sent bon le beurre fondu, de fraîches coupelles de *raita,* du *patra* assaisonné de fenugrec. Et au dessert, dégoulinants de miel doré, des *gulab jamun* pareils à des roses sombres.

Les yeux des hommes s'assombrissent aussi telles des roses sous un ciel d'orage.

Un peu plus tard, les bouches des femmes, cercles rouges et humides, s'arrondissent comme elles s'étaient arrondies pour avaler les *jamun*, et la respiration des hommes, chaude et irrégulière, plonge et monte, et monte à nouveau, jusqu'au cri.

Je vois tout cela. Si beau, mais si bref, triste.

Je laisse la jalousie se tarir. Elles ne font que suivre leur nature, les filles-bougainvillées. Tout comme moi, en dépit de tous les conseils de prudence, j'ai suivi la mienne.

Jalousie, pus vert, évanouie maintenant. Complètement. Presque.

J'insuffle à chaque article une pensée positive en l'enregistrant sur ma caisse. Les feuilles de laurier, un paquet neuf de feuilles entières aux bords bruns tranchants, je ne les compte pas.

Je les offre à mes filles-bougainvillées, dont les corps de safran resplendissent au lit, dont les bouches embaument mon fenugrec, mon *elach,* mon *pân paraag.* Que j'ai préparé moi-même. Musqué. Fécond. Irrésistible.

*

Je dors avec un couteau sous mon matelas. Je dors avec depuis si longtemps que la petite protubérance que fait son manche sous mon omoplate gauche m'est aussi familière que la pression d'une main d'amant.

Tilo, tu parles d'amants en experte.

J'aime ce couteau (je n'ose pas l'appeler mon couteau) parce que c'est la Vieille qui me l'a donné.

Je me souviens du jour, orange assourdi des ailes de papillon ; une tristesse flottait déjà dans l'air. Elle offrait à chacune des Maîtresses un cadeau de départ. Certaines reçurent des flûtes, d'autres des porte-encens, ou des métiers à tisser. Quelques-unes reçurent des stylos.

Moi seule je reçus un couteau.

« Pour te garder chaste », me dit-elle en le déposant sur ma paume d'une voix basse que je fus seule à entendre. Le couteau était froid comme de l'eau de mer, souple comme la feuille de yucca qui pousse sur les flancs du volcan. Le couteau fredonna sa chanson métallique contre mes lèvres quand je me penchai pour en baiser la lame.

« Et t'empêcher de rêver. »

Couteau pour trancher les amarres du passé, du futur. Pour qu'éternellement je tangue sans attaches sur les flots.

La nuit, je le glisse sous moi quand je déroule ma literie, le matin je l'enlève, l'enveloppe dans sa housse avec une pensée de gratitude. Le remets dans la bourse que je porte à la taille, car le couteau a d'autres usages.

Tous dangereux.

Vous vous demandez à quoi ressemble un tel couteau.

C'est un couteau des plus ordinaires, car c'est en cela même que réside la nature de la magie la plus puissante. La magie la plus puissante gît au cœur de nos vies quotidiennes, feu intermittent, si seulement nous avions des yeux pour voir.

C'est ainsi. Mon couteau ressemble à n'importe quel couteau acheté chez Prisunic ou Monoprix. A l'usage, la sueur a rendu le manche en bois lisse et mat, la plate lame sombre a perdu son éclat.

Mais oh, comme il coupe !

*

Si vous me demandez combien de temps je suis restée sur l'île, je ne saurai vous répondre, car le temps s'écoulait différemment là-bas. Nous passions des jours tranquilles, et pourtant chaque instant, pétale tournoyant emporté par le courant rapide vers la mer, avait son intensité propre. Si vous ne vous en saisissiez pas, n'en tiriez pas la leçon, il vous échappait pour toujours.

Les leçons que nous apprenions sur l'île auraient de quoi vous surprendre, vous qui imaginez que nos vies de Maîtresses sont pleines d'exotisme, de mystère, de drame et de danger. Oui, il y avait un peu de tout ça, car le pouvoir des épices que nous apprenions à plier à nos desseins aurait pu nous détruire, si nous les avions invoquées à mauvais escient. Mais nous passions le plus clair de notre temps à effectuer des tâches ordinaires telles que balayer, coudre, préparer les mèches pour les lampes à huile, cueillir des épinards sauvages, rôtir des *chapati* et nous natter mutuellement les cheveux. Nous apprenions à être soigneuses et industrieuses, et à travailler ensemble pour nous protéger les unes les autres quand c'était possible des accès de colère de la Vieille dont la langue cinglait comme l'éclair. (Mais en y repensant, je me prends à douter. Etait-elle vraie ou feinte, cette colère, était-ce un masque destiné à nous enseigner l'esprit de solidarité ?) Avant tout nous apprenions à sentir, sans recourir aux mots, les chagrins de nos sœurs, et, sans mots, à les consoler. Ainsi nos vies n'étaient pas si différentes de celles des filles qui étaient restées au village. Je rongeais mon frein et considérais que ces travaux étaient une perte de temps (moi qui méprisais tout ce qui était ordinaire et avais l'impression de mériter mieux), mais je me demande parfois maintenant si ce ne fut pas, de tous les arts que je pratiquais sur l'île, celui qui a le plus de valeur.

Un jour, nous étions sur l'île depuis longtemps, la Vieille nous emmena jusqu'au cœur du volcan endormi et déclara : « Maîtresses, je vous ai transmis tout ce que je pouvais. Certaines d'entre vous ont beaucoup appris, et d'autres peu. D'autres encore ont appris peu et pensent avoir appris beaucoup. »

Ses yeux se posèrent sur moi. Mais je lui adressai un sourire, sûre que ce n'était là qu'un des sarcasmes blessants dont elle était coutumière. Car n'étais-je pas la plus habile des Maîtresses ?

« Je ne peux plus rien pour vous, dit-elle en me regardant sourire. Il vous faut maintenant décider d'un endroit où aller. »

Le vent de la nuit nous enveloppa de ses mystérieuses et pénétrantes senteurs. La poussière de lave noire filait douce comme de la poudre entre nos orteils. Les arêtes du volcan déroulaient leurs spirales autour de nous. Nous attendîmes, assises en silence, nous demandant ce qui allait suivre.

La Vieille prit les branches qu'elle nous avait données à porter quelques instants plus tôt et les tissa en forme d'éventail. De quelles branches il s'agissait, nous l'ignorions. Il y avait tant de choses qu'elle nous cachait encore. Elle agita l'éventail et brassa l'air jusqu'à ce qu'un brouillard se formât.

« Regardez », dit-elle.

Fendant le brouillard épais comme du lait, les images, leurs contours nets et miroitants, se déroulèrent l'une après l'autre.

Gratte-ciel de verre argenté au bord d'un lac large comme l'océan ; des hommes et des femmes vêtus de manteaux de fourrure, blancs comme la neige qui couvre les chaussées, changent de trottoir pour éviter des hommes à peau noire. Des filles basanées attifées d'étoffes légères et vives, les lèvres peintes, adossées aux chambranles de baraques, attendent le client. Les murs de grandes demeures en marbre hérissés de tessons de verre à mettre en lambeaux des mains d'hommes. Routes défoncées bordées de mendiants dont la peau retient à peine les os pointus. Une femme regarde à travers sa fenêtre grillagée un monde hors de sa portée, sur son front le *sindur* du mariage comme apposé avec un sceau de sang. Etroites ruelles pavées, maisons aux volets tirés, des hommes coiffés de fez mangent des dattes *medjool* et crachent *chien d'infidèle* chaque fois qu'un Indien passe.

Tout autour de nous, suffocante comme l'odeur de chair calcinée, l'odeur de la haine qui est aussi l'odeur de la peur.

« Toronto, dit la Vieille, Calcutta, Rawalpindi, Kuala Lumpur, Dar es-Salaam. »

Lampadaires court-circuités, vitrines barricadées, impasses fortifiées aux remparts de brique barbouillés de lettres dégoulinantes de noirceur. Un dais de noces, la plainte d'un *shehnai*, une jeune mariée vêtue d'un *sharara* découvre pour la première fois le vieillard voûté et ridé auquel son père l'a vendue. Coolies enturbannés qui boivent du *daru* et jouent aux cartes près de canalisations ouvertes. Usines de vêtements qui sentent l'amidon et la sueur ; chasse aux immigrants, on passe les menottes aux poignets de femmes en pleurs qu'on entasse de force dans des camions. Des enfants arrachés à leur sommeil toussent et se débattent, aveuglés par un gaz qui brûle les poumons. *Bougre de salaud d'Hindou. Les Pakis dehors.* Des hommes noirs dans des *dashiki* poussiéreux arpentent des rues étouffantes, et plongent des regards inquisiteurs par les vitres sans tain dans des boutiques d'Indiens qui ont l'air conditionné. Une foule dense et psalmodiante porte un dieu à tête d'éléphant pour l'immerger dans une mer poisseuse de poisons.

« Londres, Dhaka, Hasnapur, Bhopal, Bombay, Lagos. »

Les visages bruns aux yeux aveugles et inconscients nous cherchaient, nous appelaient. Muettes de stupéfaction, nous leur rendions leur regard.

Nous savions qu'il serait difficile de quitter cette île de femmes où sur notre peau la pluie chaude tombait comme des graines de grenade, où nous nous éveillions au chant des oiseaux et nous endormions bercées par la voix de la Première Mère, où nous nagions nues et sans honte dans des lacs de lotus bleus. Il nous faudrait échanger tout cela pour le monde des hommes dont nous n'avions pas oublié la dureté. Mais pour *ça* ?

« Los Angeles, New Jersey, Hong Kong. »

« Colombo, Singapour, Johannesburg. »

Les images planaient, menaçantes, leurs coins fumants, et s'imprimaient douloureusement sur nos pupilles.

A la fin, les Maîtresses, la voix basse et emplie d'appréhension, désignèrent du doigt des images qui dansaient sur l'air âcre. Que pouvaient-elles faire d'autre ?

« Première Mère, je pense que je vais aller là. »

« Et moi là. »

« Première Mère, j'ai trop peur, choisissez pour moi. »

Et Elle, donnant son assentiment d'un hochement de tête, assignait à chaque Maîtresse l'endroit où elle voulait aller, où elle devait aller : le lieu où elle passerait le reste de sa vie, le lieu vers lequel l'attirait sa nature.

« Dubai, Asansol, Vancouver, Islamabad, Patna, Detroit, Port of Spain. »

Il ne restait plus que quelques images pâlissant aux premières lueurs de l'aube.

Pourtant, je ne disais toujours rien. J'attendais je ne sais quoi.

C'est alors que je la vis. Vagues d'eucalyptus et de pins parasols ponderosa, herbe sèche fauve comme une peau de lion, lustre du verre et du séquoia poli, les villas des riches Californiens en équilibre précaire sur des collines en effervescence. Sous mes yeux, les images se muèrent en immeubles noirs de suie empilés comme des boîtes de céréales écrasées, des enfants noirs de suie jouaient à se poursuivre parmi des amas de béton et de fil de fer barbelé. Puis la nuit tomba comme un filet, des hommes vêtus de pardessus déchirés se rassemblèrent autour de feux de détritus. Dans le fond, les vagues s'élevaient et refluaient, sinistres comme la dérision ; au loin, sur les ponts brûlaient d'inaccessibles, de magnifiques lumières.

En dessous de tout cela, la terre, impatiente, les veines gonflées de plomb, attendait la secousse qui lui permettrait de déverser ses entrailles.

Avant même que la Vieille eût prononcé son nom, je le devinai, Oakland, la deuxième cité de la Baie. Ma ville.

« O Tilo, dit-elle. Je dois te donner ce que tu veux, mais réfléchis, réfléchis bien. Mieux vaudrait pour toi choisir une colonie indienne, une bourgade africaine. Tout autre lieu au monde. Qatar, Paris, Sydney, Kingston, Chaguanas.

— Pourquoi, Première Mère ? »

Elle soupira et détourna les yeux, pour la première fois évitant mon regard.

J'attendis et elle finit par dire : « J'ai un pressentiment. »

La Vieille, le dos voûté par le poids de ce qu'elle savait, n'ajouta rien. Et moi, avec l'obstination de la jeunesse, je mourais d'envie de marcher au bord de la falaise, sur le fil du rasoir. Je déclarai : « C'est le seul endroit qui m'attire, Première Mère », et je soutins son regard jusqu'à ce qu'elle dise : « Vas-y donc, je ne peux t'en empêcher. »

Moi Tilo je pensai, transportée d'une joie sauvage, j'ai gagné, j'ai gagné.

Nous passâmes les dernières heures de la nuit à empiler du bois au centre du volcan, à nous préparer. En dansant, nous formâmes un cortège et invoquâmes

Shampâti, oiseau mythique immémorial qui plongea dans les flammes et se releva de ses cendres régénéré, comme nous allions le faire. J'étais la dernière de la queue, et alors que nous tournions autour du bûcher, je scrutai le visage de mes sœurs-Maîtresses. Leurs traits ne trahirent guère de défaillance quand sur un mot de la Vieille le bois s'embrasa.

Le brasier de Shampâti. Depuis notre arrivée sur l'île, nous en avions entendu parler à mots couverts, nous avions vu estampillées sur les linteaux et les montants de porte de la maison-mère les runes de l'oiseau prenant son essor, son bec de flamme tourné vers le ciel. Une seule rune, sur la porte menant à la chambre intérieure où dormait la Vieille, chambre interdite aux Maîtresses, montrait l'oiseau le bec en bas plongeant pour l'éternité dans le cœur de la fournaise. Nous n'osâmes pas demander pourquoi l'image était inversée.

Mais, un jour, elle nous l'expliqua.

« Regardez bien, Maîtresses. Il arrive de loin en loin qu'une Maîtresse rebelle et complaisante manque à son devoir et qu'on doive la rappeler. On lui envoie un avertissement, et elle a trois jours pour mettre de l'ordre dans sa vie. Puis le brasier de Shampâti se rallume pour elle. Mais cette fois-là, elle le sent brûler et flétrir tout son corps, il la ravage de part en part, les flammes acérées entaillent sa chair et la déchirent en lambeaux. Hurlant de douleur, elle sent ses os se disloquer, sa peau se gonfler et éclater.

— Et puis ? »

La Vieille avait haussé les épaules, tendu ces paumes dont les lignes avaient fondu, et en les voyant je m'étais demandé une fois encore *Comment ?* « Les épices décident. Certaines Maîtresses ont la possibilité de revenir sur l'île, pour étudier et travailler dur de nouveau. Pour d'autres c'est la fin, charbon calciné, un dernier cri se balance en l'air comme le fil brisé d'une toile d'araignée. »

Je me remémorai tout cela en regardant mes sœurs-Maîtresses. Une à une, elles entraient dans le feu, et quand elles en atteignaient le centre, disparaissaient. En voyant l'air vibrer là où un instant plus tôt elles s'étaient tenues, je fus saisie d'une tristesse plus profonde que celle que je croyais que j'éprouverais. J'avais toujours gardé mes distances, pendant toutes ces années passées ensemble, consciente que ce jour nous séparerait. Et pourtant elles s'étaient insinuées dans mon cœur, ces lumineuses filles-femmes, transparentes, chastes comme l'albâtre, qui ignoraient tout de ma personne, et de mes sentiments.

Quand ce fut mon tour, je fermai les yeux. Avais-je peur ? Je croyais ce que nous avait dit la Vieille : « Vous ne sentirez pas la brûlure, vous ne souffrirez pas. Vous vous éveillerez dans votre nouvelle peau comme si vous n'en aviez pas connu d'autre. » Il n'y avait pas eu trace d'agonie sur le visage de mes sœurs quand le feu les avait englouties. Pourtant c'était difficile, accepter pour la troisième fois dans ma brève existence que prenne fin tout ce qui pour moi était la vie.

Et puis, partir si loin. Si loin. Je n'avais pas pensé à cela avant. Entre mon île et l'Amérique, une galaxie de nuits.

Sur mon coude, léger comme un pétale, je sentis un frôlement.

« Attends, Tilo. »

Derrière un voile de fumée, ce miroitement dans ses yeux. Des larmes ? Et le pincement de mon cœur, qu'était-ce ?

J'ai failli dire *Mère, reprenez le pouvoir. Laissez-moi rester ici avec vous. Existe-t-il satisfaction plus grande que de servir celle que j'aime ?*

Mais les années et les jours, les moments qui m'avaient menée jusqu'à cet endroit, inexorablement, et m'avaient faite celle que j'étais, l'interdisaient.

« Tilo, ma fille », dit la Vieille, et à son expression, je sus qu'elle ressentait mon dilemme dans sa propre chair, « fille si douée, si rebelle, si chère à mon cœur, Tilo qui telle une flèche ardente t'envoles pour l'Amérique, j'ai quelque chose pour toi. »

Et des plis de son vêtement, elle sortit puis plaça sur ma langue une tranche de racine de gingembre, de l'*ada* sauvage récolté sur l'île pour donner à mon cœur de la constance, pour m'affermir dans mes vœux.

Brûlante piqûre du gingembre, tu fus sur ma langue, quand je me jetai dans le brasier de Shampâti, mon dernier souvenir de l'île. Les flammes léchèrent, comme en un rêve, ma peau qui fondit, des doigts de flamme fermèrent mes yeux.

Et quand je me réveillai en Amérique sur un lit de cendres, un siècle ou une seconde plus tard, l'épicerie avait formé sa dure coquille protectrice autour de moi, les épices patientes et méticuleuses étaient déjà sur les rayonnages, et la première chose que je sentis, gingembre, ce fut ta substance capiteuse et graveleuse dans ma gorge.

*

Quand le ciel devient d'un rouge meurtrier, que la pollution se mêle au soleil couchant, et que le palmier malingre qui se dresse près de l'arrêt du bus jette son ombre mince et déchiquetée en travers de mon seuil, je sais qu'il est temps de fermer.

Je déplie les stores de bois et les déploie en travers du croissant grêle d'une lune pâle. Dans le verre de la vitre grise, seul miroir de la boutique, le reflet de mon visage tremblote un instant. Je ferme les yeux, me recule. Une fois que les Maîtresses ont leur corps magique de Maîtresse, elles ne doivent plus jamais regarder leur reflet.

C'est une règle qui ne me chagrine pas, car je sais sans regarder que je suis vieille et loin d'être belle. Ça aussi, je l'ai accepté.

Vous vous demandez s'il en fut toujours ainsi.

Non.

Ah, ce premier réveil dans l'épicerie silencieuse, l'odeur du ciment humide suintant des murs et rampant jusqu'à moi. La difficulté que j'éprouvai à lever le bras, si lourd dans son enveloppe de peau lâche et le cri qui monta en moi me trouant la poitrine. *Pas ça, Pas ça.* Le tremblement de mes genoux quand j'essayai de me mettre debout, la douleur qui étreignait les os déformés de mes mains.

Mes belles mains !

La colère, autre face du regret, jaillit en moi comme un feu de brousse. Et pourtant qui blâmer ? La Vieille nous avait prévenues tant de fois.

O Tilo, insensée, toujours à te précipiter en croyant que tu sais mieux que tout le monde.

Cela retomba après un certain temps, la colère, la douleur. Peut-être m'y habituai-je. Ou était-ce à cause des épices ? Car quand je les tins dans mes mains déformées, les épices firent entendre leur chant plus nettement que jamais auparavant, avec des intonations pleines, extatiques, comme si elles savaient que je leur appartenais dorénavant corps et âme.

Et je me sentais. Et me sens. Heureuse.

Je ferme la porte d'entrée de l'épicerie. Tourne le verrou. Mets la clenche. Hisse et pose la lourde barre de fer. J'accompagne chaque geste de fermeture de formules pour éloigner les rats et les mulots, les lutins qui tracent de verts sillons de mildiou dans les lentilles et font tourner les chutneys dans leurs pots de verre hermétiquement clos.

Pour éloigner les gosses qui rôdent la nuit. Des gosses aux mentons duveteux, doux comme une peau de pêche, leurs corps tendus par la frustration de ce qu'ils n'ont pas. Ils veulent mais ils n'ont pas, et se répètent *Pourquoi. Pourquoi eux et pas nous ?*

Les murs de l'épicerie s'estompent de plus en plus jusqu'à devenir invisibles pour des yeux étrangers. Même vous, de l'extérieur, vous ne distingueriez que quelques ombres fugitives jouant sur un terrain vide.

C'est l'heure d'étendre ma literie au centre, là où le plancher s'affaisse un peu. Au-dessus de moi, une ampoule nue dessine de grandes ombres en arc de cercle, le toit disparaît en fumée. Les seaux de farine *bajra*, les barils ventrus d'huile de colza, présences rassurantes, m'entourent. Les sacs de sel de mer étincelant me tiennent compagnie. Les épices murmurent leurs secrets, soupirant d'aise.

Moi aussi je soupire d'aise. Quand je m'étends, des quatre coins de l'espace la cité m'insuffle ses douleurs, ses peurs et ses amours impatientes. Toute la nuit si je le désire, dans les pensées qui déferlent en moi, je peux mener la vie ordinaire que j'ai abandonnée pour me mettre au service des épices.

Tilo dont la vie est si calme, si disciplinée, si réglée, n'est-ce pas grisant ce goût de la tristesse et de l'espoir des hommes ?

Chaque pensée dégage un certain type de chaleur qui se transforme en mots, ou dessine un visage, et, si je m'applique assez, une pièce autour.

Viennent en premier les pensées des gosses de la nuit, un bourdonnement aigu comme celui qu'émettent des câbles électriques avant l'orage.

O quel pouvoir, quelle joie, la tête nous tourne quand nous arpentons la rue le soir en sifflant et balançant nos chaînes, les gens ils se terrent dans leurs trous, ils se terrent, détalent comme des cafards. Nous sommes les rois.

Et la flamme orange qui jaillit de la gueule de nos chéries, nos chéries de métal, nos chéries qui nous donneront la mort, la mort bien plus enviable que l'amour, quand ça nous plaira.

Les gosses de la nuit avec leurs yeux d'albinos, incolores comme l'acide. Ils me glacent le cœur. Je repousse leurs pensées dans l'obscurité qui les a engendrées, mais je sais qu'invisible et inexistant ne sont pas synonymes.

Mais voilà que surgit une autre image. Une femme dans une cuisine, préparant le riz qu'elle a acheté chez moi. Elle embaume comme les grains qu'elle roule entre ses doigts pour s'assurer qu'ils sont cuits. La vapeur du riz a adouci sa peau, dénoué des mèches de ses cheveux tirés toute la journée. A atténué les taches sous ses yeux. Jour de paie aujourd'hui, elle peut se mettre à frire, les graines de moutarde crépitent dans la poêle, les aubergines et les courges prennent une teinte dorée. Dans un curry de chou-fleur aux bouquets serrés comme des poings, elle ajoute du *garam masala* pour donner de la patience et de l'espoir. Cette femme, entre cent autres pareilles dans leurs maisons, parsème le doux *kheer* qui a mijoté tout l'après-midi de graines de cardamome achetées dans ma boutique pour stimuler les rêves qui protègent de la folie.

Dans ma tête, ses pensées se bousculent.

Toute la journée, je cours de-ci de-là comme une folle, de la cuisine à la fenêtre de la rue jusqu'à ce que les enfants rentrent. Je suis comme ça depuis ce qui est arrivé à la fille Gupta la semaine dernière en plein jour, que les dieux nous protègent ! Je me fais aussi du souci pour leur père, on licencie à l'usine, les bagarres avec le contremaître, avec l'usurier. Est-ce qu'il est retourné chez Bailey avec les autres hommes et a oublié l'heure ? Quand j'ai passé la guirlande du mariage autour de son cou, je savais pas que c'était ça être une épouse et une mère, marcher sur le fil d'un rasoir, la peur au ventre, aux abois comme un loup à attendre les uns et les autres. Et pire que tout, les bouches plissées par la faim, tous les jours ce mois-ci à pleurnicher « C'est si bon, Mère, encore une cuillerée, s'il te plaît », et moi je me détourne avec des yeux pétrifiés par l'angoisse.

Les hommes, où sont-ils ? Leurs pensées exhalent une odeur de terre brûlée par une année de mousson avare qui évoque des pièces où pendent des images découpées dans de vieux calendriers. La plage de Juhu, le temple d'Or, Zeenat dans une robe d'été bariolée. Je les vois maintenant, leurs chaussures enlevées d'un coup de talon, leurs pieds gonflés qu'ils posent lourdement sur des tables branlantes. De la coriandre en poudre, du *saunf* rôti, le léger tintement des bracelets d'une femme. Comme à la maison. Ils referment leurs mains moites sur des bouteilles brunes de bière Tâj Mahal achetées chez moi, se mordillent l'intérieur des lèvres. Je sens le goût salé de leur sang envahir ma bouche à mesure que m'envahissent leurs pensées.

Ah, cette bière, sa mousse si douce et lisse laisse dans la gorge une amertume, comme un rêve d'autrefois interrompu. Personne nous avait dit que ce serait si dur ici en Amérique, toute la journée récurer des planchers graisseux, se coucher sous des machines qui pissent leur huile noire, conduire ces monstres de camions vomissants qui encrassent nos poumons. Rester debout derrière des comptoirs d'hôtels sordides où il faut sourire en tendant les clefs des chambres à des putes. Oui, toujours sourire, même quand les gens disent « Salauds d'étrangers qui nous envahissent et nous volent nos boulots », même quand les flics nous malmènent parce qu'on se trouve dans l'autre partie de la ville, les quartiers riches. Nous pensions que nous retournerions chez nous, à Trichy, à Kharagpur, à Bareilly. Sous le doux ronflement d'un ventilateur dans une chambre carrelée de faïence avec un plancher vert de mer, renversés sur des coussins de satin, le serviteur nous apporterait du lassi *glacé avec des pétales de rose flottant à la surface. Mais le propriétaire ne cesse d'augmenter le loyer, la semaine dernière la voiture ne voulait pas démarrer, et les enfants grandissent si vite qu'ils ont besoin de nouveaux vêtements.* Phir bhi, *peu importe. Cette semaine, on va prendre le bus jusqu'à Tahoe, Dilip* bhaîya *et moi, on va aller tenter notre chance dans un ou deux casinos, peut-être qu'on aura de la veine comme Arjun Singh, qui a gagné à la loterie ; le lendemain, il est allé dans son supermarché et il a dit à son patron : « Je crache sur vous et votre travail votre travail votre travail. »*

Mais c'est l'heure du dîner maintenant. Les mères appellent et les enfants viennent en courant, quittant leurs devoirs ; on tire des chaises, on apporte les plats fumants. Du riz. *Rajma. Karela sabji. Kheer.*

Une petite fille. Ses cheveux noués en deux nattes serrées, huilées et obéissantes, ses jambes collées l'une contre l'autre comme sa mère lui a dit que les filles bien éduquées s'asseyaient. Elle soulève un bol de *kheer* et ses pensées, voltigeant comme des moineaux poussiéreux dans une sombre ruelle écartée, prennent soudain la teinte bleue d'un poisson-lune.

Du kheer *aujourd'hui ça faisait si longtemps, il en reste encore après que Père et Frère Aîné se sont servis, assez même pour Mère qui mange toujours après tout le monde. Du* kheer *avec des amandes et des raisins secs et des cosses d'*elaichi *croquantes parce que la vieille femme à l'épicerie a dit qu'elles étaient en solde quand elle nous a vues les regarder. Je trempe ma bouche dans sa douceur, le blanc du lait me souligne les lèvres ; c'est comme au Nouvel An, et comme au Nouvel An, je peux faire tous les souhaits que je veux. Alors je fais des souhaits, une maison, une grande maison à deux étages avec des fleurs devant et pas de vêtements qui pendent aux fenêtres, et plein de chambres pour que nous ne soyons* *plus deux par lit, plein de salles de bain pour prendre de longs longs bains et assez d'eau chaude aussi. Je fais un souhait pour une nouvelle voiture, resplendissante avec des enjoliveurs dorés et des sièges blancs comme de la fourrure de chat, et peut-être aussi une moto, une moto rouge qui vous coupe le souffle quand Frère Aîné démarre en trombe avec vous derrière. Pour Mère, une nouvelle paire de chaussures pour remplacer celle qu'elle rembourre avec du papier journal, et des boucles d'oreilles étincelantes comme les femmes à la télé. Et pour moi, pour moi, des tas et des tas de poupées Barbie, Barbie avec une chemise de nuit et Barbie dans une robe de bal et Barbie en maillot de bain, de hauts talons argentés et du rouge à lèvres, et une vraie poitrine. Barbie avec une taille si fine et des cheveux si dorés et surtout une peau si blanche, et oui, même si je sais que je devrais pas, je dois être fière comme dit Mère d'être indienne, je fais un souhait pour avoir cette peau américaine, ces cheveux américains, ces yeux américains bleus si bleus que personne ne me regardera plus jamais fixement sauf pour s'écrier : « Ouah ! Génial ! »*

Assa-fœtida

A l'épicerie chaque jour a sa couleur, son odeur. Et si vous savez écouter, sa mélodie.

Et le vendredi, jour où je commence à me sentir nerveuse, ronfle comme un moteur de voiture prêt à démarrer. Ronflant et vibrant, prêt à disparaître au bout de la route aux néons au-delà de laquelle, sûrement, s'étendent à ciel ouvert des champs vifs comme l'indigo. Vous inspirez profondément pendant tout le trajet car qui peut dire quand vous en aurez de nouveau l'occasion ? Et puis vous vous apercevez que le frein s'est bloqué.

Peut-être cela a-t-il du sens que ce soit justement un vendredi soir que l'Américain solitaire entre dans l'épicerie ; la pleine lune flotte déjà au-dessus de l'épaule de la femme dont la silhouette se découpe sur le panneau d'affichage au bord de la grand-rue ; elle porte une robe du soir et lève un verre de Chivas. Les phares des voitures balaient les bretelles en strass de sa robe qui luisent par intermittence comme une promesse. Ses yeux brumeux, et sa bouche rouge grenade me blessent. Et quand je prête l'oreille, les voitures roulant à toute vitesse rendent un son mélancolique comme le bruit du vent dans une île plantée de bambous.

Je suis sur le point de dire « On ferme », mais je le regarde et je me tais.

Ce n'est pas que je n'aie jamais vu d'Américains

auparavant. Il y en a toujours qui entrent, le genre professeur avec des vestes de tweed renforcées aux coudes ou de longues jupes sévères couleur de terre, des Hare Krishna au crâne rasé dans des *kurtâ* blanches chiffonnées, des étudiants avec des sacs à dos et des jeans rarement lavés, des hippies attardés, les cheveux fins et barbus. Ils veulent de la coriandre fraîche, biologique bien sûr, ou du beurre clarifié pur pour un jeûne destiné à les affranchir de leur karma, ou les *burfi* de la veille à moitié prix. Et, d'une voix rauque et basse, demandent *Hey, Lady, t'as pas du hasch ?*

Je leur donne ce qu'ils veulent, et les oublie.

Parfois, je suis tentée. Par exemple, quand Kwesi entre, avec sa peau lie-de-vin, ses cheveux aux boucles serrées comme des nuages de nuit. Kwesi qui marche comme un guerrier, sans bruit, qui meut son corps avec grâce et sans peur au point que l'envie me démange de lui demander ce qu'il fait.

Et cette cicatrice comme un éclair zébrant son front, cette bosse sur les articulations, cassées et guéries, de sa main gauche.

Mais je me retiens. Ce n'est pas permis.

« N'oubliez pas ce pour quoi vous êtes venues, disait la Vieille. Vous êtes là pour aider vos semblables, et eux seuls. Les autres, ils doivent aller chercher satisfaction ailleurs. »

Je laisse la clameur du magasin noyer les battements du cœur de Kwesi qui racontent son histoire. Je me détourne de ses désirs, qui ont la couleur franche des prairies de l'enfance. Je pèse et j'emballe ce qu'il a acheté, de la poudre de *garbanzo*, du cumin, deux bottes de *cilantro*, « très bien », dis-je quand il me raconte qu'il va faire des *pakora* pour un ami intime ; sans rien ajouter, je lui adresse un geste de la main en guise d'au revoir. Et pendant tout ce temps-là, je garde la porte de mon esprit soigneusement fermée.

Mais l'Américain solitaire me fait un effet différent ; j'ai le sentiment que je pourrais avoir des ennuis si j'agissais de la même façon avec lui. Ce n'est pas à cause de ses vêtements. Des pantalons noirs, bien coupés, des chaussures noires, une veste de cuir noire, simple, mais dont même moi qui ai si peu d'expérience en la matière peux juger de la qualité. Cela n'a rien à voir avec la façon dont il se tient, mince et les hanches souples, une main désinvolte glissée dans une poche, se balançant un peu vers l'arrière sur les talons. Ce n'est pas non plus à cause de son visage, bien qu'il soit assez frappant avec sa mâchoire proéminente, ses pommettes saillantes qui dénotent l'entêtement, ses cheveux épais d'un noir de jais qui retombent sur son front avec une élégante insouciance. Ni de ses yeux, très sombres, avec de petits points de lumière papillotants tout au fond. Il n'y a rien en lui qui trahisse la solitude à part une pensée vague comme une toile d'araignée dans un coin de mon esprit, rien qui puisse expliquer pourquoi il m'attire tant.

Et soudain, cela me traverse. Les autres, j'ai toujours su ce qu'ils voulaient. Immédiatement.

« Oh, je ne fais que regarder », dit-il quand je lui demande ce qu'il cherche de ma voix chevrotante de vieille femme qui tout à coup me gêne.

Je ne fais que regarder, et il m'adresse un surprenant sourire de guingois en me fixant de dessous ses sourcils droits, comme s'il me voyait vraiment, *moi* sous ce corps, et qu'il aimait ce qu'il voit. Bien que cela soit impossible.

Il continue à me regarder droit dans les yeux comme personne, excepté la Vieille, ne l'a jamais fait.

Je sens chanceler quelque chose en moi, une couture qu'on déchire.

Danger !

Et maintenant, je ne peux plus le lire du tout. J'entre en lui et le fouille et me retrouve empêtrée dans un nuage de soie. La seule chose à laquelle je peux me raccrocher, c'est la ligne sinueuse de son sourcil arqué comme s'il trouvait cela, tout cela, amusant, mais je suis folle de croire qu'il comprend ce que je suis en train de faire.

Je le désire, pourtant. Je désire qu'il sache. Et je désire que, sachant, il s'amuse. Quand ai-je senti, pour la dernière fois, quelqu'un me regarder autrement qu'avec les yeux de l'indifférence ? Ou de la crainte. A cette pensée, un sentiment de solitude emplit ma poitrine, une douleur nouvelle, profonde comme un puits où se jeter. C'est une découverte. Je ne savais pas que les Maîtresses pouvaient ressentir une telle solitude.

Américain, moi aussi je regarde. Je croyais ne plus jamais devoir regarder quoi que ce soit quand je trouvai les épices, puis je te vis, et maintenant je ne sais plus.

J'ai envie de lui dire cela. J'ai envie de croire qu'il comprendra.

Dans ma tête, un écho comme une chanson de pierre. *Une Maîtresse doit arracher de sa propre poitrine tout désir, elle doit se consacrer uniquement à la satisfaction des besoins de ceux qu'elle sert.*

C'est le son de ma propre voix, venu d'un temps et d'un endroit qui semblent si éloignés que j'ai envie de les qualifier d'irréels. De ne pas y prêter attention. Mais.

« Regardez à votre aise, dis-je à l'Américain, d'un ton très professionnel. Il faut que je me prépare à fermer la boutique. » Pour occuper mes mains, je rempile des paquets de *papad*, je verse du *rawa* dans des sachets de papier et les étiquette soigneusement, pousse une caisse d'*atta* de l'autre côté du seuil.

« Laissez-moi vous aider. »

Et avant même que j'aie fini de me dire que sa voix ressemble à du *besan* rôti mêlé à du sucre, sa main attrape le bord de la boîte, effleurant la mienne.

Quels mots choisir pour décrire cet attouchement qui me traverse comme une lame de feu, si douce cependant que je voudrais que la douleur ne cesse pas. Je retire précipitamment ma main, obéissant à la loi des Maîtresses, mais la sensation demeure.

Et je pense : personne n'a jamais voulu m'aider avant.

« C'est un superbe endroit que vous avez là. J'aime l'atmosphère », déclare mon Américain.

Oui, je sais que c'est une liberté que je prends ; l'appeler mon Américain ! Et je lui adresse un sourire au lieu de dire *Partez, je vous en prie, il est beaucoup trop tard, bonne nuit, bonne nuit.*

Au lieu de cela, je prends un paquet. « C'est du *dhania*, dis-je. Des graines de coriandre, sphériques comme la terre, pour améliorer votre vue. Quand vous les faites tremper et que vous en buvez l'eau, elle vous purge de vos vieilles fautes. »

Pourquoi est-ce que tu lui racontes ça ? Tilo, arrête !

Mais ce nuage de soie tire les mots de moi. Et les dépose en lui.

Il acquiesce en tâtant les globes minuscules à travers l'emballage en plastique, courtois et sans trahir la moindre surprise, comme si tout ce que je disais lui semblait très naturel.

« Et ça – j'ouvre un paquet et laisse s'échapper la fine poudre entre mes doigts – c'est de l'*amchûr*. Mélange de sel noir et de mangues séchées puis pilées, pour guérir les papilles, pour redonner l'amour de la vie. »

Tilo, ne jase pas comme une jeune fille.

« Ah ! » Il penche la tête pour sentir, lève les yeux et me sourit en guise d'approbation.

« Ça ne ressemble à rien que je connaisse... mais l'odeur me plaît. »

Puis, il s'éloigne.

Et dit d'une voix redevenue formelle : « Je vous ai retardée assez longtemps. Vous devriez fermer. »

Tilottama. Sotte, tu aurais dû t'en douter. Penser que cela pourrait l'intéresser !

Sur le seuil, il m'adresse un salut de sa main levée, un au revoir ; peut-être ne fait-il que chasser les mites qui rôdent. Je ressens une grande tristesse parce qu'il s'en va les mains vides, parce que je n'ai pas su trouver ce qu'il cherchait. Parce que quelque chose se tord à l'intérieur de moi, me dit que je suis en train de le perdre, le seul homme dont je n'ai pu lire le cœur.

Et puis.

« Je reviendrai », déclare l'Américain solitaire, avant de me gratifier de son sourire éclatant. Comme s'il pensait vraiment ce qu'il disait. Comme si, lui aussi, allait attendre.

*

Quand l'Américain solitaire est parti, j'arpente l'épicerie, triste, sans but. Insatisfaction, le vieux poison, épais, visqueux dont je croyais être guérie refait surface. Je ne supporte pas l'idée de fermer. Mettre la barre sur la porte reviendrait à admettre qu'il est vraiment parti. Dehors, les lampadaires clignotent. Des hommes et des femmes relèvent le col de leur manteau et disparaissent sous terre dans l'assourdissant vacarme du métro. Un brouillard jaune emplit les rues désertes, et au loin des sirènes se mettent à gémir, nous rappelant combien le bonheur est fugace. Mais personne n'écoute, bien sûr.

Je cherche une épice pour lui.

« Des épices différentes peuvent nous aider à soulager des maux différents, disait la Vieille après nous avoir enseigné les traitements courants. Mais pour chaque individu, il existe une épice particulière. Non, pas pour vous – les Maîtresses ne doivent jamais utiliser les épices pour leurs propres desseins – mais pour chacun de ceux qui viennent à vous, il en existe une. On l'appelle *mahamul,* l'épice-racine, et pour chaque personne c'est une épice différente. *Mahamul* pour accroître la prospérité, pour apporter succès ou joie, pour éloigner le malheur. Quand vous ne savez pas comment aider quelqu'un, vous devez descendre profondément en vous-même et chercher le *mahamul.* »

Américain solitaire, par où commencer, moi qui me suis toujours enorgueillie de trouver un remède rapide ?

Je fouille au hasard sur les étagères. *Cumin noir ? Thym indien ?* De la poudre de racine de gingembre et mangue ? *Choon*, le citron blanc brûlant que l'on enveloppe de feuilles de bétel ? Rien ne semble convenir. Rien ne semble juste. Peut-être est-ce ma faute, la faute de mon âme bouleversée. Moi Tilo qui ne peux cesser de penser à ces yeux aussi sombres qu'une nuit tropicale, aussi profonds, et périlleux.

Et pourquoi donc est-ce que je persiste à l'appeler solitaire ? Peut-être en ce moment même, alors que je marche à grands pas dans l'allée où sont entreposées les lentilles, alors que je plonge jusqu'au coude des bras inquiets dans une caisse de *rajma* et laisse les gousses rouges et fraîches rouler sur ma peau, est-il en train de tourner une clef dans une serrure. La porte s'ouvre, et une femme avec des cheveux comme une brume dorée se lève du sofa pour le prendre dans ses…

Non. Ce n'est pas comme ça. Je ferai en sorte que ce ne soit pas comme ça.

Il entre et allume une lumière, donne un léger coup sur un interrupteur et le son d'un *sârod* emplit la pièce vide. Il s'appuie sur un coussin de Jaipur – car il aime tout ce qui est indien – et repense à ce qu'il a vu aujourd'hui, une épicerie où sont concentrées toutes les odeurs du monde, une femme dont les yeux sans âge l'attirent comme…

Rêves vains. Vains et risqués.

« Quand vous commencez à entremêler vos propres désirs à votre vision, nous disait la Vieille, la vraie vision vous est enlevée. Votre esprit se brouille et les épices ne vous obéissent plus. »

Marche arrière Tilo, avant qu'il ne soit trop tard.

Je fais, avec effort, le vide en moi. Je ne ferai confiance qu'à mes mains, mes mains avec leurs os qui chantent pour savoir ce dont l'Américain solitaire a besoin.

L'épicerie, fiole de cristal translucide sous le talon de botte de la nuit, est restée sans sa barre. La porte fourmille, grise d'ailes de phalènes. Mais je n'ai pas le temps de m'en occuper maintenant.

Je pénètre dans la pièce intérieure et ferme les yeux. Dans l'obscurité, mes mains luisent comme des lanternes. Je passe lentement les doigts sur les rayonnages poussiéreux.

Doigts phosphorescents, doigts de corail, j'attends que vous me disiez ce que je dois faire.

Dans sa chambre à coucher, l'Américain solitaire se débarrasse d'un coup de pied de ses chaussures, replie le couvre-lit de soie. Il enlève sa chemise d'un seul mouvement et la laisse tomber sur le sol. La lumière de la bougie coule des ombres fluides sur ses épaules, son dos, le renflement dur, musclé de ses fesses quand il laisse tomber aussi ses pantalons et se dresse, droit et souple, pur ivoire. Dans un instant il va se retourner…

Un liquide chaud et doux emplit ma bouche brusquement. Dans toutes mes vies précédentes, diseuse de bonne aventure, reine des pirates et apprentie en épices, je n'ai jamais vu un homme nu, je n'ai jamais souhaité en voir aucun.

Puis mes mains tremblantes s'immobilisent soudain.

Pas maintenant, mains, pas maintenant. Accordez-moi encore un instant.

Mais je ne peux pas les bouger, elles sont de bronze. Mes mains, pas mes mains. Elles se referment sur quelque chose de dur et de grenu, un morceau palpitant dont l'odeur âcre interrompt ma vision.

Les images s'effondrent, poussière ou rêve, s'évanouissent.

Je soupire et ouvre des yeux réticents.

Dans ma main, une pépite d'assa-fœtida.

Un fracas, quelque chose qui tombe dans l'autre pièce. Ou est-ce la nuit qui se jette contre les panneaux de la vitrine ?

Roche de Mars dure comme le diamant, exhortant à la gloire et à la célébrité, loin des séductions de Vénus. Assa-fœtida d'un jaune funeste qui tarit toute mollesse et ne laisse à l'homme que ses muscles et ses os.

Un coup de vent apporte une odeur de pardessus humides. Le plancher est un banc de glace sous mes pieds qui trébuchent. Je me traîne jusqu'à la porte. Dans mes mains, la barre pèse mortellement lourd. Je ne la soulève qu'avec peine. Je dois user de toute ma force pour la mettre en place en tremblant avant qu'il ne soit trop tard.

Assa-fœtida, *hing*, antidote de l'amour.

Je m'appuie contre la porte, épuisée, consciente de ce que l'on attend de moi, Maîtresse des Epices, mais aussi leur servante.

Je les sens autour de moi qui m'observent, comme si elles retenaient leur souffle.

L'air pèse comme du plomb.

Quand je peux bouger de nouveau, je vais à la vitrine où sont exposés les bibelots artisanaux. Je repousse les écharpes de batik et les housses de coussin à miroirs, les coupe-papier de cuivre et les déesses en terre cuite, je laisse tomber le tout au sol jusqu'à ce que je la trouve, une petite boîte lisse en ébène soulignée de velours comme l'aile d'un merle. Je l'ouvre et y pose l'assa-fœtida, et avec la graphie précise, penchée de l'île que la Vieille nous a enseignée, j'écris : *Pour l'Américain solitaire.*

Autour de moi s'élève un léger murmure de soulagement. Une douce brise, telle une caresse approbatrice, effleure ma joue mouillée. Est-ce là des larmes ? Je n'ai jamais pleuré auparavant.

Je détourne mon visage de l'épicerie, du million d'yeux des épices, minuscules, brillants, qui me cernent. Pointes d'acier comme des clous sur lesquels il me faut marcher. Pour la première fois depuis que je suis devenue Maîtresse, je tire un rideau sur mes pensées intimes.

Je ne suis pas sûre que ma supercherie va marcher.

Mais il semble que oui. Ou alors les épices me ménagent.

Je glisse la boîte à l'arrière de l'étagère sous la caisse enregistreuse, pour qu'elle attende sa venue dans la poussière. Je m'étends. Autour de moi les épices se calment, s'accordent aux rythmes de la nuit. Leur amour s'enroule autour de moi, pesant comme le tissu du sari doré de Bénarès à sept plis que les femmes portent pour leurs noces.

Tant d'amour, comment vais-je respirer ?

Quand le magasin rassuré finit par s'endormir, je soulève le voile de la chambre secrète de mon être et je regarde. Je ne suis pas surprise par ce que j'y trouve.

Je ne vais pas la lui donner, l'assa-fœtida qui durcit le cœur, à mon Américain solitaire.

Peu importe ce que les épices veulent ou non.

Pas encore, ou jamais ?

Je ne connais pas la réponse à cette question.

Mais au plus profond de moi, je sens le premier frémissement, annonciateur de tremblements de terre à venir.

*

Les Indiens riches descendent de collines qui scintillent de lumières plus brillantes que les étoiles, si bien qu'on oublie facilement qu'elles ne sont que de l'électricité.

Leurs voitures luisent comme des pommes astiquées, glissent comme des cygnes sur la chaussée défoncée devant ma boutique.

La voiture s'arrête, le chauffeur en uniforme sort d'un bond pour ouvrir la portière à poignée dorée, et un pied dans une sandale dorée apparaît. Lisse, arqué et presque blanc. Les orteils pétales de rose se recourbent de dédain devant ce qui jonche la rue, papier ouaté, écorces pourrissantes, crottes de chien, capotes usagées jetées par les vitres arrière des voitures.

Les Indiens riches parlent rarement, comme si trop d'argent entravait leur gorge. A l'intérieur de l'épicerie dans laquelle ils n'entrent que parce que des amis leur ont dit « Oh, c'est si pittoresque, il faut absolument que vous y alliez au moins une fois », ils montrent du doigt et le chauffeur court chercher. Du riz basmati, grain extra-long, vieilli dans de la toile de jute pour l'attendrir. La farine la plus fine, marque « Elephant » garantie. De l'huile de moutarde dans une bouteille en verre coûteuse, alors que juste à côté il y a les bidons économiques. Le chauffeur chancelle sous la charge. Mais ça n'est pas tout. Du *lauki* frais envoyé par avion des Philippines, et du *methi saag* aux feuilles vert émeraude que j'ai fait pousser dans une caisse sur le rebord de la fenêtre de derrière. Une boîte entière de safran comme des copeaux de feu et, à la livre, des pistaches décortiquées – les plus chères – vertes comme des bourgeons de mangue.

« Dans une semaine, dis-je, elles seront en solde. »

Les Indiens riches me regardent avec des yeux lourds qui n'ont presque pas de couleur. Ils hochent la tête à l'adresse du chauffeur qui en prend deux livres de plus.

Je ris sous cape.

Les Indiens riches allongent le cou et lèvent haut le menton parce qu'il faut qu'ils soient toujours quelque chose de plus que les autres gens, plus grands, plus beaux, mieux habillés. Ou du moins plus riches. Ils sortent de la boutique en soulevant leurs corps avec effort comme des sacs d'argent et entrent dans leurs voitures de satin, laissant derrière eux une odeur poussiéreuse de vieux billets de banque.

D'autres riches préfèrent envoyer des listes, parce qu'être riche est un travail prenant. Golf, croisières, déjeuners de charité dans des hôtels de luxe, achat de nouvelles Lamborghini et d'étuis à cigares incrustés de lapis-lazuli.

D'autres encore ont oublié d'être Indiens et ne mangent que du caviar.

Pour tous ceux-là, le soir je fais brûler du *tulsî*, du basilic, plante de l'humilité, qui bride l'ego. Odeur sucrée du basilic dont je connais le goût sur ma propre langue, car la Vieille l'a si souvent fait brûler pour moi. Le basilic sacré de Srî Râm, qui refrène l'intense soif de pouvoir, qui retourne les pensées vers l'intérieur, loin de la mondanité.

Parce qu'en leur for intérieur, les gens riches eux aussi sont de simples gens.

Je dois me répéter cela à moi-même encore et encore. Et aussi ce que la Vieille nous a enseigné : « Ce n'est pas à vous de choisir ceux qui méritent votre compassion. Ceux qui vous mettent le plus en colère, ce sont ceux-là qu'il vous faut essayer d'aider plus particulièrement. »

Il faut que je vous avoue quelque chose.

Quand je regarde profondément dans la vie des gens riches, je suis parfois contrainte à l'humilité, et je me dis « ça alors ». Par exemple Anant Soni qui, à la fin d'une dure journée de conférences vidéo entre les différents partenaires de sa compagnie, rend visite à sa mère et reste à son chevet pour masser ses mains déformées par l'arthrite. L'épouse du Dr Lalchandani qui, les yeux dans le vague, se tient à la fenêtre de la chambre à coucher de son décorateur parce qu'à l'autre bout de la ville, son mari fait l'amour à une autre femme. Premeela Vijhi, qui vend des maisons qui valent des millions de dollars et envoie de l'argent à sa sœur dans un asile pour femmes battues. Rajesh dont la société a changé de direction le jour même où le médecin a fait glisser sur la table vers lui le compte rendu de la biopsie en déclarant *chimio*.

Et en ce moment même, en face de moi, une femme vêtue de jeans Bill Blass une taille trop grande pour elle et chaussée de chaussures Gucci achète des piles et des piles de *nân* pour une réception qu'elle donne ce soir ; elle pianote sur le comptoir de ses doigts aux ongles d'un rouge vermeil tapageur tandis que j'enregistre le prix des pains plats et bruns, et dit d'une voix coupante comme du fer : « Dépêchez-vous, je suis pressée. » Alors qu'elle ne peut détacher sa pensée de son fils adolescent. Il se comporte de façon si étrange ces derniers temps, il traîne avec des garçons qui l'effraient avec leurs boucles d'oreilles en lames de rasoir, leurs vestes de moto et leurs lourdes bottes de guerriers, leurs yeux froids, si froids et leurs bouches fendues, qui ressemblent de plus en plus à ses yeux *à lui,* sa bouche *à lui.* Se pourrait-il qu'il prenne… son esprit se rétracte devant le mot qu'elle ne peut se résoudre à prononcer même tout bas de ses lèvres serrées, et sous les couches, sous le fond de teint, l'anticernes, sous la poudre et l'épaisse ombre à paupières fuchsia, son visage bleuit d'amour.

Femme riche, je te remercie de me rappeler à l'ordre. Sous l'armure la plus brillante, sous le plaqué or et le diamant, la pulsation de la chair, vulnérable.

Dans un coin de son portefeuille assorti à ses chaussures, je mets du *hartuki*, graine recroquevillée de la forme de la matrice, qui n'a pas de nom américain. *Hartuki* pour aider les femmes à supporter la douleur qui débute à la naissance et ne finit jamais, la douleur et la joie mélangées, noires et bleues comme un cordon ombilical autour du cou du nouveau-né.

*

Samedi me surprend comme l'éclat imprévu d'un arc-en-ciel sous l'aile noire d'un oiseau, comme la jupe plissée d'un danseur de *kathak*, qui virevolte de plus en plus vite, soudain déployée. Samedi, cela veut dire les percussions s'échappant en trombe des stéréos des jeunes hommes qui passent devant le magasin au volant de leur voiture en roulant si lentement que c'en est dangereux, que cherchent-ils donc ? Le samedi me coupe le souffle. Le samedi, j'installe des écriteaux : METHI FRAIS, METHI MAISON, LES PRIX LES PLUS BAS DE DIWALI, LES FILMS LES PLUS RÉCENTS, MEILLEURS ACTEURS JUHI CHAWLA-AMIR KHAN, LOCATION 2 JOURS POUR LE PRIX D'UN. Et même, audacieux, SI VOUS NE TROUVEZ PAS, DEMANDEZ.

Tant de gens le samedi, il semble que les murs aient besoin d'inspirer profondément pour les contenir tous. Toutes ces voix, hindi, oriyâ, assamais, urdû, tamil, anglais, superposées comme les notes d'un *tampura*, toutes ces voix qui cherchent plus que ce qu'expriment leurs mots, qui cherchent le bonheur alors que personne ne semble savoir où le trouver. Il faut que j'écoute ce qu'il y a entre les mots, que je les pèse dans mes mains aux os de corail. Je dois murmurer des incantations sur des paquets et des sacs sans cesser de peser, mesurer et compter, alors même que j'élève ma voix prétendument sévère : « S'il vous plaît, ne touchez pas les *mithai* » et « Si on casse la bouteille, il faut payer ».

Tous ceux qui viennent dans mon épicerie le samedi, je les aime.

N'allez pas croire qu'il n'y a que des gens malheureux qui viennent chez moi. Les autres viennent aussi, et ils sont nombreux. Un père portant sa fille sur ses épaules achète des *laddu* sur le chemin du zoo. Un couple de retraités, elle le tient par le coude tandis qu'il s'appuie sur une canne. Deux épouses qui font un après-midi de shopping et de bavardages. Un jeune chercheur en informatique qui a l'intention d'impressionner par ses talents culinaires récents ses parents qui viennent lui rendre visite. Ils franchissent mon seuil d'un pas léger, et tandis qu'ils vont de couloir en couloir et font leur choix, une petite lumière papillote autour d'eux.

Voilà des bouquets de feuilles de podina *vertes comme les forêts de notre enfance. Prenez-les et sentez comme elles sont fraîches et odorantes, n'est-ce pas là une raison suffisante de se réjouir ? Ouvrez un paquet de noix de cajou pimentées et enfournez-en une poignée dans votre bouche. Mâchez. Ce goût épicé, ce croquant qui s'émiette contre vos joues, les larmes délicieuses qui vous viennent aux yeux. Voilà de la poudre de* kumkum *rouge comme le cœur d'une fleur d'hibiscus pour mettre sur nos fronts et porter chance à nos couples. Et regarde, regarde, du savon au santal de Mysore avec son parfum subtil et gai, la même marque que tu avais l'habitude de m'acheter en Inde il y a tant d'années de cela quand nous étions jeunes mariés. Ah comme la vie est belle !*

J'envoie une bénédiction dans leur dos quand ils s'en vont, un murmure de gratitude pour qu'ils me laissent partager leur joie. Mais déjà ils s'effacent de ma mémoire, déjà je me détourne d'eux vers d'autres. Ceux dont j'ai besoin parce qu'ils ont besoin de moi.

Manu qui a dix-sept ans, vêtu d'un blouson de joueur de basket du club des 49e d'un rouge strident comme un hurlement, entre en courant pressé d'acheter un sachet de *bajra atta* pour sa mère avant de partir tirer quelques bons paniers à l'école. Manu en colère qui est en terminale à Ridgefield High, qui pense, pas juste, c'est pas juste. Parce que quand il a dit « bal de fin d'année », son père a crié « Pour boire des litres de whisky et de bière et danser collé contre de petites Américaines vulgaires en minijupes, pas question ! » Manu en équilibre sur la pointe des pieds dans d'agressives chaussures Nike fluorescentes qu'il s'est achetées avec l'argent économisé en nettoyant des salles de bain dans le motel de son oncle, prêt à décoller si seulement il savait où atterrir.

Manu, je te donne une barre de confiserie au sésame sucrée à la mélasse, du *gur* pour que tu prennes le temps d'entendre l'amour effrayé dans la voix de ton père qui est en train de te perdre dans cette Amérique.

Voici Daksha avec son uniforme blanc d'infirmière amidonné et luisant de propreté, tout comme ses chaussures et son sourire.

« Daksha, de quoi as-tu besoin aujourd'hui ?

— Tante, aujourd'hui c'est *ekadashi* vous savez, le onzième jour de la lune, et ma belle-mère est veuve, elle doit pas manger de riz. J'ai pensé prendre du blé concassé pour lui faire un pudding *dâlia*, et tant qu'à faire puisque je suis ici, je vais prendre aussi un peu de vos *methi*, mon mari aime tant les *methi paratha.* »

Pendant qu'elle examine minutieusement les feuilles d'un vert aigre, j'observe son visage. Sous les bords là où le luisant s'est effacé, le sourire est affaissé. Tous les soirs au retour de l'hôpital, il faut faire la cuisine, aplatir les *chapati* brûlants dégoulinant de beurre parce que sa belle mère dit que la nourriture sortie du frigidaire n'est bonne que pour les domestiques et les chiens. Bouillir, frire, assaisonner, servir, essuyer pendant que tout le monde reste assis et dit « c'est bon », dit « oui, encore », même son mari, parce qu'après tout la cuisine n'est-elle pas le lieu où doit se tenir une femme ?

En réponse à ma question, elle dit « Oui, Tante, c'est dur mais que faire ? Après tout, on doit prendre soin de ses parents. Ça cause trop de problèmes à la maison quand je dis que je peux pas tout faire. Mais parfois j'aimerais... »

Elle se tait. Daksha que personne n'écoute au point qu'elle ne sait plus comment parler. Et en son for intérieur, s'écrasant contre son palais, énorme et muette, l'horreur de ce qu'elle voit tous les jours. Dans le service du sida, ces jeunes, si jeunes hommes qui sont devenus légers comme des enfants dans leurs corps dont les os s'effritent. Leur peau fragile marquée de meurtrissures, leurs yeux immenses et patients.

Daksha, voilà des grains de poivre noir à faire bouillir entiers et à boire en décoction pour desserrer ta gorge, pour que tu apprennes à dire non, ce mot si difficile à prononcer pour les femmes indiennes. *Non*, et *Maintenant*, *écoutez-moi.*

Et Daksha avant que tu t'en ailles, voici de l'*amla* pour donner de la résistance. *Amla* que moi aussi je devrais prendre certains jours pour aider à porter la douleur contre laquelle on ne peut rien, la douleur qui grossit lentement et enfle comme un nuage de mousson et va finir, si tu n'y prends garde, par obscurcir le soleil.

Voilà Vinod qui entre furtivement, Vinod, propriétaire du « Marché Indien » de l'autre côté de la baie ; il vient de temps en temps vérifier la concurrence, il soupèse un paquet de cinq livres de *dâl* de ses mains expertes pour voir s'il pèse un tout petit peu moins comme dans son magasin. Et pense *Imbécile* quand il se rend compte que non. Vinod qui sursaute quand je demande « Comment vont les affaires, Vinod *bhaî* ? » parce qu'il a toujours cru que j'ignorais qui il était. Je lui donne un paquet empli de graines vertes brunes et noires en lui disant « Avec les amitiés de la direction » et cache mon rire derrière ma main pendant qu'il le renifle d'un air soupçonneux.

« Ah, *kari patti* », finit-il par dire. En lui-même il pense *Vieille folle*, il pense *2,49 $ de profit* en glissant dans sa poche les noires feuilles astringentes séchées sur leurs tiges pour atténuer la méfiance et l'avarice.

Le samedi, quand l'épicerie bat au rythme du sang et du désir, je vois parfois le futur. Je ne contrôle rien. Ni n'accorde à ces visions une confiance totale. Je vois des gens qui vont venir au magasin, mais dans un jour, un an ou un siècle, je n'en sais rien. Les visages sont brouillés, informes, comme vus à travers une bouteille de Coca-Cola. Je leur accorde peu d'attention. Je suis trop occupée, et heureuse ; je laisse le temps m'apporter ce qu'il voudra.

Mais aujourd'hui la lumière a des tons rosés comme des fleurs de *karabi* qui viennent d'éclore, et la radio indienne déverse une chanson à propos d'une jeune fille à la taille fine qui porte des bracelets d'argent, et j'ai soif de la voir. Dans l'air, il y a une atmosphère d'oiseaux de mer. J'ai envie d'ouvrir les fenêtres. Je remonte le couloir du devant tout en regardant au-dehors, bien qu'il n'y ait rien à voir hormis une femme avec un sac qui traîne les pieds en poussant un chariot à provisions et une bande de garçons qui traînent leur paresse près des murs pleins de graffiti du salon de coiffure Myisha « Ici On Natte ». Une voix impatiente me rappelle à la caisse. Une longue et basse Cadillac bleu marine avec des ailes de requin passe. Un client se plaint parce que j'ai compté le même article deux fois. Je lui présente des excuses. Mais, à part moi, j'essaie de me souvenir, est-ce que l'Américain avait une voiture ?

Oui, je l'admets, c'est à cause de lui. Oui, je désire le revoir. Et oui, je suis déçue quand la vision me tombe dessus comme une fièvre et que, frissonnante, je le cherche parmi les visages de ceux qui vont venir et ne vois pas le sien. *Il a promis*, me dis-je, et je suis encore plus en colère parce que ce n'est pas tout à fait vrai. Je sens monter en moi une brusque envie de fracasser les vitrines sur le sol, d'envoyer les *mithai,* les *laddu* et les *rasogollah* rouler dans la poussière, que le sirop et les éclats de verre brisé collent aux semelles des chaussures. Et de voir la frayeur dans les yeux des clients dont les désirs me fatiguent.

C'est mon désir que je veux satisfaire, pour une fois.

Ce serait si facile. Un *tola* de racine de lotus brûlé le soir avec du *prishnîparnî,* une ou deux formules, et il ne pourrait pas rester à l'écart. Oui, ce serait lui qui se tiendrait maintenant en face de moi et non ce gros homme avec ses lunettes cerclées qui me dit que je n'ai plus de *chana besan.* Si je le voulais, ce n'est pas ce vieux corps qu'il verrait mais celui que je choisirais, la courbe d'un sein en forme de mangue pour épouser le creux de sa paume, la longue ligne fuselée comme l'eucalyptus d'une cuisse. Je ferais appel à d'autres épices, l'*abhrak* et l'*âmalaki* pour effacer les rides, foncer les cheveux et affermir la chair flasque. Et souveraine entre toutes, la *makaradwaj* qui rend la jeunesse que les Ashwini-Kumara, médecins jumeaux des dieux, donnèrent à leur disciple Dhanwantari faisant de lui le premier des guérisseurs. *Makaradwaj* que l'on doit toujours utiliser avec beaucoup de prudence, car il suffit d'une mesure de trop pour donner la mort, mais je n'ai pas peur, moi Tilo qui fus la plus douée des apprenties de la Vieille.

Le gros homme dit quelque chose, sa langue épaisse et rose s'agite dans sa bouche ouverte. Mais je ne l'entends pas.

La Vieille, la Vieille. Que dirait-elle d'un tel désir ? Coupable, je ferme les yeux.

« Je m'inquiète surtout pour toi », déclara-t-elle le jour du départ.

Nous nous tenions sur la plus haute arête du volcan. Le brasier de Shampâti n'était pas encore allumé. La silhouette sombre du bûcher se profilait sur le soir d'un gris-violet doux comme des ailes de phalènes. Loin en dessous de nous, les vagues blanches s'écrasaient sans bruit comme dans un rêve.

Vrilles de brouillard, je sentis sa détresse m'envelopper.

J'aurais aimé la prendre dans mes bras et déposer un baiser de réconfort sur le velours plissé de sa joue. Comme si c'était moi, et non pas elle, l'aînée. Mais je ne me risquai pas à tant de familiarité.

Au lieu de quoi, j'attaquai.

« Première Mère, vous avez toujours douté de moi.

— Parce que je connais ta nature, Tilo brillante mais faillible, diamant qu'une fêlure parcourt, qui, jeté dans le chaudron de l'Amérique, peut se briser en éclats.

— Quelle fêlure ?

— Celle de l'appétit de la vie, cette soif de tout essayer, doux ou amer, sur ta langue.

— Mère, vous vous faites du souci inutilement. Avant que la lune n'ait achevé sa course dans le ciel, j'aurai traversé le feu qui réduit tout désir en cendres. »

Elle avait poussé un soupir. « Je prie pour qu'il en soit ainsi pour toi. » Puis, elle avait ébauché un geste de bénédiction dans l'air trouble.

« *Chana besan*, répète le gros homme, qui sent le pickle à l'ail et les déjeuners trop copieux. Etes-vous sourde, je cherche du *chana besan.* »

Mon crâne est chaud et sec. Cela bourdonne fortement à l'intérieur, comme des abeilles.

Gros homme, je pourrais prendre une poignée de graines de moutarde et prononcer un seul mot ; pendant tout un mois, une fièvre te brûlerait l'estomac, te forçant à vomir tout ce que tu manges.

Tilo, es-tu tombée si bas ?

Dans ma tête, un bruit de pluie. Ou est-ce les épices qui pleurent ?

Je me mords la lèvre jusqu'au sang. La douleur me purge, le poison commence à s'écouler de mon corps contracté.

« Désolée, dis-je à l'homme. J'ai un grand sac de *besan* à l'intérieur. »

Je remplis un paquet et trace de mon doigt un signe pour le contrôle de soi. Pour lui et pour moi.

O épices, moi, Tilottama, essence de *til,* pourvoyeuse de vie, d'amour et d'espoir, je vous suis toujours dévouée. Aidez-moi à ne pas démériter.

Américain solitaire, bien que mon corps se mette soudain à planer quand je pense à toi, si tu dois venir à moi, ce sera mû par ton seul désir.

*

Tôt le matin, il vient à l'épicerie de son pas vif faire les achats de la semaine pour la famille, bien que son fils lui ait répété plusieurs fois « *Baba,* pourquoi, à ton âge ? » Le grand-père de Geeta marche encore comme un chef militaire bien que cela fasse vingt ans qu'il ne commande plus rien. Les bouts pointus de son col se dressent fièrement sur sa chemise raide d'amidon, ses pantalons gris acier tombent avec un pli parfait. Et ses chaussures, ses chaussures Bata noir de nuit de la même couleur que la bague d'onyx qu'il porte à la main gauche pour la paix de l'esprit, il les fait reluire avec sa salive.

« Mais la paix de l'esprit je ne l'ai pas, pas un iota, depuis que j'ai traversé le *kalapani* pour venir dans cette Amérique, se plaint-il une fois de plus. Le Râmu, il a dit, venez, venez, *baba*, nous sommes tous ici, à quoi rime de vieillir si loin de votre descendance, si loin de votre petite-fille. Mais moi, je vous le dis, une petite-fille comme Geeta, autant pas avoir de petite-fille du tout.

— Je comprends ce que vous voulez dire, *dada*, dis-je pour l'apaiser. Mais votre Geeta, une si gentille fille, si gracieuse, elle qui a toujours un mot gentil, sûrement vous vous trompez. Elle vient souvent à l'épicerie ;

chaque fois qu'elle m'achète mes pickles à la mangue, elle ajoute très poliment qu'ils sont délicieux. Et intelligente avec ça, elle a réussi tous ses examens au lycée, avec de très bonnes notes, non ? Je crois bien que c'est sa mère qui me l'a dit, et maintenant elle travaille pour une grande entreprise. »

Il écarte mes compliments d'un mouvement de sa canne d'acajou sculpté.

« C'est peut-être bien pour toutes ces femmes *firingi* dans ce pays-ci, mais dites-moi ce que vous en pensez, *dîdî*, est-ce qu'une jeune fille devrait travailler tard, si tard au bureau avec d'autres hommes et rentrer à la nuit tombée, parfois même dans leurs voitures ? *Chee chee*, à Jamshedpur ils nous auraient barbouillés de bouse pour ça. Et qui elle va épouser ? Mais quand j'en parle à Râmu, il répond, *Baba*, t'inquiète pas, ce sont seulement des amis. Ma fille n'est pas du genre à se laisser séduire par un étranger.

— Mais, *dada*, on est en Amérique après tout, et même en Inde, les femmes travaillent maintenant, non, même à Jamshedpur.

— *Hai*, vous parlez comme Râmu, et sa femme, cette Sheela qui a élevé sa fille trop mollement, jamais une gifle, regardez ce qui arrive ! *Arre baap*, et alors, on est en Amérique, on en reste pas moins des Bengalis, non ? Et les filles et les garçons restent des filles et des garçons, du *ghî* et une allumette enflammée, mettez-les ensemble et tôt ou tard ça prend feu. »

Je lui donne une bouteille d'huile *brahmi* pour apaiser ses nerfs. « *Dada*, dis-je, vous et moi sommes vieux maintenant, nous avons l'âge de passer notre temps à égrener nos chapelets et laisser les jeunes mener leurs vies comme ils l'entendent. »

Pourtant, toutes les semaines, le grand-père de Geeta m'apporte de nouveaux scandales.

« Cette fille, dimanche, elle a coupé ses cheveux court, si court qu'on voit son cou. Je lui dis, Geeta, qu'est-ce que tu as fait, tes cheveux, l'essence de ta féminité. Vous savez ce qu'elle répond ? »

Je peux lire la réponse sur son visage sillonné de rides profondes. Mais pour le calmer, je lui demande quoi.

« Elle se met à rire et en repoussant toutes les petites mèches en bataille de sa figure, elle dit, oh, Grand-père, j'avais besoin de changer d'image. »

Ou : « Cette Geeta, tout le maquillage qu'elle met. *Uff*, de mon temps seules les Anglaises et les prostituées se maquillaient comme ça. Une Indienne décente n'a pas honte du visage que Dieu lui a donné. Vous n'imaginez pas tout ce qu'elle se met, même pour aller au travail ! »

Son ton outragé me donne envie de sourire. Mais je me contente de répliquer :

« Peut-être que vous vous faites de fausses idées. Peut-être… »

Il m'arrête, la main levée en un geste triomphant. « *De fausses idées*, vous dites. Hum ! De mes deux yeux, j'ai regardé dans son sac. Mascara, blush, fond de teint, ombre à paupières et d'autres choses encore dont j'ai oublié les noms, et le rouge à lèvres si effrontément rouge pour que tous les hommes regardent fixement sa bouche. »

Ou : « *Dîdî,* écoutez ce qu'elle a fait ce week-end. Elle s'est acheté une nouvelle voiture, rien que pour elle, des milliers et des milliers de dollars que ça coûte, et d'un bleu si brillant que ça fait mal aux yeux. J'ai dit à Râmu, qu'est-ce que c'est que cette folie, elle avait ta vieille voiture, tout cet argent elle aurait pu le garder pour sa dot. Mais cet imbécile d'aveugle, il sourit seulement et dit, c'est son argent, elle l'a gagné et d'ailleurs, pour ma Geeta, on trouvera un gentil garçon indien d'ici qui ne court pas après une dot. »

Geeta, j'invoque son nom silencieusement quand il est parti, Geeta qui veut dire douce chanson, ne perds pas ta patience, ton humour, ton goût pour la vie. Je fais brûler de l'encens de *champak* pour que règne l'harmonie dans ton foyer. Geeta dont le nom indien et américain à la fois résonne comme une nouvelle mélodie, sois tolérante envers un vieil homme qui se raccroche à son passé de toute la force de ses mains tremblantes.

Aujourd'hui le grand-père de Geeta entre, mais sans son habituel sac de plastique rayé, les mains pendantes désœuvrées, ses doigts raides écartés et maladroits sans rien à quoi s'agripper. Il s'attarde un instant au comptoir, les yeux baissés sur les *mithai* mais sans les voir, et quand je demande ce dont il a besoin aujourd'hui, il éclate : « *Dîdî*, vous allez pas me croire ! » Sa voix gronde de menaces et de colère, mais, en dessous, j'entends le grincement rauque de la peur.

« Des centaines de fois, je l'ai dit à Râmu, c'est pas une façon d'élever les enfants, surtout les filles, dire toujours oui-oui à tout ce qu'ils veulent. Souviens-toi, en Inde, tous tes frères et sœurs ont reçu une ou deux bonnes raclées et après, j'avais plus de problèmes avec vous. Est-ce que je vous aimais moins, non, mais je connaissais mon devoir de père. Des centaines de fois je lui ai répété, marie-la maintenant qu'elle a fini l'école, pourquoi tu attends que le malheur vienne frapper à ta porte ? Et maintenant voilà ce qui arrive.

— Qu'est-ce qui arrive ? » Je suis impatiente, la crainte m'étreint : j'essaie de lire en lui, mais les allées de son esprit ne sont qu'un tourbillon de feuilles mortes et de poussière.

« Hier, je reçois une lettre de Jadu Bhatchaj, mon vieil ami de l'armée. Ils cherchent un parti pour le petit neveu, un excellent garçon, très intelligent, seulement vingt-huit ans et déjà assistant de magistrat de district. Pourquoi ne pas envoyer une description de Geeta et une photo, demande-t-il, et peut-être que les parents tomberont d'accord. Bonne nouvelle, je pense et j'offre mes remerciements à la déesse Durgâ : dès que Râmu rentre, je lui raconte. Il n'est pas si empressé, il dit qu'elle a été élevée ici, comment fera-t-elle pour vivre dans une grande famille élargie en Inde ? Et Sheela bien sûr, dit, oh ! je ne veux pas envoyer ma fille unique si loin. Femme, je lui dis, tu n'as pas de bon sens. Est-ce que ta mère n'a pas dû t'envoyer loin aussi ? Tu dois faire ce qui est bien pour elle. Dès la naissance, la vraie maison d'une fille, c'est la famille de son futur mari. Et quelle meilleure famille pouvons-nous trouver pour notre Geeta que les gens de Jadubabu, des brâhmanes de vieille souche, si respectés, tout le monde les connaît à Calcutta. Ok ! finit par dire Râmu, on va demander à Geeta. »

Il fait une pause pour reprendre haleine.

Je voudrais le secouer et lui faire sortir la fin de son histoire plus vite, mais j'enfonce les ongles dans le bois du comptoir et j'attends la suite.

« Eh bien, Mademoiselle rentre tard comme d'habitude, à neuf heures, et déclare, j'ai déjà mangé, vous vous souvenez, je vous ai dit que certains des garçons allaient à la pizzeria. J'ai envie de dire, depuis quand fais-tu partie des garçons, mais je me contrôle. Son père la met au courant de la lettre. Papa, dit-elle, dis-moi que tu plaisantes. Elle rit et rit à gorge déployée. Tu me vois avec un voile sur la tête assise toute la journée dans une cuisine qui sent la sueur, un trousseau de clefs attaché au bout de mon sari ? Râmu dit, allez, Geeta, ce ne sera pas comme ça. Mais moi je dis, quel mal y a-t-il à ça, Mademoiselle la Difficile, ta grand-mère, Dieu garde son âme à ses pieds de lotus, a fait ça toute sa vie. Elle dit, sans t'offenser, Pépé, pour moi c'est pas une vie. Et puisqu'on aborde le sujet, les mariages arrangés, j'en veux pas non plus. Si je me marie, je choisirai mon mari.

« Râmu a pas l'air trop content et les sourcils de Sheela commencent à se froncer. Je dis, vous entendez ça, c'est pour ça que je vous dis depuis longtemps de l'envoyer à la pension Ramkrishna à Chuchura, quand elle me coupe et déclare, les mots se bousculant tous ensemble, je suppose que le moment est venu, il faut que vous sachiez que j'ai déjà trouvé quelqu'un que j'aime.

« *Chee chee,* pas la moindre honte, parler d'amour devant ses parents, devant moi, son grand-père.

« Après le premier choc, Râmu s'exclame, qu'est-ce que c'est que cette histoire ! et Sheela demande, qui est-ce ? Puis ils demandent ensemble, qu'est-ce qu'il fait ? et, on le connaît ?

« Vous ne le connaissez pas, répond-elle. Son visage est rouge et elle fait des efforts pour retenir son souffle comme si elle était sous l'eau, et je me doute tout de suite que quelque chose de pire va suivre.

« Il travaille dans mon entreprise, il est directeur de projets. Elle reste silencieuse pendant toute une minute. Puis elle ajoute, il s'appelle Juan, Juan Cordero.

« *Hai bhagagan,* je dis. Elle épouse un Blanc.

« Papa, Maman, dit-elle, je vous en prie, ne vous en faites pas. C'est un homme très gentil, vraiment, vous verrez quand je l'amènerai à la maison. Je suis si contente d'avoir pu épancher mon cœur. Je voulais vous en parler depuis longtemps. A moi elle dit, grand-père, il n'est pas blanc, c'est un Mexicain.

« Qu'est-ce que ça veut dire ? je demande. Mais je sais déjà que cela ne veut rien dire de bon.

« Quand elle explique, je lui dis, tu déroges à ta caste et tu souilles du *kâlî* le plus noir le visage de tes ancêtres pour épouser un homme qui n'est même pas un sahib, qui vient d'un peuple de criminels de bidonvilles et d'illégaux, ne dis pas *oh grand-père tu ne comprends pas*, tu crois que je regarde pas les nouvelles à la télé ?

« Sheela pleure et se tord les mains, en répétant, j'aurais jamais cru que tu pouvais nous faire ça, c'est comme ça que tu nous récompenses de t'avoir accordé tant de liberté alors que toute la famille nous avait mis en garde ? Mais Râmu reste assis, totalement immobile. Je veux lui dire, une fois que la vache est sortie de l'étable, on ne peut plus l'empêcher de piétiner le champ de riz. Mais en observant son visage, je n'en ai pas le courage. Je dis seulement, Râmu, tu me mets s'il te plaît dans un avion pour l'Inde demain.

« Papa, dit Geeta, Papa. Elle le secoue par le bras. Dis quelque chose.

« Il se dégage comme s'il recevait un choc électrique. Un petit muscle tendu tressaille sur sa joue. Je le connais ce muscle, petit garçon, quand il était très en colère, avant de fracasser un pot, de frapper un autre gamin ou quelque chose de ce genre, il se mettait à tressaillir. Ses mains sont des poings. Je pense, il va la frapper, et autour de moi, tout devient noir, noir avec des piqûres d'épingle jaunes comme des fleurs de moutarde.

« Je pense : je suis trop vieux pour supporter ça. Mon cou est trop faible pour supporter ma tête. Je regrette que notre poste indienne ait pas égaré cette lettre de malheur.

« Puis il abaisse ses poings. Je te faisais confiance, déclare-t-il. Sa voix, c'est pire que des coups.

« Après ça, je dois fermer les yeux. Il y a comme un grand vent autour de moi, avec des mots qui tournent, entre mère et fille.

« Va dans ta chambre. Je ne veux plus jamais voir ton visage.

« Tu n'en auras plus l'occasion. Je m'en vais. Et je ne reviendrai jamais.

« Fais ce que tu veux. Pour ton père et moi, ce sera comme si nous n'avions plus d'enfant, cela vaudra mieux.

« Papa, c'est ça que tu veux ? Papa !

« Silence.

« Très bien. Je vais aller vivre avec Juan alors. Ça fait longtemps qu'il me le demande. Je refusais, en pensant vous ménager pendant tout ce temps, mais maintenant je vais pas hésiter.

« Et Sheela hurlant à travers ses sanglots, peu nous importe où tu vas, petite éhontée, fille de mauvais augure !

« Des portes craquent et s'écrasent comme si on les fracturait. Des bruits de pleurs vont et viennent. Peut-être un moteur de voiture qui ronfle, peut-être des freins qui crissent. Quand je rouvre les yeux, je suis tout seul dans la pièce commune avec l'homme de la télé qui parle d'une grande tempête sur l'océan qui va bientôt nous atteindre. Je vais dans ma chambre, mais toute la nuit je peux pas fermer les paupières pour m'endormir. »

Il me montre du doigt comme preuve les petites veines fragiles qui lui rougissent, tels de petits fils tordus, les yeux.

« Et ce matin, je demande, qu'est-il arrivé ce matin ? »

Il hausse les épaules, désemparé.

« Je quitte la maison avant qu'ils se réveillent. Je marche de long en large devant votre bazar jusqu'à l'ouverture.

— Mais que puis-je faire ?

— Je sais que vous pouvez nous aider. Je sais ce qu'on murmure pendant les pique niques pour le Nouvel An bengali, et aussi quand les vieux se rencontrent pour jouer au bridge. S'il vous plaît. »

Le grand-père de Geeta baissant sa fière tête blanche, les mots de requête maladroits étrangers à sa bouche.

Je pile pour lui des amandes et en fait une poudre avec du *kesar* à faire bouillir dans du lait. « Toute la famille doit en boire avant d'aller se coucher, lui dis-je.

Pour adoucir vos paroles et vos pensées, pour vous souvenir de l'amour qui couve sous la colère. Et vous, *dada*, qui avez tant contribué à embrouiller cette histoire, faites particulièrement attention à ce que vous dites. Ne menacez plus de repartir en Inde. Quand l'amertume vous vient aux lèvres, impatiente de s'exprimer, ravalez-la avec une cuillère de ce sirop de *draksha.* »

Il le prend, me remercie humblement.

« Je ne suis pas sûre que cela suffira. Pour que le remède fasse son effet, il faut que Geeta elle-même vienne me voir.

— Mais elle ne viendra pas. » Ses mots rendent un son mat, désespéré. Le grand-père de Geeta avec les épaules rétrécies, ratatinées. Il a maigri, ses vêtements pendent sur lui comme le costume flottant d'un épouvantail.

Le silence s'étend autour de nous épais comme de l'huile. Jusqu'à ce qu'il finisse par l'ébranler d'un toussotement.

« Peut-être pourriez-vous aller la voir ? » Sa voix a pris une nouvelle tonalité. Hésitation, excuse. « Je peux vous expliquer le chemin.

— Impossible. Je n'ai pas le droit. »

Il n'ajoute rien. Me regarde seulement avec ses yeux d'animal blessé.

Et soudain, sans raison apparente, je pense à mon Américain.

Geeta, comme toi je suis en train d'apprendre que l'amour telle une corde de verre pilé s'enroule en serpent autour du cœur et vous tire, ensanglanté, loin de tout ce que vous êtes censé faire. Et je dis à ton grand-père : « Bon, très bien, seulement pour cette fois, quel mal peut-il y avoir à ça ? »

*

Cette nuit-là, je rêve de l'île.

J'ai souvent rêvé de l'île, mais cette fois-ci, c'est différent.

L'air est sombre et enfumé. On ne voit ni le ciel, ni la mer. L'île flotte dans un vide sinistre, privé de vie.

Mais je regarde de plus près et je découvre que nous sommes assises sous un banian, la Vieille nous interroge sur les leçons apprises.

« Quel est le devoir le plus important d'une Maîtresse ? »

Je lève la main, mais de la tête elle désigne quelqu'un d'autre.

« Venir en aide à tous ceux qui viennent à elle dans la détresse ou le besoin.

— Que doit-elle éprouver envers ceux qui viennent à elle ? »

Je lève de nouveau la main, et suis de nouveau ignorée.

Une autre novice répond. « Le même amour pour tous, sans préférence pour personne.

— Et quelle distance doit-elle garder ? »

J'agite le bras.

Quelqu'un d'autre dit : « Ni trop loin ni trop près, une attention calme, pondérée. »

De colère, je me mets sur mes genoux. Ne me voit-elle donc pas, ou m'ignore-t-elle pour m'infliger quelque punition ?

« Ah, Tilo, dit-elle, Tilo toujours trop confiante, si apte à répondre à la question que voici, qu'arrive-t-il quand une Maîtresse désobéit, quand elle cherche la satisfaction de son propre plaisir ?

Le feu de Shampâti », je commence à dire, mais elle m'interrompt.

« Pas à elle. A ceux qui l'entourent. »

Première Mère, vous ne nous avez jamais enseigné cela.

J'ouvre la bouche pour le lui dire, mais rien n'en sort.

« Oui, car j'espérais qu'il serait inutile que vous l'appreniez. Mais je me suis trompée. Ecoutez bien, parce que je vais vous le dire maintenant. »

Elle tourne son visage dans ma direction : comme à travers un télescope, son visage s'agrandit, devient menaçant. Tout le reste autour s'évanouit. Et alors je vois…

Un blanc. Ni nez ou œil, lèvre ou joue. Seulement un trou noir s'ouvrant là où devrait se trouver la bouche.

« Quand une Maîtresse use de son pouvoir pour elle-même, quand elle rompt les règles millénaires… »

Sa voix se fait dure et grave, cliquetis de chaînes frottées contre la pierre de la prison.

« Elle déchire le tissu délicat de l'équilibre du monde, et…

— Et quoi, Mère ? »

Elle ne répond pas. La bouche noire se déforme – grimace de douleur ou rictus narquois ? L'île commence à osciller, le sol devient brûlant. C'est alors que j'entends les rugissements. Le volcan crache ses cendres et sa lave.

La Vieille a disparu. Les autres novices aussi. Je reste seule sur l'île qui penche comme une assiette que quelqu'un veut gratter pour enlever les déchets. Des morceaux de roche brûlants me criblent telles des balles. J'essaie de tenir bon, le sol est lisse comme du verre en incandescence. Je glisse par-dessus bord et tombe dans la gueule du vide.

Je n'ai jamais rien expérimenté de plus terrifiant.

Puis je me réveille.

Et m'entends finir la phrase que la Vieille avait laissée inachevée.

*... et pour tous ceux qu'elle a aimés, alors qu'elle n'en avait pas le droit, c'est le chao*s.

Fenouil

La femme d'Ahuja n'est pas venue à l'épicerie depuis des mois.

Avant, j'aurais noté le fait puis l'aurais écarté d'un simple haussement d'épaules. « Ce qui sera, sera, disait la Vieille. Votre devoir consiste seulement à prescrire l'épice, et non à vous inquiéter des conséquences. »

Mais quelque chose a commencé à changer en moi quand l'Américain est entré dans l'épicerie. La cosse dure retirée, une graine humidifiée s'amollit. Les espoirs et les déceptions des humains entament ma peau comme des lames de rasoir.

Je ne suis pas sûre que ce soit une bonne chose.

Maintenant la nuit, je me fais du souci. Peut-être n'a-t-elle pas utilisé le curcuma, peut-être n'a-t-elle pas fait de cuisine indienne, peut-être se sert-elle encore d'un stock de vieilles épices qu'elle a achetées ailleurs. J'imagine le paquet s'échappant de sa main alors qu'elle s'apprête à verser, la poudre jaune répandue se volatilisant dans l'air, fine comme de la poussière d'or, perdue, gâchée. L'autre possibilité que je repousse de toutes mes forces car sûrement ce ne peut être ça, c'est que l'épice a failli, car cela signifie que ma vie à moi a failli aussi.

J'essaie de me souvenir de la dernière fois où je l'ai vue, quand, sur le seuil, un rai de soleil éclaira son visage levé qu'elle s'efforçait de garder impassible, et de la meurtrissure qui la trahissait.

« Que Dieu soit avec toi ! » avais-je dit. Et elle, sans répondre, avait incliné la tête en signe de gratitude, mais, sous les lunettes noires, son regard disait : après des mois et des mois de prières inexaucées, comment continuer à croire ?

Ces derniers temps, je me surprends à essayer mon don de double vue, à m'entraîner comme avec une torche dont je dirige le faisceau sur la chambre obscure où elle tourne le dos à la respiration lourde de son mari endormi et laisse les larmes couler, froides comme des perles, sur l'oreiller. Sont-elles, au contraire, chaudes et piquantes de sel, traînées d'acide qui la rongent tant et si bien que bientôt, il ne restera plus rien d'elle ?

Je n'ai pas le droit de faire ce que je fais.

« Ouvrez-vous à la seconde vue, nous disait la Vieille, et elle vous montrera ce qu'il faut que vous sachiez. Mais ne tentez jamais de la soumettre à votre volonté. Ne fouillez pas dans la vie privée d'une personne qui vous a été confiée. C'est outrepasser votre responsabilité. »

Etait-ce moi qu'elle regardait en parlant, ses yeux mouchetés emplis de tristes prémonitions ?

« Et surtout, ne vous approchez pas trop près. Vous en aurez envie. Même si vous avez fait le vœu de traiter tout un chacun de la même manière, il y aura ceux que vous voudrez réconforter sur votre cœur, ceux pour qui vous voudrez être tout ce qui leur manque dans la vie. Mère, amie, amante. Mais vous ne pouvez pas. Quand vous avez choisi les épices, vous avez abandonné ce droit.

« Un pas de trop et les liens de lumière reliant une Maîtresse à celui qu'elle aide peuvent se transformer en toiles d'araignée, goudron et acier, et vous prendre au piège, vous embourber, vous tirer tous deux vers la destruction. »

Je le crois. Ne me suis-je pas déjà approchée du bord, n'ai-je pas senti sous mes pieds que le monde s'effritait ?

Alors je me répète les mots de la Vieille la nuit tout en m'efforçant de détourner mon attention de cet appartement de l'autre côté de la ville dans lequel la voix d'un homme éclate soudain comme une gifle, cet appartement comme un trou noir prêt à exploser et dans lequel, dans un accès de fureur, je pourrais si aisément disparaître.

Epices, je sais que vous la protégerez de tout mal.

Sous mes mots, est-ce du doute que j'entends ? La plus légère indication, comme une bouffée de quelque chose qui s'enflamme d'un coup vite éteint par un vent plus fort ? Les épices l'entendent-elles aussi ?

Quand elle pénètre dans le magasin ce matin, un peu plus mince et avec des cernes plus larges sous les yeux, mais malgré tout en assez bonne forme, un sourire peureux, prêt à s'envoler, retroussant le coin de sa bouche et dit « *namaste* », une vague de soulagement m'envahit. Un soulagement, et un plaisir lent comme le miel, au point que je quitte ma place de derrière le comptoir. Me sens poussée à répondre : « Comment allez-vous, *betî*, je m'inquiétais, vous n'êtes pas venue depuis si longtemps. » Poussée à poser ma main – *non, Tilo* – sur son bras.

Oui, épices, je l'admets, ce n'est pas un geste fortuit comme les autres attouchements. C'est moi Tilo qui ai initié cette rencontre de peaux, sangs et os.

Quand ma main rencontre la sienne, une pulsation. Du feu glacé, de la glace brûlante, toutes ses peurs jaillissent dans mes veines. La lumière s'obscurcit comme si un poing géant étreignait le soleil. Un gris laiteux, opaque, telle une cataracte, voile mes yeux.

Cette douleur étourdissante, est-ce cela être mortel, impuissant, sans le recours de la magie ?

Et la femme d'Ahuja, que ressent-elle ?

J'entends un son, comme si je m'étais bouché les oreilles avec des mains fiévreuses, ce sont les épices qui crient à mon adresse *Eloigne-toi, éloigne-toi, Tilo, avant que, soudée, il ne soit trop tard.*

Je raidis mes muscles pour me ressaisir et m'arracher au danger.

A ce moment, elle déclare d'une voix brisée « Oh, *mâtâjî*, je suis si malheureuse que je ne sais plus quoi faire. »

Ses lèvres pâles ressemblent à des pétales de rose froissés, ses yeux à du verre brisé. Elle hésite un peu et avance son autre main. Que faire, en dépit de l'inquiétante odeur de charbon et de cendres calcinées qui sourd du plancher, sinon prendre sa main et la serrer en disant, comme les mères l'ont toujours fait : « Là, mon enfant, doucement, tout finira par s'arranger. »

*

« *Mâtâjî,* c'est peut-être en partie de ma faute. »

Assise dans ma petite cuisine au fond de l'épicerie où je n'aurais jamais dû l'emmener, la femme d'Ajuha raconte.

Ma faute, ma faute ! Un refrain que tant de femmes dans le monde entier ont appris à seriner.

« Pourquoi dites-vous cela, *betî* ?

— Je voulais pas vraiment me marier. J'avais une vie agréable, ma couture, des amies avec qui j'allais au cinéma et après nous allions manger du *pani-puri*, j'avais même un compte en banque à mon nom, assez pour ne pas avoir besoin de demander de l'argent de poche à mon père. Quand mes parents m'ont demandé, j'ai répondu d'accord, si vous voulez. Parce que dans notre communauté, c'est la honte quand une fille reste à la maison sans se marier, et je voulais pas leur faire honte. Mais jusqu'au dernier moment, je n'ai cessé d'espérer. Quelque chose allait arriver, les préparatifs du mariage seraient interrompus. Ah, si seulement j'avais eu un peu de chance !

— Mais quand vous avez rencontré votre mari, je demande en lui tendant un verre en inox plein de thé bouillant sucré avec une tranche de gingembre macérant dedans pour lui donner du courage, qu'avez-vous pensé alors ? »

Elle sirote une gorgée. « Il n'est arrivé d'Amérique que trois jours avant le mariage. Je ne l'ai rencontré qu'à ce moment-là. J'avais vu une photo, bien sûr… »

Elle se tait et je me demande s'il avait envoyé la photo de quelqu'un d'autre. J'ai connu des cas de ce genre.

« Quand je l'ai vu, j'ai compris que la photo avait été prise des années auparavant. » Pendant un moment, la vieille colère revigore sa voix. Puis ses épaules s'affaissent de nouveau entraînées par leur propre poids, comme elles ont dû le faire lors de cette première rencontre. « Il était trop tard pour annuler les noces. Toutes les invitations étaient envoyées, les parents qui n'habitaient pas en ville avaient commencé à arriver, il y avait même une annonce dans le journal. Ah, tout l'argent que mon père a dépensé parce que j'étais l'aînée ! Et si je refusais, le scandale allait rejaillir sur mes sœurs. Tout le monde aurait dit, oh ces filles Chowdhary ! elles n'en font qu'à leur tête, vaut mieux pas arranger de mariage avec cette famille.

« Donc, je l'ai épousé. Mais en moi j'étais furieuse. En moi je le traitais de toutes sortes de noms injurieux – menteur, tricheur, fils de porc. La première nuit, allongée sur le lit, je voulais pas lui adresser la parole. Quand il m'a dit des gentillesses, j'ai détourné le visage. Il a essayé de passer son bras autour de moi ; je l'ai repoussé. »

Elle soupire.

Je soupire aussi ; un instant, j'ai pitié d'Ahuja qui sait que son crâne est de plus en plus chauve et son ventre de plus en plus bedonnant, s'approchant, coupable, de cette fille tendre comme un jeune bambou et pourtant au cœur si dur. Ahuja qui réclame sa part (et ne la voulons-nous pas tous ?) d'amour.

« Une nuit, deux nuits, dit la femme d'Ahuja, il se montre patient. Puis il commence à se mettre en colère. »

J'imagine ce qu'il a vécu. Ses amis ont sans doute fait des plaisanteries, ils ont jasé, comme le font les hommes entre eux. « *Arre yarr*, raconte-nous, est-ce sucré comme le *jagre* ? » ou « Regardez, regardez, ces cernes sous les yeux d'Ahuja *bhaî,* sa femme ne doit pas le laisser tranquille de la nuit. »

« Et la fois d'après, quand je le repousse, il m'attrape et… »

Elle se tait. A cause de la gêne, raconter à une étrangère – car que suis-je d'autre après tout ? – ce que de bonnes épouses ne raconteraient à personne pour rien au monde. Surprise peut-être d'avoir osé en dire tant.

O petite Lalitâ, dont la bouche commence à s'ouvrir comme une fleur du matin à cause du curcuma, comment te dire qu'il n'y a aucune honte à se confier ? Comment te dire que je t'admire ?

Dans sa tête, les images se bousculent pêle-mêle, brûlantes tels des vêtements qu'on a laissés tourner trop longtemps dans un séchoir. Un coude d'homme dur la maintient fermement rivée au matelas, un genou écarte ses cuisses. Et quand elle essaie de griffer, de mordre (sans crier, car nul ne doit être au courant de ce *sharam* en dehors de la chambre), une gifle s'abat sur sa tête. Pas très forte, mais le choc lui enlève toute résistance et il fait ce qu'il veut. Le pire, ce sont les baisers quand c'est fini, les baisers qui laissent leurs traces humides sur sa bouche, et sa voix assouvie, contrite dans l'oreille, qui s'attarde.

Pyari, meri jaan, ma douce, ma petite reine d'amour. Et il recommence, recommence et recommence. Toutes les nuits, jusqu'à son départ pour l'Amérique.

« J'ai pensé m'enfuir, mais où pouvais-je aller ? Je savais ce qui arrive aux filles qui quittent la maison. Elles finissent dans la rue, ou entretenues par des hommes bien pires que lui. Du moins avec lui, l'honneur était sauf – ses lèvres se tordent un peu en prononçant le mot – parce que je restais une épouse. »

Une question m'échappe, mais je sais qu'elle est stupide avant même d'avoir fini de la formuler.

« Vous n'auriez pas pu vous confier à quelqu'un, à votre mère par exemple ? Vous ne pouviez pas leur demander de ne pas vous envoyer le rejoindre ? »

Elle baisse la tête. La femme d'Ahuja qui était avant la fille Chowdhary, ses larmes tombent dans son verre de thé, lui donnant un goût salé. Tant et si bien que je dois rompre une fois encore la règle pour les essuyer. La fille Chowdhary que ses parents ont élevée du mieux qu'ils pouvaient avec amour et sens de la discipline pour qu'elle s'adapte à son destin, le mariage. Qui sentirent sa peine mais eurent peur de lui demander « Fille, qu'est-ce qui ne va pas ? » parce qu'ils n'auraient pas su quoi faire si elle avait répondu. Et elle, voyant leur peur, elle retint sa langue et ses larmes car elle les aimait elle aussi, et n'avaient-ils pas déjà fait tout leur possible pour elle ?

Silence et larmes, silence et larmes, jusqu'en Amérique. Le sac gonflé de peine enflant dans sa gorge jusqu'à ce qu'enfin, aujourd'hui, le curcuma dissolve le nœud et la laisse s'épancher.

*

Une heure plus tard, la femme d'Ahuja parle toujours ; les mots, la digue du barrage rompue, déferlent.

« J'aurais dû m'en douter, mais je continuais à espérer comme font les femmes. Car que faire d'autre ? Ici, en Amérique, nous pourrions prendre un nouveau départ, loin de ces yeux, ces bouches qui ne cessent de répéter comment un homme doit se comporter, en quoi consiste le devoir d'une femme. Mais, ah ces voix, nous les avons apportées avec nous. »

Je l'imagine dans les premiers temps de son séjour ici. La femme d'Ahuja essaie de plaire à son mari ; elle confectionne de nouveaux rideaux pour transformer l'appartement en foyer ; elle prépare des *paratha* à servir bien chauds quand il rentre du travail. Et lui, il lui achète un nouveau sari, une bouteille de parfum, Intime ou Chantilly, une jolie chemise de nuit en dentelles à porter au lit.

« *Hai mâtâjî,* quand le lait a tourné, tout le sucre du monde peut-il le rendre doux ?

« Au lit surtout, je n'arrivais pas à oublier les nuits en Inde. Même quand il essayait d'être tendre, je restais raide et je me laissais pas aller. Alors il perdait patience et se mettait à crier ces mots américains qu'il avait appris. *Bitch. Fucking you is like fucking a corpse.*

« Puis après ce fut *Comment est-ce possible, tu dois trouver satisfaction ailleurs.*

« Et ces derniers temps, les interdits. Interdit de sortir. Ne pas parler au téléphone. Le moindre sou dépensé, il faut que j'en rende compte. Il lit mes lettres avant que je les envoie.

« Et les coups de téléphone. Toute la journée. Parfois toutes les vingt minutes. Pour contrôler ce que je fais. Pour s'assurer que je reste à la maison. Je prends le combiné, je dis allô et j'entends sa respiration à l'autre bout du fil. »

La femme d'Ahuja me dit d'une voix abominablement calme dont les larmes se sont taries : « *Mâtâjî,* autrefois la mort me faisait peur. J'avais entendu parler de femmes qui s'étaient tuées, et je me demandais comment elles avaient pu. Je sais maintenant. »

O petite Lalitâ, ce n'est pas une façon de s'en sortir. Mais que puis-je dire pour t'aider, moi qui pleure tout bas autant que tu l'as fait ?

« Pourquoi vivre ? Autrefois je désirais, plus que toute autre chose au monde, un bébé. Mais est-ce là un foyer où introduire une nouvelle vie ? »

Aveuglée par mes larmes, je ne trouve pas l'épice-remède. C'est ce contre quoi la Vieille voulait nous prémunir.

Tilo trop près, trop près.

J'inspire profondément, puis retiens l'air dans mes poumons comme elle nous l'a enseigné sur l'île, jusqu'à ce que le son de mon souffle chasse tout autre bruit de mon esprit. Jusqu'à ce qu'à travers la brume rouge, un nom se présente à moi.

Fenouil, l'épice des mercredis, le jour du milieu, jour de l'âge mûr. Tailles qui ont lâché, bouches tombantes sous le poids de vies médiocres qu'ils avaient autrefois rêvées si différentes. Fenouil, couleur de boue et d'écorce, brun comme la feuille dansant dans une brise d'automne, odeur de changements à venir.

« Le fenouil, dis-je à la femme d'Ahuja qui tire sur son *dupatta* de ses doigts nerveux, est une épice magique. Prenez une pincée de graines entières après chaque repas pour rafraîchir l'haleine et aider la digestion ; elle vous donnera la force d'esprit dont vous avez besoin. »

Elle me regarde, désespérée. Ses yeux de velours écrasé m'implorent : est-ce là tout ce que vous avez à me proposer ?

« Donnez-en aussi à votre mari. »

La femme d'Ahuja lisse la manche de sa *kurtâ*, qu'elle avait relevée pour me montrer un autre bleu, et se lève. « Il faut que je rentre. Il a dû appeler une douzaine de fois. Quand il va rentrer ce soir… »

La peur sourd d'elle, miroitante comme une vague de chaleur montant du trottoir d'été craquelé. La peur et la haine, la déception que je ne puisse pas faire plus.

« Le fenouil calme l'humeur aussi », poursuis-je. J'aimerais pouvoir lui en dire plus, mais cela priverait l'épice de son pouvoir.

Elle rit, un rire amer et incrédule. Elle regrette de s'être confiée à moi, vieille radoteuse qui croit qu'une poignée de graines séchées peut aider à réparer une vie en morceaux.

« Cela ne peut pas lui faire de mal », dit-elle, sortant son porte-monnaie. Les regrets martèlent ses tempes comme le sang son cerveau.

Elle jettera le paquet que j'ai placé entre nous sur la table dans le fond d'un tiroir, ou même à la poubelle quand elle repensera, la honte aux joues, à tout ce qu'elle m'a raconté.

La prochaine fois, elle ira se fournir dans une autre épicerie, même si cela l'oblige à changer de bus.

J'essaie de rencontrer son regard, mais elle se détourne. Elle s'apprête à partir, elle est déjà sur le seuil. Je dois, de mon pas traînant de vieille femme, la rattraper et toucher son bras une fois encore, en sachant que je ne devrais pas.

Des tenailles de feu enserrent le bout de mes doigts. Elle s'est calmée maintenant, ses yeux changent de couleur, s'éclaircissent comme de l'huile de moutarde qu'on chauffe, s'approfondissent comme si elle entrevoyait quelque chose d'autre que sa vie quotidienne.

J'attrape le petit sachet de fenouil pour le lui remettre, mais je ne le trouve pas.

Epices, qu'est donc... ?

Affolée je le cherche des yeux, sens la femme d'Ahuja qui se dépêche. Un instant, j'ai peur que l'épice se refuse à moi, moi Tilo qui ai outrepassé les limites.

Mais voilà le paquet sur la pile de magazines *India Currents*, où je suis bien certaine de ne pas l'avoir posé.

Epices, est-ce là un jeu, ou essayez-vous de me dire quelque chose ?

Pas le temps de réfléchir. Je prends le paquet et un exemplaire du magazine. Lui donne les deux.

« Ayez confiance en moi. Faites ce que je vous dis. Tous les jours, après chaque repas, un peu pour vous et un peu pour lui, et quand vous aurez fini le paquet, revenez me dire si cela vous a aidés. Et lisez cela. Cela vous empêchera de faire des bêtises. »

Elle pousse un soupir et hoche la tête. C'est plus facile que de discuter.

« Ma fille, souvenez-vous de cela, quoi qu'il arrive. Vous n'avez rien fait de mal en me racontant tout cela. Aucun homme, mari ou non, n'a le droit de vous battre, de vous contraindre à coucher si cela vous dégoûte. »

Elle ne dit ni oui ni non.

« Partez maintenant. Et n'ayez pas peur. Ce matin il était trop occupé pour vous appeler.

— Comment le savez-vous ?

— Nous les vieilles femmes, nous sentons ces choses. »

A la porte, elle murmure : « Priez pour moi. Priez pour que je meure bientôt.

— Non, lui dis-je. Vous méritez le bonheur. Vous méritez la dignité. Je vais prier pour cela. »

Quand elle est partie, je prononce l'invocation. Fenouil, de la forme d'un œil à demi fermé souligné de *surma*, œuvre pour moi. Je plonge la main dans la boîte et en prends une poignée. Fenouil que le sage Vasishtha mangea après avoir avalé le démon Illwa pour qu'il ne revienne pas à la vie.

J'attends le léger tintement au début du chant.

Rien que le silence, et les bouts pointus de l'épice qui s'enfoncent dans ma paume comme des épines.

Parle-moi, Fenouil, *mouri,* tavelé comme la fauvette qui apporte la concorde là où elle construit son nid, épice qui dissous le chagrin et fortifies.

Quand elle vient, la voix ne chante pas mais gronde, vague s'écrasant contre mon crâne.

Pourquoi le ferais-je, alors que tu as fait ce que tu ne devais pas faire ? Quand tu as outrepassé les limites que tu avais toi-même décidé de fixer autour de toi.

Fenouil qui équilibres et prends la force de l'un et la donnes à l'autre quand deux personnes te mangent en même temps, je t'en supplie, aide la femme d'Ahuja.

Reconnais-tu ta transgression, ton avidité à t'emparer de ce que tu as promis d'abandonner pour toujours ? Le regrettes-tu ?

Je repense à ses doigts, légers comme des pattes d'oiseau sur mon bras, si confiants. Je pense à la façon dont j'ai essuyé ses larmes, la sensation de ses cils humides, son visage dans mes mains. Cette peau qui vit, qui respire. A la façon dont l'anneau d'acier qui enserrait ma poitrine depuis si longtemps a cédé un peu.

Femme d'Ahuja, toi qui n'es pas encore Lalitâ, moi aussi je connais la peur. Je pourrais mentir si cela pouvait faire à l'une ou à l'autre quelque bien. Pour ta vie je donnerais la mienne, si les épices l'acceptaient.

Autour de moi les épices, distantes et polies, froides, attendent comme si elles ne connaissaient pas déjà la réponse.

Je ne regrette pas, finis-je par dire, et je sens l'air me manquer. Ma langue est un morceau de bois dans ma bouche. Je dois faire un effort pour former les mots.

Je paierai le prix, quel qu'il soit.

Il règne un tel silence que je pourrais être seule à tournoyer dans une galaxie noire. Tournoyer et brûler, personne n'entendra quand je serai réduite à néant.

Très bien, finit par dire la voix.

Quel sera le prix ?

Tu le sauras. La voix est ténue et lointaine maintenant. Apaisée. *Tu le sauras en temps voulu.*

*

Dans la faible lueur du couchant, assise au comptoir, je coupe avec la pointe de mon couteau magique des graines de *cumin noir* pas plus grandes que des œufs de charançon.

C'est une tâche qui demande de la concentration. Il faut prononcer certaines formules tandis que la pointe du couteau entame d'un coup net la dureté du *cumin noir,* retenir sa respiration jusqu'à ce qu'on puisse la laisser aller de nouveau sans danger. J'ai dû attendre jusqu'à l'heure de fermeture de l'épicerie.

Je travaille sans m'arrêter. Avant que Haroun n'arrive, comme tous les mardis sur son chemin du *masjid* où il va faire ses dévotions du soir, je dois avoir fini ce paquet.

Pourquoi, je ne sais pas, si ce n'est que chaque fois que je pense « Haroun », une main de glace m'étreint les poumons.

Le couteau va et vient, va et vient. Les graines de *cumin noir*, luisantes comme des abeilles, bourdonnent.

Je dois exercer la pression juste, couper chaque graine en deux parties égales. Je dois garder le bon rythme.

Trop vite, et les graines éclatent. Trop lentement, et la chaîne invisible qui relie chaque moitié de grain se brise et laisse s'échapper dans l'air leur sombre énergie.

C'est sans doute pour cela que je ne l'entends pas entrer, sursaute et virevolte au son de sa voix. Et sens sur mon doigt la morsure de la lame pareille à une fine flamme.

« Vous saignez, dit l'Américain solitaire. Je suis vraiment désolé. J'aurais dû frapper à la porte ou me manifester d'une façon ou d'une autre.

— Ça va, non, vraiment, ce n'est rien, une simple égratignure. »

A part moi, je réfléchis. Je suis sûre d'avoir fermé la porte à clef, je suis sûre, je… Qui est donc cet homme qui peut entrer malgré…

Mais les mots sont balayés par une vague de joie qui pétille comme des étincelles dorées.

Le sang s'égoutte de mon doigt sur le tas de *cumin noir,* d'un noir rouge maintenant, gâché. Mais emplie de cette joie dorée, il n'y a pas de place en moi pour le regret.

« Laissez-moi », dit-il, et avant que j'aie pu refuser, il porte mon doigt à ses lèvres. Et le suce.

Douceur de nacre des dents, satiné humide et chaud de l'intérieur de la lèvre, la langue léchant doucement la coupure, ma peau. Son corps, mon corps qui se mêlent.

Oh Tilo, as-tu jamais pensé…

Je voudrais que ce moment dure toujours, mais je dis : « S'il vous plaît, il faut que je mette quelque chose dessus. » Et je m'éloigne bien que cela requière toute la force de ma volonté.

Dans la cuisine je trouve un sac de feuilles de *nîm* séchées. Trempées dans du miel et appliquées sur la peau, elles aident à cicatriser.

Mais quand je regarde mon doigt, il ne saigne plus ; seul un léger pli rouge témoigne de ce qui est arrivé.

Peut-être que ce corps fait de feu et de chimères ne saigne plus comme le corps des hommes.

Mais en moi, je pense : Est-ce lui, est-ce lui ?

De retour dans la boutique, je le trouve agenouillé devant la vitrine des bibelots en train de regarder à travers le verre rayé des éléphants miniatures en bois de santal.

« Vous aimez ça ?

— J'aime tout ce que vous avez là. » Son sourire s'épanouissant pleinement, pétale après pétale avec, au cœur, quelque chose de plus que les mots.

Tilo, tu t'imagines qu'il voit clair dans ton esprit et sous ce corps de vieille femme.

J'effleure de mes doigts les éléphants jusqu'à ce que j'en trouve un qui soit parfaitement ciselé – les yeux les oreilles la courbe de la queue, les minuscules défenses d'ivoire comme des bouts de cure-dents. Je le sors.

« J'aimerais que vous preniez celui-là. »

Un autre homme aurait protesté. Lui, non.

Je place l'éléphant sur sa paume et regarde ses doigts se refermer sur lui. Ses ongles translucides scintillent dans l'obscurité de l'épicerie.

« Les éléphants aident à se souvenir de ses promesses et à les tenir, lui dis-je.

— Vous tenez toujours vos promesses ? »

Ah. Pourquoi me pose-t-il justement cette question ?

Je poursuis : « Le bois de santal adoucit les blessures, l'ivoire symbolise l'endurance. »

Il sourit, mon Américain solitaire, que mon esquive ne trompe pas. Un coin de sa bouche se plisse, remonte, et une fossette, un creux dense de chair tendre que je meurs d'envie de toucher, se creuse.

Pour me contenir, je dis : « Pourquoi êtes-vous venu ? »

Tilo, et s'il disait qu'il est venu te voir.

« Y a-t-il toujours une raison ? » Il continue à sourire, son séduisant, dangereux sourire, léger comme un nuage sur lequel je pourrais flotter et m'en aller pour ne plus revenir.

Je durcis ma voix. « Toujours, mais seuls les sages la connaissent.

— Vous pouvez me dire pourquoi alors. » Son visage est devenu sérieux. « Vous pouvez peut-être le savoir en me prenant le pouls, comme le font, à ce qu'on m'a dit, vos médecins indiens. » Et il tend vers moi un bras mince, un entrelacs de lapis-lazuli courant sous la peau.

« De quels médecins parlez-vous ? » Je ne peux m'empêcher de dire : « Nos médecins vont à l'université, tout comme les vôtres. »

Mais pardonnez-moi, épices, je prends sa main.

Je pose les doigts sur son poignet, un mouvement léger comme un souhait non exprimé. Sa peau sent le citron, le sel, et le sable blanc chauffé par le soleil. Suis-je en train d'imaginer que nous oscillons ensemble comme la mer ?

« Lady ! Lady, que diable se passe-t-il ? »

Sur le seuil, Haroun gronde comme le tonnerre, et claque la porte d'un coup de pied. Le front plissé de déplaisir, de méfiance.

Je me hâte de reprendre ma main, coupable comme une jeune villageoise. Je dis d'une voix hésitante :

« Haroun, je ne me rendais pas compte qu'il était déjà si tard.

— S'il vous plaît, allez le servir, je ne suis pas pressé », dit mon Américain sur un ton serein et désinvolte. Il disparaît nonchalamment dans les ombres du couloir du fond parmi les sacs empilés de *mung* et d'*urid* et de riz Grain Extra Long du Texas.

Haroun tourne la tête pour l'observer, ses lèvres serrées formant une ligne mince.

« Ladyjaan, faut pas laisser entrer n'importe qui dans le magasin la nuit tombée. Toutes sortes de mauvaises gens rôdent dans le voisinage…

— Tais-toi, Haroun. »

Mais il poursuit, en anglais, sa voix si haut perchée qu'elle ricoche sur les murs du fond. Sa langue empâtée et maladroite s'empêtre dans les mots dont il n'a pas encore l'habitude. Soudain, j'ai honte de la vulgarité de son accent, de sa grammaire qu'il maîtrise encore mal.

Puis une honte plus profonde, comme une gifle qui me cuit le visage, la conscience que je devrais partager ses sentiments.

« Pourquoi votre porte est pas fermée à clef aujourd'hui ? Vous lisez ou pas dans *India Post* encore la semaine dernière, un homme pénètre de force dans un magasin ? Il tue le propriétaire – s'appelait Reddy, je crois – trois coups dans la poitrine. Pas très loin d'ici. Vaut mieux demander à ce type de partir pendant que je suis là. »

Je suis mortifiée parce que mon Américain entend sans doute.

« Rien que parce qu'il a des vêtements luxe veut pas dire vous pouvez avoir confiance. Le contraire, en fait. J'entends parler d'hommes comme ça, bien habillés, ils font semblant d'être riches et viennent pour tromper. Et s'il est vraiment riche, qu'est-ce qu'il peut vouloir avec nous de toute façon, un sahib comme lui ? Mieux vaut pas approcher. Lady, écoutez, laissez-moi m'en occuper, je vais vous débarrasser de lui. »

J'essaie de me souvenir des vêtements de l'Américain et je suis en colère parce que je ne peux pas, moi Tilo qui me suis toujours enorgueillie de mon sens de l'observation. En colère aussi parce qu'il y a du vrai dans les conseils de prudence de Haroun, et que la Vieille aurait dit la même chose.

Un sahib comme lui. Pas un des nôtres. Reste à l'écart, Tilo.

« Haroun, je ne suis pas une enfant. Je sais me défendre. J'aimerais que tu n'insultes pas mes clients. »

Ma voix est déchirante, perçante comme des clous rouillés. Le son de la dénégation.

Haroun se rétracte. Le rouge lui envahit les joues. Sa voix, blessée, se fait sèche.

« Je disais seulement ma crainte. Mais je vois, je suis allé trop loin. »

Je secoue la tête, exaspérée. « Haroun, je n'ai pas voulu te blesser.

— Non, non, de quel droit moi, un pauvre homme, chauffeur de taxi, je donne des conseils à vous une Lady.

— Ne pars pas ! Ton paquet sera prêt dans une minute ou deux. »

Il ouvre la porte qui pousse un long gémissement. « Vous occupez pas de moi. Je suis seulement un *kâlâ admi* après tout, pas un Blanc comme *lui*... »

Je sais que je ne le devrais pas. Mais...

« Haroun, tu te comportes comme un enfant », dis-je d'un ton sévère.

Il s'incline, l'air digne, sa silhouette profilée sur la nuit qui se déploie autour de lui comme des mâchoires. « *Khuda hafiz.* Je vous salue. Le mollah a déjà dû commencer son service et je dois pas m'attarder encore. »

La porte se ferme d'un coup sec derrière lui, un bruit tranquille, définitif avant que j'aie eu le temps de lui rendre son *Khuda hafiz,* qu'Allah te protège.

Quand je me retourne vers le comptoir je te vois, *carvi* rouge et noir destiné à Haroun, maintenant souillé de mon sang, renversé sur le comptoir dessinant une tache sombre. Un silence plus accusateur que les mots.

Je te regarde fixement l'espace d'un instant, puis d'un revers de main te fais tomber dans un coin de mon *pallu.* Te mets à la poubelle.

Gâchis. Négligence criminelle. C'est ce que dirait la Vieille.

La tristesse enfle en moi avec sa forte odeur de soufre. La tristesse et un autre sentiment que je n'ose pas regarder de trop près – culpabilité, ou désespoir.

Puis je me dis, je verrai ça plus tard.

Mais alors que je me rends vers le fond de l'épicerie où attend mon Américain, je sais que *plus tard* revient à visser fermement un couvercle sur une marmite qui bout, et qu'à l'intérieur la vapeur continue de s'accumuler.

« Parfois je ressens une douleur, dit l'Américain. Ici. » Il prend ma main et la pose sur sa poitrine.

Tilo, sait-il ce qu'il fait ?

Au creux de ma paume, je sens son cœur qui bat. D'un rythme étrangement régulier, goutte d'eau tombant sur de la vieille pierre. Rien à voir du tout avec les coups frénétiques dans ma poitrine à moi, chevaux fous se jetant tête la première contre les parois de cavernes. Je dirige péniblement mon regard sur ses vêtements. Oui, Haroun a raison, la soie de sa chemise est douce et fine sous mes doigts, les pantalons sont d'une teinte sombre et élégante, la veste parfaitement ajustée épouse son torse. L'éclat assourdi du cuir sur ses pieds et autour de sa taille. Et à son annulaire, un diamant comme du feu blanc. Mais mon esprit ne s'arrête pas à tous ces détails car je sens que ses vêtements n'ont aucun rapport avec ce qu'il est vraiment. Je ne retiens que la façon dont sa chair bat chaude et brillante dans sa gorge, la façon dont ses yeux s'adoucissent quand je plonge mon regard en eux.

Nous nous tenons près du comptoir, moi à l'intérieur, lui ses longues jambes appuyées contre le verre, avec entre nous, oui, les épices comme un mur, nous observant.

« Vous n'avez rien au cœur », dis-je avec difficulté. Sous la chemise, sa peau doit être dorée comme la lumière d'une lampe, les petits poils sur la poitrine frais comme l'herbe.

Non. Une image différente vient à moi, ses bords soulignés si nettement que je sais qu'elle est juste. Sa poitrine imberbe est lisse comme le bois blanc chauffé par le soleil que nous utilisions sur l'île pour sculpter des amulettes.

« M'ouais, c'est ce que déclarent tous les médecins. »

Américain solitaire, je veux tout savoir de toi. Pourquoi consultes-tu des médecins, depuis quand ressens-tu cette douleur ? Mais quand j'essaie de voir, je ne perçois que mon visage reflétant mon regard fixe dans un lac de vif-argent.

« Ils veulent sans doute dire, cette douleur n'existe que dans votre tête. Mais ça ne vaut rien pour leurs affaires de clamer trop haut ce genre de choses. »

Il y a comme un sourire de gratitude dans ses yeux quand je dis « D'accord, je vais vous donner ce que vous voulez, juste un peu ». Ses cheveux brillent, éclat de soleil sur les ailes noires d'un oiseau.

Tu joues avec moi, mon Américain, et je suis sous le charme. Moi qui n'ai jamais joué. Je me sens soudain légère comme une jeune fille sous ce vieux squelette.

« Peut-être avez-vous besoin d'aimer pour guérir votre cœur », dis-je, lui adressant à mon tour un sourire. Je suis stupéfaite par la facilité avec laquelle j'apprends les règles de ce jeu de badinage. « C'est peut-être pour cela que vous souffrez. »

O Tilo, tu n'as pas honte, et puis quoi encore.

« Vous croyez vraiment cela ? demande-t-il, redevenu sérieux. Vous croyez que l'amour peut guérir un cœur malade ? »

Que répondre, moi qui n'ai pas l'expérience de l'amour.

Mais avant que j'aie trouvé une repartie, il chasse sa question d'un rire.

« Ça me convient, poursuit-il, vous avez quelque chose pour moi ? »

Une fraction de seconde, je suis déçue. Mais non, cela vaut mieux ainsi. « Bien sûr, dis-je, ma voix se rétractant de nouveau. J'ai toujours quelque chose, pour chacun. Ce ne sera pas long. »

Dans mon dos, je l'entends ajouter : « Attendez, je ne veux pas seulement ce que vous donnez à tout le monde. Je veux… » Mais je ne m'arrête pas.

Dans la chambre intérieure, je cherche la racine de lotus, la soupèse un instant dans ma paume en retenant mon souffle, tâtant sa légère élasticité.

Pourquoi pas, Tilo, toi qui as commencé à briser toutes les règles.

Je la repose avec un soupir. Racine de lotus, *padmamul*, aphrodisiaque que j'ai récolté au cœur du lac de l'île, ton tour n'est pas venu.

Quand je reviens, il regarde mes mains vides. Lève un sourcil.

Je devrais lui donner ce qui attend dans la boîte d'ébène sous le comptoir, la dure pépite de *hing*, l'assa-fœtida qui restaure l'équilibre, et le renvoyer pour toujours.

Un millier d'épices me plient à leur volonté. Je me penche, tâtonne, je sens contre mes doigts sans la voir la boîte qui contient le morceau grenu d'assa-fœtida avec son odeur âcre de fumée.

O épices, accordez-moi quelques instants, quelques instants seulement.

Je me redresse, attrape une petite bouteille brune sur l'étagère derrière moi. La pose sur le comptoir. « Voilà du *churan*, lui dis-je.

— Pour aimer ? demande-t-il sur le ton de la plaisanterie, mais il ne plaisante pas.

— Pour les brûlures de cœur, dis-je d'une voix que je veux sévère. Pour les vies trop complaisantes. C'est cela qu'il vous faut. » Je l'enregistre sur ma caisse et le mets dans un sac en regardant délibérément la porte. Et ajoute : « Il est très tard.

— Je suis navré de vous avoir dérangée », rétorque-t-il, mais il n'est pas navré. Couleur d'eau noire au clair de lune, ses yeux, amusés, étincellent. Ils m'arrachent les mots que je n'avais pas l'intention de dire.

« La prochaine fois, j'aurai peut-être quelque chose d'autre pour vous.

— La prochaine fois », répète mon Américain, sa voix semblable à un cadeau qu'il m'offre.

Je ne me souviens du couteau que le lendemain matin.

Je repousse la couverture bouchonnée, les dernières toiles d'araignée d'un rêve dont je ne me souviens pas bien. Me hâte d'un pas mal assuré jusqu'au comptoir où je l'ai laissé, bien que je craigne qu'il ne soit déjà trop tard.

« Couteau, parle-moi. »

Dans ma main, la lame est d'un gris terne implacable, couleur de chose morte. Le bord rouillé de sang. Quand je frotte, des écailles d'acier tombent au sol.

Dans l'alcôve étriquée de la cuisine, je tiens le couteau sous l'eau courante. Confectionne une pâte de citron vert et de tamarin et la fait pénétrer dans la lame en répétant les mantras qui purifient.

Quand finalement j'arrête, mes doigts sont piquetés par l'acide.

La tache, en forme de poire ou de larme, est plus claire maintenant. En forme de choses à venir.

Je presse mon front contre le mur de ciment froid. Les images ne cessent de se frayer un chemin sous mes paupières. Poignée de carvi jetée inutilement dans une poubelle qui sent le sang de femme. Le visage de Haroun si jeune, si vulnérable sur fond de nuit comme une éclaboussure rouge sombre. La Vieille avec ses yeux tristes qui voient tout.

Pardonnez-moi, Première Mère.

Des mots, ma fille. Comment puis-je te pardonner si tu n'es pas prête à abandonner ce qui cause ta perte ? Et tu n'es pas prête.

C'est ce qu'elle dirait, avec dans la voix un bruit de branches qui se brisent sous l'orage.

Je ne réponds pas à son accusation.

Au lieu de cela, je dis :

« Couteau, je ne t'oublierai plus. Si tu veux du sang frais pour recouvrir le vieux, je suis prête. »

Je lève le couteau et ferme les yeux, l'abats avec force sur mes doigts, attends que le feu d'artifice de la douleur éclate dans mon crâne.

Rien.

Quand je rouvre les yeux, le couteau vibre, fiché, à un centimètre de ma main, dans le bois du comptoir. Dévié. Par quelque secret désir en moi, ou de sa propre volonté ?

O Tilo, folle, imaginer que te rattraper serait si simple.

*

« Je voulais vous demander, dit Kwesi, un tube de carton coincé sous le bras, ça vous ennuierait que je mette quelque chose sur la vitrine ? »

Je suis prise de court. Est-ce permis ? Je n'en suis pas certaine.

Les Indiens le font tout le temps évidemment. Voyez. Sur toute la largeur de la vitrine, des réclames sur papier glacé annonçant des soirées avec des stars de cinéma, MADHURI DIXIT EN PERSONNE. Des sticks aux couleurs fluo vous invitant à une DISCO-BHANGRA, CINQ DOLLARS TOUT COMPRIS, CHAPATI DU DJ. BHAVNABEN, DHOKLA À DES PRIX TRÈS RAISONNABLES. TAILLEUR DU TÂJ MAHAL, COMMANDEZ AUJOURD'HUI À CE NUMÉRO VOS BLOUSES POUR LE LENDEMAIN.

Mais Kwesi, un étranger ?

« Qu'est-ce que c'est ? je lui demande, pour gagner du temps.

— Voilà, regardez. » Il le tire du tube et l'étale soigneusement sur le comptoir, un poster or et noir, saisissant. Un homme dans un uniforme sanglé et les pieds nus, les poings croisés, une jambe levée sur le côté dans un puissant mouvement de pied. Et dessous en lettres simples, LE DOJO DE KWESI, avec l'adresse.

« Je pensais bien que vous étiez un guerrier », je lui adresse un sourire.

Il sourit aussi. « Un guerrier. Je suppose qu'on peut appeler ça comme ça.

— Vous faites ça depuis longtemps ? »

Il fait un signe de tête. « Quinze ans, au moins. » Il voit mes yeux intrigués.

« Vous voulez savoir comment ça a démarré ? » Et avant même que j'aie donné mon assentiment, posant ses coudes confortablement sur le comptoir, il commence, Kwesi qui ne résiste jamais au plaisir d'une bonne histoire et a un don inné pour les raconter.

« J'étais dans une forme lamentable alors, j'absorbais toutes sortes de drogues, marijuana, cocaïne, héro, n'importe quoi. Je passais de l'une à l'autre, j'ai fait plein de bêtises pour pouvoir m'offrir mes doses. C'est ainsi que j'ai eu une rixe avec l'homme qui allait devenir mon *sensei*. Je l'ai provoqué au combat – dans ce temps-là je me prenais pour un bon bagarreur – mais il m'a mis au tapis en moins d'une minute. Le lendemain je me suis renseigné, je suis allé à son dojo après l'école avec un fusil, dans l'intention de me venger. Il a ouvert la porte et j'ai appuyé le fusil contre sa tête. Mais il n'avait pas peur. Il a dit, pourquoi n'entres-tu pas, je viens de faire infuser du thé japonais, tu pourras toujours me tuer après. Il ne crânait pas, c'était pas un numéro macho du genre de ce que moi j'aurais fait à sa place. Il n'avait vraiment pas peur. J'ai été si stupéfait que j'ai éloigné le fusil et l'ai suivi. Une chose en a amené une autre et j'ai fini par rester six ans. Vous me croyez ? Je ne me suis jamais fait au goût de son thé vert, pourtant. Rien ne vaut une bonne tasse bien forte de Darjeeling. »

Nous rions mais dans son rire, il y a quelque chose d'écorché, un rire qui sait qu'il aurait pu facilement se transformer en pleurs. Un rire comme ça, quand vous le partagez, desserre les nœuds de votre cœur. Et je m'essuie les yeux et dis à Kwesi : « Je veux bien que vous mettiez votre affiche ici. Bien que, franchement, je doute que cela puisse intéresser beaucoup de gens. »

Nous faisons du regard le tour de l'épicerie. Deux femmes potelées d'âge mûr en sari discutent des mérites respectifs des pickles Patak et Bedekar. Un vieux *sardârjî* coiffé d'un turban blanc apporte une bouteille de Véritable Huile d'Eucalyptus Nilgiris Excellente pour la Toux au comptoir pour en vérifier le prix. Les enfants de quelqu'un se poursuivent autour d'une caisse d'*atta*. Un homme, assez jeune, les cheveux longs, avec des lunettes Ray Ban et un Levi's moulant entre, mais il jette à Kwesi un œil suspicieux et disparaît dans le couloir aux lentilles.

« Je vois ce que vous voulez dire », reprend Kwesi d'un ton sec. Il commence à rouler son affiche. « Je trouverai un autre endroit. »

Je suis désolée de l'avoir déçu. Je déniche une grande boîte de Darjeeling noir à feuilles entières, le meilleur, et l'emballe pour lui. « Mes amitiés », dis-je en la lui donnant. « Non, non, mon histoire ne valait pas autant. » Je le raccompagne jusqu'à la porte. « Revenez quand vous voulez. Bonne chance pour votre dojo et votre vie », dis-je, et je le souhaite de tout mon cœur.

*

Un matin il entre dans l'épicerie avec la liste de sa mère et des cheveux qui se dressent tout droits, raides et hérissés comme des picots de brosse, qui lui donnent un air plus grand, cet adolescent que j'ai failli ne pas reconnaître. Mais je regarde mieux, c'est Jagjit.

« Jagjit, comment ça va ? »

Il se retourne vivement, serrant les poings. Puis me voit et relâche ses mains.

« Comment vous savez mon nom ? »

Jagjit morose dans son T-shirt et ses amples jeans Girbaud, les lacets défaits, l'uniforme des jeunes Américains, qui a déjà adopté leur façon de parler avec leurs syllabes saccadées.

« Tu es venu ici avec ta mère trois-quatre fois, il y a deux ou trois ans. »

Il hausse les épaules en se détournant, il ne se souvient pas. Je ne l'intéresse plus.

« Pas aussi longtemps, impossible. Je suis arrivé qu'y a deux ans.

— Seulement ? dis-je sur un ton que je veux admiratif. Difficile à croire, à te voir. »

Jagjit ne se donne pas la peine de répondre. Il connaît les vieilles femmes, les grand-mères, tantes, mères, qui ne cessent de répéter : « Ne fais pas, ne fais pas, ne fais pas. Ne passe pas autant de temps avec tes amis. Ne manque plus l'école, ils t'ont déjà donné deux avertissements. Ne traîne pas si tard le soir, c'est dangereux. *Hai* Jaggi, c'est pour ça que nous t'avons amené en Amérique ? »

Je l'observe tandis qu'il emplit son panier à toute vitesse et le pose avec fracas sur le comptoir bien qu'il ait oublié la moitié des articles de la liste. Je le regarde taper du pied parce qu'il a des choses à faire.

« Ça va mieux à l'école ? »

Il me jette un regard hostile. « Qui vous a dit ? »

Je me tais. Jagjit si occupé à se battre, si appliqué à montrer un visage dur, regarde-moi dans les yeux. Avec moi, tu n'as pas besoin de te défendre comme ça.

Une expression d'autrefois, comme de la timidité, plane sur ses lèvres, et s'évanouit.

« Ouais, l'école c'est cool.

— Tu aimes étudier ? »

Il hausse les épaules. « J'me débrouille.

— Et les autres garçons, ils t'embêtent pas ? »

Un sourire vif, dévoilant des dents acérées comme des ciseaux. « Personne me cherche, j'ai des amis.

— Des amis ? »

Mais avant même qu'il ait eu le temps d'acquiescer, je les vois dans ses yeux, les garçons dans leurs vestes de satin bleu nuit brodées avec cet emblème particulier, leurs bérets noirs, leurs bottes Karl Kani à cent dollars la paire. Epaisses chaînes rutilantes, gourmettes avec leurs noms gravés, un diamant sur l'auriculaire.

Ouais, les grands, continue Jagjit à part lui. *Seize ans et une BMW à toit ouvrant, un cabriolet modèle 72, une Turbo Lotus. Au fond de leurs poches, des liasses avec le portrait de présidents morts* – de quoi t'as besoin, petit malin – *épluchant les billets de cent dollars, même deux ou trois billets de mille* – pas de problèmes, vieux, y en a plein d'autres là-bas. *Et pendues à leurs bras, toutes ces filles, avec leurs grands yeux laqués.*

Les garçons qui roulent un joint, tirent une grande bouffée et le passent amusés à un gosse qui se trouve là. Et sa bouche qui s'ouvre stupéfaite.

Pour moi ?

Mes amis.

Les grands qui se tenaient à l'autre bout de la cour de l'école et faisaient que regarder ; un jour ils sont venus et ont chassé les autres en criant, foutez le camp. Ont brossé mes vêtements et m'ont payé un Coca glacé cet après-midi brûlant comme une fournaise et ont déclaré, on va te défendre.

Et depuis, j'ai plus eu de problèmes. Ils sont comme mes frères, mieux que mes frères.

Je vois ses yeux luire de gratitude, Jagjit tout seul dont les parents étaient trop épuisés par le travail et les soucis dans ce pays étranger pour l'écouter, Jagjit qui rentrait tous les jours d'Amérique pour trouver une maison si engluée dans son panjâbî qu'ils n'auraient pu l'aider. Qui retint ses cris pour lui jusqu'à ce que le rouge s'insinue sous ses paupières comme des étoiles qui saignent.

Jagjit qui se souvient : *Ils m'ont emmené avec eux. M'ont acheté des choses, des fringues, des chaussures, à manger, des montres. Des jeux Nintendo, des stéréos avec des haut-parleurs à faire trembler les murs, même des trucs que je savais pas que je voulais alors. Ils m'ont écouté quand je parlais et sans se moquer.*

Ils m'ont appris à me battre. Montré les parties tendres du corps où ça fait le plus mal. Montré comment utiliser le coude le poing la botte les clefs et oui le couteau.

Et en retour, si peu. Porte ce paquet là, dépose cette boîte là. Garde ça dans ton casier une journée. Poste-toi au coin et surveille.

Qui a besoin de mère père école ? Quand je serai plus grand, quatorze ans peut-être, je passerai tout mon temps avec eux. Je porterai le même blouson avec au fond de ma poche le même couteau à cran d'arrêt avec sa lame rapide comme une langue de serpent, je verrai le même éclair de peur dans les yeux des filles et les garçons qui se mettent à courir.

En moi les pensées tourbillonnent comme des tornades de poussière. J'ai le souffle coupé.

O cannelle, toi qui fortifies, cannelle, faiseuse d'amis, qu'avons-nous fait ?

Un jour ils m'en donneront un, froid, d'un noir brillant, je sentirai dans ma main son poids, son pouvoir, sa vibration électrique comme la vie, comme la mort, mon passeport pour la véritable Amérique.

Je serre les poings pour arrêter le tremblement. Clou de girofle et cardamome, épices de la compassion, que j'ai semées au vent, comment cela est-il arrivé ?

« Jagjit », dis-je entre mes lèvres parcheminées, d'une voix qui s'est vidée de toute confiance.

Ses yeux sont rêveurs, aveugles quand il se tourne vers moi.

« Tu es un si beau garçon, c'est une joie pour une vieille femme comme moi de voir la façon dont tu grandis. J'ai un tonique pour toi, pour te rendre plus fort encore, et plus débrouillard, gratuit, attends une petite minute que je le cherche. »

Il éclate d'un rire bref, sarcastique, un son qui cherche tellement à montrer qu'il est grand que j'en ai le cœur chaviré.

« Merde, j'ai pas besoin d'un tonique indien puant. »

Jagjit m'échappe, il se dirige vers la porte pour s'enfoncer dans le maelström et ne jamais revenir, et je dois vite me projeter dans son passé et utiliser ce que je trouve.

« Jaggi, *mera raja betâ.* »

Un frisson le traverse en entendant son nom d'enfant, odeur des cheveux de sa mère à une époque plus simple, sa main apaisante lui frottant le dos, chassant les cauchemars dans la chaude nuit de Jullundur, et pendant un moment il souhaite…

« Ok, mais dépêchez-vous. Je suis déjà en retard. »

Dans la chambre intérieure, je remplis une bouteille d'élixir de *manjistha* pour rafraîchir le sang et le purifier. Me hâte de marmonner une prière, en sautant des mots parce qu'il est déjà sur le seuil à hurler « Attends un peu, mec », à quelqu'un dehors. La lui tends et le regarde la jeter négligemment dans le sac en agitant une main insouciante en guise d'au revoir.

Le rugissement d'une moto et il est parti.

Et moi une fois seule, je retourne, le corps rompu, au comptoir, je me prends la tête dans les mains, en me demandant, atterrée, ce qui a mal tourné. Je ne cesse de m'interroger, était-ce lui, ses parents, était-ce l'Amérique ? Ou cette autre question si accablante que je ne peux la formuler que par petites bribes.

Epices est-ce. La façon. Que vous avez choisie. De. Me punir.

Gingembre

Ce matin, quand le grand-père de Geeta est entré dans le magasin, de sa démarche qui a perdu tout ressort, il n'a pas parlé de Geeta. Mais tous les traits de son visage demandaient « Avez-vous déjà ? » et « Quand allez-vous ? »

Ainsi ce soir je me prépare avec du gingembre pour ma première incursion en Amérique.

Car, vous le savez, quand je me suis réveillée dans ce pays, le magasin, m'entourant de sa solide coquille protectrice, se trouvait déjà là. Les épices aussi, enroulant autour de moi leur cocon d'odeurs et de voix. Et dernière carapace, ma vieille peau parcourue de rides profondes. Couche sur couche, et enfoui sous toutes ces enveloppes, mon cœur palpitant comme un oiseau.

Aujourd'hui, j'ai l'intention d'étendre mes ailes, de casser ces coquilles et d'émerger dans les espaces infinis du monde extérieur. Cela m'effraie un peu. Je l'admets.

Ainsi, je fais appel au gingembre.

Noueuse racine de sagesse, *ada* enrubannée dans ta peau brune, aide-moi dans ma quête. Je pèse ta solidité mouchetée dans le creux de ma paume. Te lave trois fois dans de l'eau citronnée. Te coupe en tranches minces, translucides comme le voile qui sépare le réveil du rêve.

Adrak, gingembre, sois avec moi.

Je laisse tomber les tranches dans une casserole d'eau bouillante, les regarde remonter et s'enfoncer, remonter et s'enfoncer, en tourbillonnant lentement. Comme des vies prises sur la roue du karma. La vapeur emplit ma cuisine d'une brume épaisse qui s'accroche à mes cils et me brouille la vue. La peur et cette odeur forte comme de jeunes pousses de bambou arrachées et mâchées vont imprégner mon sari longtemps après.

Gingembre doré que le médecin Charaka utilisait pour attiser le feu qui mijote dans le ventre, puisse ton éclatante morsure ranimer mes veines paresseuses ! Dehors, l'Amérique se jette contre les murs de mon épicerie, m'appelant de sa voix aux mille langues. Donne-moi la force de répondre.

J'attends longtemps le chant de l'épice, mais rien ne vient.

Ah, Tilo, à forcer les règles et à les contourner, qu'attendais-tu ?

Je verse le liquide, couleur de miel pâle, dans une tasse. La porte à ma bouche. Le goût piquant me surprend comme un coup. Je suffoque et je tousse. Quand je réussis à avaler, cela baratte mes entrailles qui se rebellent. Envie de vomir. Mais je me retiens, de toutes mes forces.

C'est la première fois que j'oppose si fortement ma volonté à une épice. Jamais auparavant, je n'ai affirmé mon désir contre mon devoir.

La résistance décroît doucement jusqu'à se dissoudre.

Tilo, maintenant que tu en as fait à ta tête, pourquoi cette tristesse, aurais-tu préféré perdre ?

Un début de fourmillement dans ma gorge, et ma langue se meut avec une agilité impatiente, repoussant les regrets.

Plus tard, Tilo. Plus tard, tu auras le temps.

Du pot, j'extrais les tranches blanchies par la chaleur. Une à une, je les mâche ; les fibres s'accrochent à mes dents. Le haut de mon cerveau se décolle.

Quand la sensation de morsure s'efface, de nouveaux mots commencent à me venir, de nouveaux gestes qui vont me permettre de marcher incognito dans les rues qui serpentent tel un labyrinthe autour du magasin. Les projets et les promesses se bousculent dans ma tête.

Geeta m'attend. Je suis prête. J'arrive.

*

Mais d'abord, il y a la question des vêtements.

Quand je suis partie pour l'Amérique, on ne m'a rien donné pour l'extérieur ; je ne possède que les saris effilochés, couleur d'ivoire sale, que je porte pour recevoir mes clients.

Je ne peux pas en faire grief à la Vieille. Elle voulait seulement me prémunir contre la tentation. Me garder du danger.

Mais maintenant, il faut que je me pare pour l'Amérique.

Ainsi aujourd'hui à l'instant du *Brahmâ muhûrta,* le moment sacré de Brahmâ, quand la nuit se transforme en jour, je prends des graines de pavot, du *khus khus* qui me colle obstinément aux doigts comme du sable mouillé, les écrase et les mêle à du *jagre* pour en faire une boule d'*afim.* Opium, épice de l'apparence.

Puis je l'allume.

Je sens que les épices ne me soutiennent pas. Par trois fois, la boule de *khus khus* crachote et s'éteint, par trois fois je dois entonner la formule pour raviver les flammes. Elle finit par s'enflammer, exhalant à contrecœur son odeur aigre et lourde. La fumée qui s'élève me prend à la gorge ; je suis prise d'une quinte de toux qui me fait monter les larmes aux yeux.

Mais je sais de mieux en mieux comment plier la volonté des épices à la mienne. Cette fois-ci, je souffre moins de nausée. Et de cette culpabilité que je ne veux pas regarder en face.

En est-il toujours ainsi quand on s'avance en territoire interdit, que certains appellent péché ? Le premier pas lacère, sang et os, déchire les poumons. Le second aussi met à la torture mais déjà, la douleur s'atténue. Avec le troisième, elle passe sur nos corps comme un nuage de pluie. Bientôt, insensibles, nous ne nous y arrêterons plus.

Ainsi, c'est ce que tu crois, Tilo.

La fumée s'enroule autour de moi, recouvre ma peau d'un enchevêtrement de fils. Les vêtements prennent forme.

Tout ce que je connais des vêtements américains, c'est ce que j'ai vu les clients porter. Aperçu sur des passants. Je les tisse ensemble en un manteau gris de la couleur du ciel au-dehors. Un corsage aérien qui laisse le cou dégagé. Des jambes de pantalons sombres. Et un parapluie, car dans les lueurs de l'aube, je vois tomber les cordes d'argent terne de la pluie.

Mais je sais déjà que je ne peux pas porter ces vêtements pour aller voir Geeta.

Les formules magiques qui modifient l'apparence sont difficiles à manier, même en temps normal. Et aujourd'hui, l'épice me résiste, je sens le pouvoir s'épuiser jusqu'à ce que mon cerveau soit vide. L'épice attend que je perde ma concentration. Pour que l'enchantement soit rompu et la libère.

Afim, pourquoi me combats-tu alors que ce n'est pas pour moi que je fais tout cela ?

Le silence de l'épice m'atteint au cœur comme une pierre, j'ai un goût de cendre sur la langue.

Le rire de la Vieille, amer comme de la bile, me revient alors en mémoire. Je sais ce qu'elle dirait si elle était ici.

N'est-ce pas là ce qui t'a toujours gênée, Tilo, toi qui crois savoir mieux que tout le monde, qui choisis d'oublier que les plus nobles des motifs mènent plus vite au désastre. Et tes motifs sont-ils si nobles, ou aides-tu Geeta parce que tu vois dans son amour interdit l'image de ton propre amour ?

Les vêtements fins comme une brume se déchirent déjà quand je porte les mains à mon visage. Je comprends que les épices ne m'aideront pas plus.

Je suis contrainte à mettre en œuvre mon deuxième plan.

Dehors la pluie, froide et dure, pique comme des aiguilles quand je me retourne pour fermer la porte de la boutique. Sous ma paume, le bouton est glissant et rétif. Les gonds rebelles collent. La boutique résiste, se mesure à moi. Je suis obligée de déposer mon paquet, le cadeau que j'emporte pour Geeta, et de tirer, forcer et pousser du pied avant d'arriver à la claquer. Le bruit est net comme un coup de feu, fatal. *Du mauvais côté,* dit la voix dans ma tête. L'humidité s'infiltre dans mes os, se dépose comme une vase. Je passe une main sur la porte, qui me semble si étrangère dans la lumière de la rue, et suis soudain saisie de vertige à l'idée de me retrouver sans toit.

Je reviens dès que je peux.

La porte, dont la peinture verte s'écaille, se tait obstinément. Ma promesse ne l'apaise pas.

Peut-être ne voudra-t-elle pas me laisser entrer à mon retour ?

Arrête, Tilo, d'imaginer que toutes les cordes sont des serpents. Tu as assez de soucis comme ça.

Dans l'air flotte une odeur de peaux d'animaux mouillées. Je la renifle, me recroqueville sous mon manteau. N'aie pas peur, me dis-je. J'ouvre mon parapluie, champignon géant, au-dessus de ma tête.

D'un pas décidé, je descends la rue déserte, repoussant les rideaux de pluie comme des feuilles de verre dépoli jusqu'à ce que j'aperçoive le signe SEARS, jusqu'à ce qu'une porte s'ouvrant d'elle-même comme la bouche de quelque grotte magique, m'invite à entrer.

Vous qui flânez désœuvrés dans les allées de Saks et Nordstrom, qui traînez votre ennui tous les jours chez Neiman Marcus, pouvez-vous comprendre à quel point j'apprécie le caractère anonyme du premier magasin américain dans lequel je me trouve, si différent de ma boutique à épices ? La douceur des néons dont la lumière égale tombe uniment, sans ombre, sur les parquets cirés, sur les chariots étincelants qui roulent en tirant derrière eux des acheteurs hébétés. Le plaisir que j'éprouve à arpenter couloir après couloir de marchandises empilées pliées accrochées sans que personne ne vous en empêche d'un « Ne touchez pas », ou ne demande « Oui, que cherchez-vous ? » Des lotions d'aloès véritable pour conserver la jeunesse et des plats de faux argent plus brillants que des vrais ; des cannes à pêche et des chemises de nuit en voile transparent comme le désir ; des casseroles résistantes au feu et des jeux vidéo japonais ; les derniers modèles de robots de cuisine, perfectionnés, et des tubes de crème dépilatoire Veet ; tout un rayon de postes de télé parlant à votre adresse avec des visages différents. La tête vous tourne de savoir qu'il suffit de tendre la main et de prendre, même si vous n'en avez pas besoin.

J'en suis enivrée. Etre un instant une vieille femme ordinaire qui palpe un tissu, consulte une étiquette, essaie une couleur contre ma peau ridée et couverte de taches de rousseur.

Sans vraiment m'en rendre compte, j'ai rempli mon chariot.

Un miroir. Une télé couleurs pour sonder le cœur de l'Amérique, le cœur, j'espère, de mon Américain solitaire.

Une trousse de maquillage avec tout le nécessaire. Du parfum à la rose et à la lavande. Des chaussures, plusieurs paires, de couleurs différentes, les dernières que je choisis rouges comme des piments astiqués, avec des talons hauts acérés comme des ciseaux. Des vêtements et encore des vêtements – robes pantalons pulls, les mystères, compliqués et aériens, de la lingerie féminine américaine. Et surtout un déshabillé de dentelle blanche ouvragée avec un effet de gouttes de pluie prises dans une toile d'araignée.

Tilo, es-tu devenue folle ? Est-ce pour cela que tu as brisé l'interdit et franchi les limites du lieu qui t'était assigné pour te plonger en Amérique ? Pour cela ?

La voix est corrosive comme une giclée d'acide. Le visage m'en brûle. Je pense avec un sentiment de culpabilité, c'est la Première Mère, puis je comprends que c'est ma propre voix. Et j'ai encore plus honte de ma frivolité.

J'abandonne le chariot dans le couloir des teintures pour cheveux, ne prenant que ce dont j'ai besoin. Des vêtements pour aller voir Geeta aujourd'hui. Et le miroir, bien que je ne sache pas très clairement encore à quoi il servira.

Non, Tilo, non, pas cet objet interdit des plus dangereux.

Mais cette fois-ci, je n'écoute pas.

Je regarde les caissières, la chair molle du dessous de leurs bras tristes, leurs cheveux teints avec les racines apparentes. Et totalement dénué d'intérêt pour vous, leur regard qui sonde votre visage, comme l'œil rouge électrique sur la machine de contrôle scrute les marchandises qu'elles passent dessus d'un geste sans entrain.

Les caissières qui ont la tête farcie de rêves, de visons achetés chez Macy, de leurs amoureux d'étudiants qui reviennent cette fois pour de bon, de croisières à Acapulco sur un navire de plaisance. Leurs bouches disent « Liquide ou carte ? », disent « Si c'est pour une livraison, il y a un supplément de vingt dollars », disent « Passez une bonne journée », mais elles ne font pas attention à moi. Parce que, dans leurs rêves, elles tournent à toute vitesse sur la *Roue de la Fortune,* belles comme Vanna dans sa minijupe constellée d'étoiles, et encore plus minces.

Oh, la liberté qu'elles ont ! Je les envie presque.

Dans un lavabo public qui sent l'ammoniaque, j'enfile mon pantalon et mon haut on-ne-peut-plus-décents en polyester, boutonne tout du long jusqu'aux mollets mon indéfinissable manteau brun. Je lace mes robustes chaussures brunes, lève mon parapluie brun, prête à tout. Cette femme, moi et pas moi, vêtue de neuf, forme un ensemble de bandes de couleur brune dont seuls se distinguent la jeunesse du regard et le blanc de jute des cheveux. Elle ébauche un sourire hésitant qui réinstalle ses rides. Elle détend ses muscles, laisse aller, et les apparences de vêtements faits d'*afim* et de force de volonté s'élèvent de sa peau comme de la fumée ; un flot s'échappe de ses nouvelles manches en dessinant des hiéroglyphes qu'elle ne sait pas déchiffrer.

L'espace d'un instant, elle se demande s'il y avait là quelque avertissement.

« Merci », dit la femme à l'adresse de l'épice et elle ne s'étonne pas de ne pas recevoir de réponse. Elle met le reçu pour le miroir, que quelqu'un doit livrer plus tard au magasin, dans la poche de son manteau. Un bref instant, une vision la traverse ; le bord glacé du mercure du miroir contre sa paume, l'éclat de vif-argent du moment où elle… Mais elle repousse l'image. Geeta attend, et son grand-père aussi. Elle ramasse soigneusement le paquet qu'elle porte depuis l'épicerie. Elle pense si fort à ce qu'elle doit faire qu'elle ne remarque même pas que les portes automatiques ouvrent leurs mâchoires de verre pour la laisser sortir.

Dans la rue, à un abri de bus où se presse une foule d'autres bandes de couleur brune, blanche et noire, elle fait la queue, en s'émerveillant de ce que personne ne lève des yeux soupçonneux sur elle qui se meut si maladroite, si empruntée dans l'air de l'Amérique. Elle tripote avec un plaisir ébahi le col de son manteau, qui vaut mieux qu'un manteau qui vous rend invisible. Et quand arrive le bus, elle se précipite avec les autres, se mêlant si bien à eux que si vous vous trouviez sur le trottoir d'en face en train d'observer la scène, vous ne sauriez plus qui est qui.

*

Vomissant son abondante fumée, le bus me dépose devant le bureau de Geeta et repart en rugissant. Je m'arrête un instant, le cou renversé d'émerveillement devant la tour scintillante de verre noir. Sur les rectangles de la partie basse, j'aperçois, miroitant, un visage.

Le mien ?

Je me rapproche pour regarder mais il se dissout en formant de petites ondulations, ce visage que je n'ai jamais examiné. Que je n'ai, jamais jusqu'à maintenant, senti, le cœur battant la chamade, le besoin d'examiner. Quand je me recule, il réapparaît, flottant, les traits lointains et irréels, distendus, indéchiffrables.

Guérisseuse, chaman, vieille femme qui connaît les herbes, viens remettre les choses en place.

La réceptionniste n'est pas coopérante.

« Qui ? » Ses lèvres magenta s'arrondissent autour de la petite boulette du mot. « Vous avez un rendez-vous ? Non ? » Enchâssés dans leur armure de mascara, ses yeux fouillent mon manteau et mes chaussures bon marché, le paquet que je porte depuis l'épicerie dans son emballage de vieux papier journal. Mon parapluie qui dégouline sa noire humidité comme du pipi sur le tapis. Sa colonne vertébrale est raide de désapprobation.

« J'ai bien peur de ne pas pouvoir vous aider. » Elle lisse sa jupe sur ses hanches pimpantes de ses doigts aux ongles magenta, retourne, l'air péremptoire, à sa machine à écrire.

Mais moi Tilo, je n'ai pas franchi le seuil de l'Amérique prohibée, je n'ai pas bravé la colère des épices pour repartir si vite les mains vides.

Je m'avance et me plante bien en face de son bureau, la contraignant à cesser de frapper et à lever des yeux contrariés avec une lueur de peur sous les cils hérissés.

« Vous devez dire à Geeta que je suis ici. C'est important. »

Ses yeux disent *Vieille folle avec ton sac*, et *Je devrais peut-être appeler la Sécurité*, puis *Flûte, après tout pourquoi devrais-je m'en mêler ?* Elle enfonce des boutons sur une machine placée sur son bureau et parle d'une voix manucurée.

« Madame Bannerjee, il y a quelqu'un qui veut vous voir. Une femme. Oui, je pense qu'elle est indienne. Non, je ne suis pas sûre qu'elle représente quelqu'un. Elle est – hum ! – pas ordinaire. Non, elle n'a pas dit son nom. Ok, si vous voulez. » Puis elle se tourne vers moi : « Quatrième étage, demandez à quelqu'un quand vous y serez, l'ascenseur est sur votre gauche. » Ses yeux disent *Décampez*.

« Vous n'avez pas demandé, lui dis-je d'une voix douce en rassemblant mes affaires.

— Quoi ? – le mot sort d'elle, stupéfait.

— Mon nom. Et je représente quelqu'un. Pourquoi pensez-vous donc que je suis ici ? »

Le bureau de Geeta est un minuscule carré, sans fenêtre, le genre qu'on donne aux nouveaux venus qui sont trop occupés pour regarder au-dehors. Une table de métal chargée de piles de dossiers et de dessins d'architecte envahit tout l'espace.

Assise derrière la table, elle est en train de rédiger un compte rendu, mais pas vraiment, parce que le carnet de notes est rempli de gribouillages. Là d'où je suis, ils ressemblent à des roses avec d'énormes épines. Elle me semble plus mince que d'habitude. Ou est-ce seulement la sévérité du costume pantalon sombre qu'elle porte aujourd'hui, les revers formant des angles durs sur sa poitrine, le tissu bleu foncé absorbant la couleur de son visage. Le style adulte faisant ressortir encore plus sa jeunesse.

La dernière fois qu'elle est venue au magasin, elle portait des blue-jeans. Un T-shirt rouge avec *Uxmal !* imprimé dessus. Ses cheveux tressés en une natte épaisse dans le dos, sinuante comme l'eau quand une des remarques de sa mère la faisait rire. Ensemble elles achetaient des raisins, des amandes et de l'*elchdana* blanche et sucrée pour confectionner des desserts pour le Nouvel An bengali.

Aujourd'hui, ses yeux sont vaguement gênés tandis qu'elle essaie de me situer. Et sombres de déception. Elle attendait quelqu'un d'autre, sa mère peut-être venue comme par miracle dire « Je pardonne ». Elle serre les lèvres, pour les empêcher de trembler. Il y a une petite verrue sur son menton qui tremble aussi. J'aimerais pouvoir lui dire à quel point elle est belle.

« Asseyez-vous, s'il vous plaît, finit-elle par dire, s'efforçant d'être polie. C'est une surprise. Vous avez un air différent. »

Et puis parce qu'elle n'y tient plus : « Comment avez-vous su où je travaillais ? Vous venez de la part de quelqu'un ? »

Je fais oui de la tête.

« Ma mère ? »

Quand je fais non de la tête, elle dit : « Pas mon père ? » Sa voix est tendue d'espoir.

O Geeta, petit oiseau, comme j'aimerais pouvoir te répondre oui, aimerais enlever l'épine qui fait saigner ton cœur de rose. Mais je ne peux que secouer de nouveau la tête.

Ses épaules s'effondrent. « Je me disais aussi.

— De la part de ton grand-père, à dire vrai.

— Oh, *lui.* » Sa voix est aigre maintenant. Je peux entendre les pensées qui rongent son cerveau. *C'est lui qui les a montés contre moi avec toutes ces conneries sur les femmes décentes et la honte dans les familles. Ils ne se seraient jamais comportés de cette façon préhistorique autrement. Papa, surtout. Si seulement il était resté en Inde, rien de tout cela ne serait...*

« Ton grand-père t'aime beaucoup, dis-je pour que le poison cesse de lui manger le cœur.

— Aimer, ah ! » Elle crache le son comme si c'était une maladie. « Il ne sait pas ce que ce mot veut dire. Ce qu'il veut, c'est contrôler. Contrôler mes parents, me contrôler. Et quand les choses ne vont pas dans son sens, il dit *Oh Râmu, je préfère que tu me renvoies en Inde pour y mourir seul.*

D'un ton hargneux, elle contrefait le fort accent du vieillard à la perfection. Cela me choque. Pourtant, la haine qu'on exprime vaut mieux que celle qu'on tait.

« Sans ses idées moyenâgeuses sur les mariages arrangés, je n'aurais pas été obligée de parler de Juan à Maman et Papa de cette façon. Je les aurais habitués à cette idée en douceur ; ils auraient eu l'occasion de le voir en tant que personne, non en tant que... »

Elle hésite.

Je sais ce que je suis censée dire. La Vieille nous l'a répété si souvent. *Votre destin naît avec vous, inscrit dans les étoiles qui président à votre naissance. Qui blâmer pour cela* ?

Mais ce n'est pas cela qu'elle a besoin d'entendre, Geeta, sa chanson n'a plus rien à voir avec ces vieilles rengaines.

Epices, je sais que je n'ai aucun droit de le demander mais épices, guidez-moi.

Un vent de sable chaud assèche mes mots, les érode. Les minutes s'égrènent, pesantes comme des gouttes de plomb.

Que faire maintenant ?

Puis elle dit : « Que diable pensait-il que vous puissiez y faire ? » Elle me regarde fixement, son front plissé comme si elle essayait de se souvenir. Mais la haine qui encrassait ses yeux est tombée.

« Rien, à vrai dire, dis-je hâtivement. Te faire savoir que les mots de la colère telles des abeilles bourdonnantes cachent le miel qui est en dessous. M'assurer que je peux retourner les voir et leur dire, ne vous inquiétez pas tant, elle va bien.

— Je ne suis pas si sûre de ça. » Son soupir lui secoue tout le corps. « Je prends des somnifères tous les soirs, et je n'arrive quand même pas à dormir. Diana est très inquiète. Elle pense que je devrais me faire aider, aller voir un psy, ou quelque chose de ce genre.

— Diana ?

— Oh, je ne vis pas avec Juan. Je pouvais pas faire ça à Maman et Papa. D'ailleurs, je savais que ce ne serait pas bon pour notre relation, que je débarque dans cet état, stressée et tout. Alors j'ai fait appel à Diana, c'est ma meilleure amie depuis l'école, et elle m'a répondu, bien sûr, tu peux habiter chez moi tout le temps que tu veux. »

La gratitude desserre mes poumons crispés et je respire de nouveau librement. « Geeta, dis-je, tu es une jeune fille très intelligente. »

Elle essaie de cacher son sourire, mais je vois bien qu'elle est flattée. « Vous voulez voir sa photo ? » demande-t-elle en essuyant soigneusement sur sa manche bleue le cadre de métal argenté posé sur son bureau. Elle me le tend.

Des yeux sérieux, des cheveux foncés bien peignés sur les côtés, une bouche qui a appris à être humble à force de grandir avec si peu de moyens. L'entourant de son bras un peu maladroitement comme s'il ne s'était pas encore habitué à une telle aubaine.

« Il a l'air très intelligent aussi », dis-je.

Elle sourit ouvertement maintenant. « Il est beaucoup plus brillant que moi. Sans blague, il vient du *barrio,* il a obtenu une bourse pour le lycée et il est sorti avec la meilleure note. Il est si modeste qu'il n'en parle jamais lui-même. Je suis sûre que si Papa et lui bavardaient seulement, il se rendrait compte que c'est un garçon vraiment merveilleux.

— Tu pourrais peut-être venir avec lui à la boutique un jour pour que je le rencontre ?

— Oui. Il serait content. La culture indienne l'intéresse beaucoup et surtout notre nourriture. Je fais la cuisine de temps en temps chez lui. Vous savez que les Mexicains utilisent tout un tas d'épices que nous… »

Elle s'interrompt soudain, Geeta que personne ne peut tromper. Me regarde franchement, ses yeux noirs comme des lacs dans lesquels mon visage reflété flotte.

« Je me souviens maintenant. Grand-père a dit un jour que vous connaissiez des sortilèges.

— Bavardage de vieillard ! je m'empresse de dire.

— Oh, je ne sais pas, reprend-elle. Grand-père se montre parfois très perspicace. » Elle m'examine à nouveau. « Ok, ça ne me gêne pas. Vous me faites bonne impression. Je vous amènerai Juan bientôt, peut-être même dès la semaine prochaine. Ils ont aussi ça dans leur culture, *curanderas* je crois qu'ils les appellent.

— A la semaine prochaine donc », dis-je en me levant, je ne peux pas faire plus pour l'instant, bien que par la suite il y ait sûrement des obstacles et des faux pas. « Tiens, je t'ai apporté quelque chose. »

Je sors de son emballage mon pot de mangue confite dans de l'huile de moutarde dans laquelle j'ai ajouté du *methi* pour guérir les fractures et de l'*ada* pour donner le courage de savoir quand il faut dire non, et aussi de l'*amchûr* pour aider à prendre les bonnes décisions.

Elle le lève et examine à contre-jour sa généreuse teinte rouge mordoré. « Merci ! J'adore ça. Mais bien sûr, vous le savez. » Ses yeux espiègles étincellent. « Avez-vous récité quelque formule magique ?

— La magie est dans votre cœur, dis-je.

— Non, sans plaisanter, merci d'être venue. Je me sens beaucoup mieux. Ecoutez, pourquoi est-ce que je ne descendrais pas avec vous ? »

Dans le hall d'entrée, elle me serre dans ses bras, Geeta qui est descendue de sa tour aux éclats noirs, ses bras légers comme des ailes m'enveloppent. Elle glisse quelque chose dans ma main.

« Vous aurez peut-être l'occasion de leur montrer ceci, vous comprenez, s'ils viennent à la boutique ou autre, et vous pourriez leur dire aussi que nous ne vivons pas ensemble. » Sa bouche, telle une rose chaude s'épanouit une seconde sur ma joue. « Et voilà mon numéro de téléphone, au cas où… on ne sait jamais. »

Une idée naît en moi, vague, un bruissement d'ailes. Je donnerai le tout au grand-père la prochaine fois qu'il viendra, le téléphone et la photo, lui dirai ce qu'il doit faire.

Sur le trajet du retour dans le bus, mes épaules luisent et brûlent aux endroits où elle les a touchées. La peau de mon visage me tire un peu là où elle a posé les mots du désir qu'elle n'a pas formulés : *Les gens que j'aime le plus au monde, faites en sorte qu'ils s'aiment les uns les autres*. Mes yeux aussi sont légèrement douloureux quand je regarde la photographie, les deux amoureux si jeunes, souriant largement avec une foi déchirante comme si je pouvais tout arranger, moi Tilo qui suis dans un pétrin bien plus grave que le leur.

*

Quand je me réveille, elle est assise à la tête de mon lit ; l'épicerie est encore sombre hormis une faible lueur électrique verdâtre qui vient de je ne sais où, et je sens l'odeur de l'huile d'hibiscus dont elle nous laissait parfois enduire ses cheveux. La Vieille, assise les jambes croisées en lotus, son épine dorsale incurvée par le poids de quelque chose de trop lourd à porter, s'agit-il de ma vie ou de la sienne, je ne saurais le dire. Les cicatrices de ses mains luisent comme des lignes de feu sur le fond de cette peau blanchie à chaud. Ma première réaction est de reculer d'effroi mais non, sur son visage, je ne vois pas la colère que j'imaginais y trouver mais de la tristesse. Une tristesse aussi profonde qu'un nuage de mousson, que le fond de la mer. Et tout au fond de moi, quelque chose tord et tord un chiffon mouillé jusqu'à en extraire les dernières gouttes.

« Première Mère », dis-je en avançant une main vers elle, mais il n'y a rien à saisir. Elle voyage en esprit, j'aurais dû m'en douter. Cela me désole encore plus car je me souviens qu'après de tels voyages elle devait s'allonger sur une paillasse dans la hutte de soins, un peu plus longtemps à chaque fois, la respiration courte, la chair sous les yeux flasque et pourpre comme une meurtrissure.

« Première Mère, est-ce si mal, ce que j'ai fait ?

— Tilo. » Sa voix est ténue et résonne comme si elle était prisonnière d'une cave sous-marine. « Tilo, ma fille, tu n'aurais pas dû.

— Mais Mère, comment aurais-je pu aider Geeta autrement, comment aurais-je pu aider son grand-père qui, pour la première fois de sa vie, a demandé quelque chose à quelqu'un ?

— Ma fille, l'aide que tu essaies d'apporter en dehors de ces murs protégés se transforme en son contraire, ne le sais-tu pas ? Même ici, tu as eu l'occasion de te rendre compte que cela ne marche pas comme tu le veux.

— Jagjit, je murmure d'une voix humiliée par l'échec.

— Oui. Et il y en aura d'autres. Ne te souviens-tu pas de la dernière leçon ? »

J'essaie de réfléchir mais mon cerveau est un enchevêtrement de morceaux, de fragments de pensées dont les bords ne s'ajustent pas les uns aux autres.

« Au bout du compte les Maîtresses sont impuissantes, roseaux creux pour la chanson du vent. C'est l'épice qui décide, et la personne qui la reçoit. Tu dois accepter ce qu'ils choisissent ensemble et être en paix même quand cela échoue.

— Première Mère, je…

— Mais quand tu te penches au-delà de ce qui est permis et touches ce qui ne l'est pas, quand tu sors des vieilles règles, tu fais advenir l'échec cent fois plus. Les vieilles règles qui gardent le monde en un fragile équilibre existent de toute éternité, existaient avant moi, avant les autres Vieilles, avant même la Grande Mère. »

Sa voix enfle et diminue tour à tour comme ballottée par une bourrasque en pleine mer.

J'ai tant de questions à poser. Moi qui, dans ma naïveté, avais cru qu'il n'y en avait pas eu d'autres qu'elle. *Qui étaient les autres Vieilles, qui était la Grande Mère ?* Et cette question résultant d'une curiosité lugubre et d'un désir pire encore, que je ne me résous pas à formuler.

Qui, quand vous serez partie ?

Puis j'oublie parce qu'elle parle : « Ne laisse pas l'Amérique t'entraîner dans des désastres que tu ne peux imaginer. Rêver d'amour ! N'excite pas la haine des épices. »

La stupéfaction rend le son de ma voix presque inaudible. « Ainsi vous savez ? »

Elle ne répond pas. Son image commence à s'effacer, l'éclat phosphorescent sur les murs de l'épicerie décroît.

« Attendez, Première Mère…

— Mon enfant, j'ai dû faire appel à toute la force de mon cœur pour venir t'apporter cet avertissement, dit-elle faiblement de ses lèvres bleues comme l'air. La prochaine fois, je ne pourrai pas.

— Mère, puisque vous connaissez mon cœur, répondez à cette question avant de partir. Que se passe-t-il quand une Maîtresse veut reprendre sa vie ? Est-ce que les épices… ? »

Mais elle est partie. Les murs sont de nouveau froids et d'un gris de toile d'araignée, pas le moindre souffle de vent n'indique son passage. Pas le moindre son, ni l'odeur d'hibiscus de ses cheveux flottant comme l'encens. Rien que les épices qui observent, les épices plus puissantes que je ne le croyais, leur sombre pouvoir hermétique enfoui en leur cœur. Les épices absorbant tout l'air de la boutique jusqu'à ce qu'il n'en reste plus pour moi, qui m'assurent que tout cela n'était pas un rêve.

Et qu'elles ont tout entendu.

*

Le temps passe, passe. Le soleil se lève, couleur de curcuma, puis s'effondre dans un éclaboussement vermillon de *sindur.* Sur l'arbre nu dehors, des oiseaux au bec de fenouil jettent des cris de détresse. Le ciel est si bas que les nuages noirs comme le *cumin noir* grattent le haut d'une tour que j'ai autrefois visitée au centre de la ville. Je pense à Haroun, je pense à la femme d'Ahuja, je pense à Geeta et à son Juan. J'époussette les rayonnages de l'épicerie et empile proprement les paquets les uns sur les autres en me demandant pourquoi ils ne viennent pas. Des voitures passent, leur moteur lancé à plein régime. Il y a des coups de feu, il y a des cris, puis le bruit poignant d'une ambulance et, à la fin, des taches qu'on enlève au tuyau d'arrosage sur le trottoir. *Jagjit, Jagjit*, crie mon cœur. Mais je me souviens du visage de la Vieille, je me souviens de son avertissement et ne me déplace même pas jusqu'à la fenêtre pour regarder.

Mais peut-être n'ai-je fait que rêver tout cela, passant la nuit à osciller entre le désir et le rejet. Peut-être n'est-ce que le matin, car un camion se gare bruyamment devant ma porte et deux hommes vêtus de salopettes bleu marine avec REY et JOSÉ cousus sur leurs poches frappent à ma porte en criant « Livraison ! » Ou est-ce le karma, cette grande roue noire comme la mort qu'on ne peut plus, une fois mise en mouvement, arrêter ?

Les hommes disent : « Où vous voulez qu'on mette ça ? » Disent : « Signez ici, vous comprenez l'anglais, oui ? » Disent en s'essuyant le front : « Hey, Madame, c'était du beau boulot. Z'avez du Coca ou mieux de la bière fraîche ? »

Je leur donne du jus de mangue sur de la glace avec des feuilles de menthe pour la fraîcheur, et de la force qui dure toute une journée. Je me mords l'intérieur de la lèvre, impatiente qu'ils s'en aillent ; sur le seuil, j'agite la main en réponse à leur « *Gracias* » et « A la prochaine » et leur camion s'ébranle, crachotant et cahotant sur les nids de poule. Le feu passe au vert, et je suis enfin seule avec mon carton de chez Sears.

J'essaie de couper l'adhésif, une voix en moi me pressant Vite, vite, mais mon couteau résiste. Mon couteau avec ses taches comme des larmes qui m'accusent.

Il se tord dans ma main, et veut s'échapper. Deux, trois fois, je manque de m'entailler la chair. Tant et si bien que je finis par le poser et éventrer le carton à mains nues. Je plonge les doigts dans une sorte de neige spongieuse en forme de pépites, j'écarte des feuilles de polystyrène crissantes comme du sel de mer. Tout cela est si long, mon cœur animal en cage s'affole dans ma poitrine, puis enfin je le sens à sa dureté glissante, je tire et il émerge, lumineux.

Mon miroir.

Toutes les épices m'observent, leurs yeux un seul œil, leur souffle un seul souffle, unies par la désapprobation, et demandent en silence *Pourquoi ?*

Ah, si seulement je le savais ! J'ai le sentiment de marcher sur une très fine pellicule de glace, consciente qu'à tout moment elle peut se rompre, mais je suis incapable de m'arrêter.

Voilà une question que je n'ai jamais pensé à poser sur l'île : Première Mère, pourquoi n'est-ce pas permis, que peut-il y avoir de mal dans le fait de se regarder ?

Le soleil d'après-midi qui darde ses rayons sur mon miroir illumine tout à coup le magasin d'un éclat si aveuglant que les épices, elles aussi, doivent cligner des paupières.

Avant qu'elles puissent rouvrir les yeux, j'ai décroché une image de Krishna et ses *gopî* et pendu le miroir à sa place, puis j'ai drapé précautionneusement un *dupatta* dessus.

Miroir, verre interdit qui, j'espère, me dira la vérité sur moi.

Mais pas aujourd'hui. Le temps n'est pas venu.

Pourquoi pas, Tilo, Maîtresse insensée, pourquoi l'avoir acheté alors ?

Surgie du silence, leur voix me fait sursauter. Une question monte en moi, comme un œil qui s'ouvre

– *Pourquoi parlent-elles...* – puis se referme sans dévoiler ses sinistres soupçons.

Mais j'ai déjà oublié dans la joie qui m'envahit tout entière. Elles me raillent oui, elles m'importunent oui, mais elles me parlent de nouveau, mes épices.

Ah, chères petites, cela faisait longtemps.

Qui sait quand et comment un miroir peut être utile ? je leur réponds, ma voix légère comme la caresse du vent sur un chardon qui dérive au fil de l'eau.

Je sens sur ma peau leur attention, curieuse et sévère, comme la brûlure du soleil. Elles retiennent leur pouvoir de réduire en cendres. Suspendent leur jugement.

La Vieille se trompait peut-être ? Il n'est peut-être pas trop tard pour nous après tout.

Dans mon cœur en cage qui bat la chamade, je ne cesse de répéter : Epices, faites-moi confiance, donnez-moi une chance. En dépit de l'Amérique, en dépit de l'amour, votre Tilo ne vous abandonnera pas.

Poivre

« Celui-ci, dit l'Américain. Je veux celui-ci. »

Je lui demande, dubitative : « Vous êtes sûr ?

— Absolument. »

L'ironie de la situation me fait sourire. Tilo, il a ce ton si assuré et si peu expérimenté à la fois que tu avais sur l'île. Et maintenant c'est à toi qu'il revient d'affecter, comme la Vieille, la prudence.

Nous nous tenons dans l'aile des en-cas. L'Américain tient un paquet de *chanachur* sur lequel il est écrit LIJJAT SNACK, MÉLANGE TRÈS ÉPICÉ !!!

« Celui-là est vraiment fort, dis-je. Pourquoi ne pas essayer un mélange plus doux ? Qu'essayez-vous de prouver ? »

Il rit. « Mon côté macho, bien sûr. »

C'est lundi. L'épicerie est officiellement fermée. Car lundi est le jour du silence, jour du gros haricot blanc *mung* qui est consacré à la lune. Le lundi, je me rends dans la pièce intérieure et m'assieds en posture de lotus. Quand je ferme les yeux, l'île vient à moi – les palmiers qui se balancent, les doux éclats du soleil répandus sur la mer au crépuscule, l'odeur du chèvrefeuille sauvage dans l'air sucré et lourd – avec une telle précision que je pourrais pleurer. J'entends l'appel ténu des balbuzards qui plongent en quête de poisson. Leur cri fait penser au son des violons.

La Vieille vient à moi aussi, entourée de nouvelles filles que je ne connais pas. Mais le rayonnement de leur visage m'est si familier qu'il me brise le cœur. Ce rayonnement qui dit *Nous allons changer le monde*.

Le lundi, je parle à la Vieille. Car le lundi est le jour des Mères, le jour où les filles leur racontent tous leurs faits et gestes. Mais ces derniers temps, je ne lui confie pas tout.

Aujourd'hui non plus, je ne lui dirai pas tout.

Voilà ce qui est arrivé aujourd'hui : l'Américain solitaire est venu à l'épicerie. En plein jour. Pour la première fois.

Pourquoi cela a-t-il tant d'importance ? demandez-vous.

La nuit avec sa prestigieuse écharpe d'étoiles est souvent trompeuse – surtout quand nous désirons qu'il en soit ainsi. Ce n'est que dans la lumière impartiale du jour que nous sommes forcés d'apprendre la réalité quotidienne des hommes.

J'eus l'intuition de sa venue longtemps avant qu'il n'apparaisse à la porte de la boutique, les yeux rivés sur la pancarte en forme d'oreilles de chien qui dit FERMÉ. Son corps telle une colonne de chaleur s'était faufilé dans les rues encombrées de son pas décidé mais léger comme s'il foulait non le béton mais l'écorce même de la terre.

Ah, mon Américain, j'attendais, partagée entre la crainte et le désir, en me disant, je vais peut-être me rendre compte qu'après tout, il est comme tous les autres.

Lui dehors, immobile, a-t-il lui aussi senti ma présence ? Moi, statue de glace de l'autre côté du seuil, pétrifiée par toutes les vieilles voix en moi vociférant *Ne réponds pas*. Criant *As-tu oublié, aujourd'hui est le jour consacré à la Première Mère, tu ne dois parler à personne d'autre.*

Je pense qu'il les a entendues. Car il n'a pas cogné. Il s'est détourné, mon Américain, me laissant une chance. Mais au premier pas en arrière qu'il fit, j'ouvris la porte.

Seulement pour voir. C'est ce que je me suis dit.

Il se taisait. Pas un mot. Seule la joie dans ses yeux m'informa qu'il voyait quelque chose de plus important que mes rides.

Que vois-tu vraiment ?

Américain, je rassemble le courage dont j'ai besoin pour te poser cette question. Un jour, bientôt.

Et pour la première fois, j'aperçus dans son esprit un mouvement, comme du varech au fond de l'océan, à peine visible sous les ombres de sel.

Un désir. Je ne pouvais pas l'interpréter encore. Je savais seulement que d'une façon ou d'une autre il m'incluait.

Moi Tilo, celle qui avait toujours exaucé les désirs des autres, mais n'avait jamais été désirée.

De contentement, les coins de ma bouche se relevèrent, bien que les Maîtresses n'aient guère l'habitude de sourire.

Américain solitaire, tu as passé l'épreuve du jour. Tu n'es pas comme les autres. Mais je n'aurais de cesse de découvrir ce désir qui est le tien.

Je poussai la porte pour l'ouvrir plus grand, m'attendant à sentir une résistance. Mais elle s'ouvrit largement sans difficulté, comme un bras qui vous accueille.

« Entrez. » Les mots, comme je l'avais redouté, ne restèrent pas collés, fichés dans ma gorge à m'écorcher.

« Je ne voulais pas déranger », dit-il.

Derrière nous, la porte se referma sans bruit. Dans l'air calme, attentif, du magasin, ma voix s'envola comme une cloche de verre.

« Quand on est heureux de voir quelqu'un, cela ne dérange pas. »

Mais en moi une question, irritante comme du sable dans l'œil : Epices, êtes-vous avec moi vraiment, ou est-ce là un nouveau tour que vous me jouez ?

« Il y a quelque chose dont il faut que je vous avertisse », dis-je en tendant à mon Américain le *chanachur*.

Alors qu'en moi-même, je pense : non, Tilo, rien ne t'y oblige, pourquoi veux-tu t'en mêler ? Après tout, il l'a choisi lui-même.

Tentation, douce comme un lit de soie. Ce serait si facile de laisser mon corps s'y enfoncer.

Non. Américain solitaire, plus tard, tu ne dois jamais pouvoir me reprocher de m'être servie de ton ignorance.

Donc, je continue : « L'épice principale de ce mélange est du *kâlo marich*, du poivre noir.

— Oui ? » Mais il est surtout attentif au paquet, qu'il renifle. Les épices le font éternuer. Il rit, secouant la tête, les lèvres retroussées en un silencieux sifflement.

« Poivre qui a la faculté de vous soutirer vos secrets.

— Ainsi vous pensez que j'ai des secrets. » L'air impassible, il prend maladroitement une pincée dans le paquet, laissant échapper des morceaux entre ses doigts. La fourre dans sa bouche.

« Je sais que vous en avez, dis-je. Parce que j'en ai aussi. Nous en avons tous. »

Je l'observe, ne sachant pas si l'épice va faire son effet maintenant que je lui ai parlé de son pouvoir. C'est une nouvelle façon d'agir pour moi, et devant moi tout n'est que buisson de ronces et brouillard épais.

« Je ne me débrouille pas mal, n'est-ce pas ? » reprend-il alors que de ses doigts s'égoutte un peu plus de *chana,* constellant le devant de sa chemise de striures jaunes et brunes.

Je me force à rire. « Je vais vous confectionner un cône comme ceux qu'on utilise en Inde », dis-je. De sous le comptoir où je garde de vieux journaux indiens, j'attrape et déplie une feuille. La roule et la remplis.

« Versez-en un peu sur votre paume. Quand vous serez plus habile, vous pourrez le renverser et l'attraper avec votre bouche, mais pour l'instant portez votre main à vos lèvres.

— Oui, Madame », dit-il avec une humilité feinte.

Mon Américain, assis sur le comptoir, balance ses jambes, et mange le mélange épicé dans son cône de papier comme s'il avait fait ça toute sa vie. Ses pieds sont nus. Il a enlevé ses chaussures à la porte. Ses chaussures, faites à la main dans le plus doux des cuirs, dont le brillant ne vient pas de la surface mais de quelque chose de plus profond. Des chaussures que Haroun aurait adorées et détestées.

« Par respect, dit-il. Comme les Indiens.

— Pas quand ils sont dans un magasin.

— Mais vous n'en portez pas non plus. »

Pendant tous ces mois, tant de gens sont venus et partis, et il est le premier à le remarquer. C'est idiot mais cela me fait plaisir, je sens une sorte de picotement électrique dans la plante de mes pieds poussiéreux.

« Je suis différente, lui dis-je.

— Qui vous fait croire que je ne le suis pas ? » Il sourit de ce sourire que j'apprends à guetter.

Les pieds de mon Américain, je les trouve beaux. (Et son visage ? Ah, j'ai déjà perdu la distance nécessaire pour en juger.) Ses pieds, les orteils minces et imberbes, courbés juste ce qu'il faut, la plante d'un ivoire pâle mais pas trop blanc : j'imagine que je les tiens dans mes mains, et en masse les creux du bout d'un doigt…

Arrête, Tilo !

Il mange avec appétit. De ses fortes dents blanches, il croque les *garbanzo* frits, les bâtonnets jaunes de *sev*, les cacahuètes épicées dans leur peau rouge.

« Mmm, délicieux ! » Mais il aspire de l'air, de petites bouffées fraîches pour adoucir la brûlure sur sa langue.

« C'est trop épicé pour une bouche d'homme blanc. C'est pour ça que je vous ai conseillé d'essayer autre chose. Peut-être devrais-je vous donner un verre d'eau ?

— Et tuer le goût, dit-il. Vous plaisantez ? » Et il avale un peu plus d'air, distraitement. Quelque chose le dérange.

Un instant plus tard il ajoute : « Ainsi vous pensez que je suis blanc.

— Vous me semblez blanc, sans vouloir vous offenser. »

Il ébauche un sourire mais je vois que son esprit est occupé ailleurs. Je n'essaie pas de lire ses pensées. Je pourrais, mais je veux que ce soit lui qui me les donne.

« Si vous me dites votre nom, peut-être saurai-je qui vous êtes.

— Est-ce si facile de savoir qui on est ?

— Je n'ai jamais prétendu que c'était facile. »

Il mange en silence tout son *chana,* secoue la tête quand je propose de lui en donner plus. Il déplie le cône et lisse le papier sur le comptoir comme s'il avait l'intention de l'utiliser pour une raison importante. Un pli aigu, déplaisir ou douleur, creuse l'espace entre ses sourcils. Ses yeux aux paupières d'aigle regardent au-delà de moi quelque chose qu'il est le seul à voir dans l'air.

Ma question était-elle trop intime, l'ai-je posée trop tôt ?

Il se met sur ses pieds, époussette son pantalon d'un geste vif comme si ailleurs quelqu'un l'attendait.

« Merci beaucoup pour l'amuse-gueule. Il vaudrait mieux que je parte. Combien est-ce que je vous dois ?

— Rien, je vous l'offre. » J'espère que ma voix ne trahit pas ma déception.

« Je ne peux pas vous laisser faire ça », dit-il, les mots raides comme un mur entre nous. Il pose un billet de vingt dollars sur le comptoir et se dirige vers la porte.

Tilo, tu aurais dû attendre. Maintenant tu l'as perdu.

Sa main est sur la poignée de la porte. Je la sens comme si elle m'empoignait le cœur.

Poivre, où es-tu alors que j'ai besoin de toi ?

Il enfonce la poignée. La porte glisse avec une aisance traîtresse, sans un seul bruit.

Je pense, ne t'en va pas. Tu n'es pas obligé de dire quoi que ce soit, si tu n'en as pas envie. Reste seulement encore un peu avec moi.

Mais je ne réussis pas à formuler ces mots, ces mots qui dénuderaient mon cœur empli de désir. Moi qui jusqu'à maintenant ai été la dispensatrice des dons, Maîtresse des désirs.

Il reste sur le seuil un instant. Ce qu'il décide, je l'ignore. Mon souffle, sec comme des griffes, me racle la gorge...

D'un seul mouvement coléreux, il ferme la porte. Le bruit, tel un coup de tonnerre, me fait sursauter.

Mon Américain, qu'est-ce qui te rend si furieux ?

« Quel nom vous donner ? J'en ai eu tant. »

Sa voix est dure, les mots blessants comme un jet de pierres. Il ne me regarde pas.

Pourtant, le soulagement se répand en moi à la vitesse d'une rivière. Quand j'inspire, l'air a la douceur du miel dans ma gorge. Il n'est pas parti, il n'est pas parti.

« Moi aussi, j'en ai eu plus d'un, dis-je, mais il n'y en a qu'un qui soit mon vrai nom.

— Un vrai nom. » Il se mordille la lèvre un instant. Relève d'une main vive une mèche de ses cheveux de satin noir. « Je ne suis pas sûr de connaître mon vrai nom. Vous pouvez peut-être m'aider à le savoir. »

Alors, il commence à raconter son histoire.

*

« Cela ne me surprend pas que vous pensiez que je suis blanc, dit l'Américain. Pendant longtemps, enfant, j'ai cru que je l'étais. Ou plutôt, je n'y pensais pas du tout, comme la plupart des gosses. C'était comme ça.

« Mon père était un homme tranquille, solide, aux gestes lents. Le genre dont la seule présence calme, vous enveloppant d'une couverture de protection qui apaise jusqu'aux battements de votre cœur. Par la suite, je me suis demandé si c'était pour cela que ma mère l'avait épousé.

« Parmi tous mes souvenirs de lui, ce dont je me souviens le mieux, ce sont ses mains. Grandes et rendues calleuses par le travail qu'il faisait à la raffinerie de Richmond, les articulations écorchées à vif. Des demi-lunes de saleté graisseuse incrustées sous les ongles même après qu'il les avait frottés avec la brosse que Mère avait achetée exprès pour lui. Cela le rendait timide, je crois. Des doigts très différents de ceux, agiles et manucurés, de ma mère, avec le vernis brillant, toujours impeccable quoi qu'elle ait pu faire dans la maison ou le jardin. Les rares fois où nous avons eu des invités, principalement des gens que Mère avait rencontrés à l'église, il fourrait ses mains dans les poches, et les y laissait, nouées comme des racines, jusqu'au départ des invités.

« Mais avec moi, ses mains étaient naturelles. Il en posait une sur ma tête quand je lui racontais l'école ou un nouveau jeu que j'avais inventé, et c'était la sensation la plus apaisante que j'aie jamais ressentie. J'avais l'impression que ses mains m'écoutaient. Quand j'étais blessé ou ému, ou parfois tard le soir, sans raison du tout, il venait s'asseoir au bord de mon lit et me frottais le dos, son pouce calleux décrivant de petits cercles sur mes omoplates jusqu'à ce que le sommeil me gagne. J'aimais l'odeur que ses mains laissaient sur mon corps, sur mes cheveux. Une odeur familière, patiente, forte comme un marais de forêt. »

La voix de mon Américain est sirupeuse et lourde comme du miel médicinal, les mots englués dans sa douceur amère, souvenirs de choses disparues. Ils enfoncent en moi des portes que je croyais avoir refermées pour toujours.

« Je suppose que je l'idolâtrais, dit-il, comme tous les gosses idolâtrent leurs parents, vous savez. »

Non, Américain. Je ne sais pas. En t'écoutant un souvenir surgit de mon enfance, mes parents me grondent – ou essaient de me gronder – pour quelque bêtise que j'ai commise. Peut-être un plat que j'ai jeté à terre parce que je n'en aimais pas le goût, ou une dispute avec une de mes sœurs dont j'avais griffé le visage, arraché les cheveux. Je vois le doigt accusateur de mon père tendu vers moi, ma mère hochant la tête avec l'air de dire qu'elle ne savait plus quoi faire. Et moi, j'étais furieuse qu'ils osent me critiquer, moi à qui ils devaient toute leur richesse, moi à cause de qui les gens les regardaient sur la place du marché avec crainte. Je les avais fixés de mon regard méprisant jusqu'à ce qu'ils baissent les yeux et reculent.

Aujourd'hui en écoutant la voix de mon Américain, je les vois autrement. Je vois la déception et la peur dans la ligne affaissée de leurs épaules. Dans leurs yeux baissés, le désir d'être de bons parents, le désir, même, de l'amour. Mais ils ne savaient pas comment s'y prendre. Je vois maintenant que ce sont des yeux d'enfants perdus, et cela me donne envie de pleurer.

Un jour peut-être, Américain, je serai capable de t'en parler. Moi Tilo qui jusqu'à maintenant ai écouté patiemment les autres, cherché des solutions aux problèmes des autres.

Mais il reprend, et je dois repousser mes propres peines pour accorder toute mon attention à ses mots qui déchirent la peau du soir de leur aigreur soudaine. Je comprends que j'ai touché un point sensible.

« Ma mère, elle était… différente. »

Je reste parfaitement immobile, mon corps est bois, terre, pierre ; je retiens mon souffle, jusqu'à ce qu'il se remette à parler. Sa voix a pris une tonalité lisse maintenant, ses expressions sont devenues étoffées et formelles comme s'il s'agissait du récit du passé de quelqu'un d'autre. Peut-être est-ce la seule façon qu'il ait de se résoudre à raconter.

« Ce dont je me souviens surtout, c'est qu'elle était toujours en train de nettoyer, avec une sorte d'énergie vengeresse. La saleté qui recouvrait tout – Papa et moi inclus – lui semblait un affront personnel. Elle passait des heures devant l'évier à se battre avec la salopette tachée de mon père, et tous les soirs quand il prenait son bain, elle lui frottait le dos jusqu'à ce que la peau devienne rouge. Nous habitions une petite maison à la frange d'un voisinage délabré, principalement habité par des ouvriers et des dockers, des hommes qui, le soir, s'asseyaient sur le porche dans leurs gilets de flanelle, et contemplaient de leur regard fixe les pelouses jaunies, en dorlotant leurs bouteilles de bière. Mais chez nous, c'était un tout autre monde. Tout brillait, le linoléum citron sur le sol de la cuisine, la télé dans sa console de faux noyer, les rideaux étaient propres et sentaient le produit que Mère avait ajouté à l'eau de rinçage. Sur la table l'argenterie reluisait, et elle me surveillait pour s'assurer que je l'utilisais correctement.

« Elle n'aimait pas les gosses du voisinage, avec leurs rires vulgaires, leurs mots injurieux et leurs chemises aux manches trop courtes sur lesquelles ils s'essuyaient le nez. Pourtant, c'était une bonne mère, elle savait qu'un garçon a besoin d'amis. Elle me laissait jouer avec eux et parfois j'avais la permission de les ramener à la maison. Elle leur servait du jus de fruit et des biscuits qu'ils mangeaient maladroitement, assis au bord de chaises luisantes de cire. Mais quand ils partaient, elle m'obligeait à me laver et me relaver plusieurs fois – le visage, les bras, les jambes, tout – comme pour s'assurer que la moindre trace de leur contact avait disparu. Elle s'asseyait à la table du dîner avec moi quand je faisais mes devoirs, et quand je levais les yeux, il y avait sur son visage une expression étrange, un amour intense, douloureux dont je ne savais pas bien quoi faire.

« Elle avait un rituel le soir, avant d'aller se coucher. Quand j'avais mis mon pyjama, elle lissait mes cheveux avec de l'eau puis les peignait soigneusement en arrière. Ainsi je pourrais aller à la rencontre de mes rêves l'air soigné, disait-elle, plantant un baiser au milieu de mon front quand elle avait fini. D'autres garçons auraient pu s'agacer de ce genre de choses, mais moi, ça ne m'agaçait pas. J'aimais la façon ferme et agile dont elle glissait le peigne dans mes cheveux, la façon dont elle fredonnait tout bas. Parfois alors qu'elle me peignait, elle disait qu'elle aurait aimé que mes cheveux ressemblent plus à ceux de mon père, qu'ils ne soient pas si rudes et si noirs de charbon et finissent toujours par retomber sur mon front malgré le temps qu'elle passait à essayer de les discipliner. Secrètement, pourtant, je me réjouissais. J'aimais Papa, mais ses cheveux roux étaient fins et cassants et on voyait déjà son crâne par endroits. J'étais content que mes cheveux soient comme ceux de ma mère, si ce n'est que là où les miens étaient raides comme de la ficelle, les siens bouclaient autour de son visage de la plus gracieuse manière. »

Dans l'air opaque du soir, les formes prennent de la densité. Vieux désirs. Une femme, tendue de tout son corps pour s'arracher à sa condition, s'élever ; un garçon, le monde entier dans les yeux, contemple sa mère.

Parle-t-il encore, mon Américain, ou est-ce mon cœur qui rêve ?

Comprenez cela, dit la forme du garçon. Ne l'écartez pas comme un simple fantasme d'adolescent. Je pensais que ma mère était la plus belle femme du monde. Parce qu'elle l'était.

J'aperçois un instant les autres femmes qui frôlent les bords de sa vie ; celles qui mettent leur linge à sécher dans des arrière-cours, la bouche pleine d'épingles, leurs ventres gonflés, la chair molle de leurs bras et de leurs gorges, leurs seins. La sueur qui leur colle la chemise au dos. Ou à l'école, les professeurs avec leurs lèvres minces, leurs yeux fatigués bordés de rouge, serrant de leurs doigts sévères la baguette du tableau, la craie, des chiffons. Des choses sèches, mortes.

Mais elle. Les poignets de dentelle de ses chemises de nuit, la façon dont elle s'astreignait à faire des abdominaux le matin, la colonne vertébrale cambrée juste ce qu'il faut, le parfum de l'eau de Cologne avec laquelle elle aspergeait généreusement sa gorge. Elle ne possédait pas beaucoup de vêtements, mais les achetait toujours chez de bons faiseurs. Ses chaussures, hautes avec des talons pointus, faisaient ondoyer ses robes autour de ses jambes quand elle se déplaçait dans la maison comme si elle jouait dans un film. Même son nom, pas Sue ou Molly ou Edith comme les voisines, mais Celestina, qu'elle prononçait d'une voix mélodieuse et ne permettait à personne d'abréger.

Ses cheveux toujours lavés de frais formaient un halo de noir ondulé, lui prêtant un rayonnement assez semblable aux yeux du garçon à celui des saintes illustrant les images que les sœurs lui donnaient à l'école du dimanche. Parfois elle attachait ses boucles avec des barrettes. Dorées, argentées, nacrées. Elle les rangeait dans une petite boîte en bois sculpté, le laissait jouer avec et en choisir une paire pour elle.

« Elle en prenait un si grand soin que je n'ai su que des années plus tard qu'elles étaient fausses », dit l'Américain.

Le mot fait un son dur, blessant dans sa bouche. « Et que ses cheveux n'ondulaient pas naturellement. Le jour où j'ai trouvé la bouteille d'indéfrisable chimique dans le garage, cachée derrière une pile de vieux magazines, j'étais trop furieux pour lui adresser la parole. » Sa voix tremble encore à ce souvenir, puis se mue en un rire grinçant. « Sauf que cela n'avait pas d'importance, parce qu'à l'époque nous ne nous parlions plus beaucoup de toute façon.

— Attendez, dis-je, surprise par sa véhémence. Pourquoi cela vous a-t-il tant bouleversé ? En Amérique, c'est courant que les femmes se frisent les cheveux. Même moi, je sais cela.

— Parce qu'alors je savais pourquoi elle le faisait. Pourquoi elle faisait tout ce que j'avais admiré. Le mensonge derrière tout cela. »

« Enfant, dit l'Américain, mon père m'apparaissait comme un rocher. Et ma mère comme une rivière tombant dessus d'une grande hauteur. Ou peut-être n'est-ce que plus tard qu'ils m'apparurent ainsi dans mon souvenir. Lui, son pouvoir silencieux et elle, sa beauté nerveuse. Quant à moi – moi, j'étais le bruit de l'eau sur la pierre, dont le son ne ressemble à rien d'autre, qui n'a nul besoin de se sentir relié à autre chose. Ainsi je n'ai jamais pensé à mon appartenance, ou à mes origines.

« Mon père avait été un orphelin élevé à la dure chez des proches qui ne voulaient pas vraiment de lui. Peut-être est-ce à cause de cela qu'il fit si vite confiance à ma mère, serveuse dans un restaurant de bord de route où il prenait le petit déjeuner, quand elle lui dit que sa famille était morte. Ne pas avoir de famille lui semblait un état naturel, et terrible. Peut-être est-ce pour cela qu'il eut le courage de proposer le mariage à cette surprenante jeune femme avec des cheveux comme des chevaux sauvages et dans les yeux une lueur qui faisait aussi penser à des chevaux sauvages. Et après avoir été mariés un certain temps, elle commença à le croire elle-même.

« Peut-être le croyait-elle déjà avant. Peut-être que quand elle les avait quittés et s'était enfuie sans même laisser un message du genre *Ne me cherchez pas,* quand elle s'était coupé et frisé les cheveux, quand elle avait modifié la forme de ses sourcils avec une pince à épiler et s'était peint une nouvelle bouche, quand elle s'était donné un joli nom décent comme celui qu'elle avait toujours voulu avoir, cela avait-il été une sorte de mort. »

L'épicerie est sombre maintenant. Obscurité totale. C'est une nuit sans lune, quelqu'un a brisé le réverbère de la rue, et aucun trait poussiéreux de lumière ne filtre par les stores baissés. J'écoute les mots de mon Américain et me dis que l'obscurité change le timbre des voix, les approfondit, les affranchit des limites du corps.

Américain, quel dessin vais-je tisser avec tes mots qui flottent, de quelle couleur d'épice vais-je les teindre ?

« Un jour, j'avais à peu près dix ans, peut-être moins, reprend-il, un homme est venu chez nous. Un jour de semaine, Papa était au travail. L'homme avait un vieux manteau déchiré sous le bras et il portait des jeans qui sentaient le bétail. Ses cheveux, raides et noirs, lui tombaient jusqu'aux épaules, et il avait un vague air familier.

« Quand Mère ouvrit la porte et le vit, son visage devint gris sale, semblable à du caoutchouc usagé. Puis ses traits prirent une expression dure comme la marche de béton sur laquelle il se tenait avec ses bottes encroûtées de boue et de fumier. Elle fit mine de refermer la porte mais il s'est écrié Evvie, Evvie, et au regard qu'elle lui adressa, je compris qu'il l'appelait par son vrai nom. »

La voix de l'Américain a les accents grêles et surpris de quelqu'un qui refait une fois encore un vieux rêve d'enfant.

« Elle m'a envoyé dans l'autre pièce mais j'entendais sa voix, comme les dents d'une fourchette raclant une assiette d'étain, pourquoi que tu viens ici détruire ma vie ? Ma mère qui ne faisait jamais une faute de grammaire, qui me lavait la bouche au savon s'il m'arrivait d'en faire une. La voix de l'homme grondant, de plus en plus forte. Tu d'vrais avoir honte, Evvie, tourner le dos à ton propre peuple. Regarde-toi, tu imites les Blancs, tu te prends pour une dame si superbe, et ton petit garçon qui sait même pas qui il est. Elle lui a rétorqué, furieuse, de la *fermer,* espèce de salaud, bon à rien.

« Après cela, je n'entendis plus que des bribes. Il est en train de mourir. Et alors, il est en train de mourir. Je ne lui dois rien. Des mots dans une langue que je ne comprenais pas. Et finalement, merde, Evvie, je lui ai promis que je te trouverai et te mettrai au courant. J'ai fait ce que je pouvais. Maintenant tu fais ce que tu veux. La porte de la rue claqua et tout redevint calme. Longtemps après, je l'entendis bouger ; avec des gestes lents et tremblants, elle prépara le dîner, trébuchant comme une vieille femme dans ses chaussures à talons hauts. Je suis allé à la cuisine et elle m'a laissé éplucher les pommes de terre. De temps en temps, je lui lançais un œil à la dérobée, essayant de lire sur ses traits ; je m'attendais à ce qu'elle dise quelque chose à propos de l'homme à la porte. Mais elle n'ouvrit pas la bouche. Et avant que Papa ne rentre, elle alla se laver le visage et se mettre du rouge à lèvres, se faire un sourire neuf.

« Pour la première fois, je compris qu'il y avait un endroit en elle dont elle interdisait l'accès à tous, même à moi qu'elle aimait plus que tout au monde.

« Tôt le lendemain matin quand Papa fut parti, elle retourna dans la chambre, et quand elle en sortit, je vis qu'elle avait passé sa plus belle robe, la bleu foncé avec la veste assortie aux petits boutons de nacre courant tout du long, et le collier de perles qu'elle rangeait dans une petite boîte de velours et n'aimait pas que je touche. Viens, m'a-t-elle dit, on va quelque part. Et l'école ? ai-je demandé, et ma mère, qui ne m'avait jamais laissé manquer la classe avant, a répondu, pas de problème, allons-y. Pendant tout le trajet dans la voiture elle resta silencieuse ; elle ne me gronda pas quand je tripotai la radio ou mis la musique trop fort. Une fois ou deux, je voulus lui demander où nous allions, mais elle avait un petit froncement de sourcils absorbé, comme si elle écoutait quelque chose à l'intérieur de sa tête, alors je me tus. Cela dura deux heures comme ça. Et quand on emprunta une ruelle étroite avec des maisons dont la peinture était écaillée, des voitures défoncées dans les cours, des touffes de pissenlits et de grosses bennes débordantes d'ordures, elle émit un petit cri comme pour cracher quelque chose qui s'était coincé dans sa gorge, peut-être le crochet qui l'avait tirée en arrière tout le long du chemin jusqu'à cet endroit.

« Elle arrêta la voiture brusquement et sortit très grande, très droite, en m'étreignant la main si fort, si fort que j'eus mal pendant plusieurs jours après. Elle pénétra dans une petite maison de planches qui sentait le moisi, une odeur de vêtements humides qu'on a laissés trop longtemps dans une machine, se rendit droit à la cuisine, comme si elle connaissait le chemin. La cuisine était remplie d'hommes et de femmes, certains buvant des bouteilles brunes, et quand je vis les visages lourds et plats, les cheveux qui pendaient flasques et noirs sur leurs fronts, j'eus l'impression de regarder dans un miroir déformé. Ma mère passa devant eux en les ignorant. Le claquement de ses talons sur le linoléum balafré rendait un son précis, confiant. Mais les doigts qui agrippaient les miens étaient moites de sueur, et je savais qu'elle sentait les yeux sur les boutons de nacre luisants de sa robe, entendait le murmure qui se propageait dans la pièce comme la gelée qui tue les fruits précoces. »

L'Américain s'arrête comme s'il avait rencontré un mur et ne savait pas de quel côté tourner.

Je le regarde d'un œil neuf, cheveux, couleur de peau et ossature, essayant de voir en lui le peuple qu'il décrit. Mais il reste lui, mon Américain qui ne ressemble à personne d'autre.

« Nous avons fini par nous retrouver dans une pièce étroite, bondée et mal éclairée. Sur le lit, dans le coin, une forme raide et mince sous une couverture. Quand mes yeux se furent habitués à l'obscurité, je vis que c'était un homme. A mes yeux, il semblait monstrueusement, incroyablement vieux. Quelqu'un agitait une sonnette et chantait. Je ne comprenais pas les mots, mais je sentis qu'ils tissaient un fin réseau s'enroulant autour de nous tel un serpent qui nous liait tous ensemble dans ses mailles serrées.

« Quand ils virent ma mère, tout s'arrêta net. Le silence s'abattit comme un violent coup de poing inattendu frappé sur l'oreille. Ils redressèrent le vieillard dans son lit, le maintenant pour qu'il ne s'effondre pas.

« Le vieillard fit un tel effort pour lever la tête que je sentis les muscles faibles de son cou résister et tirer. Il ouvrit les yeux, et dans cette pièce sombre, ils étincelèrent comme des mouchetures de mica sur un mur de cave. Evvie, dit-il. Le mot partit aiguisé et clair comme une flèche, pas du tout ce à quoi je m'attendais de la voix d'un vieillard. Alors il dit, le fils d'Evvie. L'appel contenu dans sa voix me toucha comme s'il m'avait pris dans ses bras. J'eus tout de suite envie d'aller vers lui, bien que j'aie toujours été réservé avec les étrangers. Mais je sentais les mains de ma mère sur mes épaules, ses doigts raides et impuissants comme l'étreinte d'un petit oiseau effrayé. »

L'Américain, frissonnant, inspire profondément, comme s'il venait de trouver la sortie d'un long tunnel sans air. Puis il secoue la tête : « Je n'arrive pas à croire que je vous ai raconté ces *conneries,* dit-il en se protégeant à la façon dont les hommes se protègent derrière ce mot dur. Oh là là ! Ce truc au poivre est très puissant. »

Mon Américain, dis ce que tu veux. Ce n'est pas seulement l'épice, toi aussi tu veux que j'écoute. C'est ce que je crois et espère.

Tout haut je dis : « Ce ne sont pas – comment dites-vous ? – des *conneries.* Vous le savez bien. »

Mais je vois que je vais devoir attendre longtemps la suite de ce qui est arrivé dans cette chambre ardente ; peut-être ne le saurai-je jamais.

Je ne suis qu'à moitié mécontente qu'il se soit interrompu. L'épicerie déborde de ses mots, eau indomptée qui a rompu ses digues. Cela me pèse, toute cette sombre, mystérieuse histoire. Il va me falloir du temps pour m'y retrouver et découvrir ce que cette inondation a érodé entre nous.

Pour l'instant, j'ai envie de lui dire, je vais porter ce moment de votre passé dans mon cœur comme un joyau que vous m'auriez confié. Mais je me sens tout à coup timide, moi Tilo, autrefois si rude et si hardie. La Vieille se serait gaussée de moi.

Tout ce que j'arrive à formuler, c'est : « Quand vous voulez parler, ma porte vous est ouverte. »

Il rit de son rire habituel, de nouveau à l'aise et moqueur. D'un mouvement de bras, il désigne les rayonnages. « Tout cela et des conseils gratuits en plus. Quelle bonne affaire ! » Mais il me regarde dans les yeux et la lumière intense de son regard dit *Je suis content*.

Un jour il faudra que tu me dises ce que tu vois quand tu regardes cette forme enroulée dans ses plis de vieille femme. Est-ce quelque vérité sur moi que j'ignore moi-même, ou seulement ton fantasme ?

Sur le seuil, il demande : « Vous voulez toujours savoir mon nom ? »

Je me retiens pour ne pas rire. Américain solitaire, n'entends-tu pas le battement de mon cœur qui chante *oui oui oui.*

Mais je me force à dire ce que la Vieille m'a dit avant de quitter l'île, par précaution.

« Seulement si *vous* le désirez. Un vrai nom a du pouvoir, et quand vous le dites, vous remettez ce pouvoir entre les mains de celui qui le reçoit. »

Pourquoi te raconter cela alors que tu ne vas pas comprendre ?

« Mon vrai nom, c'est cela que vous voulez ? Bien. Peut-être qu'après tout, je sais lequel c'est. »

Je lui demande : « Comment le savez-vous ? » Et à part moi : il ne va pas savoir.

« Tous les autres me furent donnés, mais celui-là, c'est moi seul qui l'ai choisi. »

Américain, cette fois encore, tu me surprends. Moi qui pensais que toi, en bon Occidental habitué à agir selon tes désirs, tu n'accorderais pas d'importance à ce choix.

Il hésite, puis « Je m'appelle Raven ». Et il trace un dessin sur le sol du bout de son orteil. Il ne me regarde pas. Avec un amusement tendre, je vois que mon Américain est un peu gêné par la sonorité si peu américaine de ce nom.

« Quel beau nom ! » dis-je, goûtant la sonorité longue comme un battement d'ailes dans ma bouche, chaude odeur du soleil se levant et se couchant, sombre forêt à la tombée du soir, œil brillant, les plumes noires de charbon et de fumée. « Et qui vous va bien.

— Vous trouvez ? » Un éclair de plaisir, vite caché, dans l'œil, Raven qui trouve qu'il s'est assez rendu vulnérable pour aujourd'hui.

« La façon dont il m'échut, dit-il, ah ! un autre jour, je vous raconterai cette histoire-là. Peut-être. »

Je fais un signe d'assentiment, moi Tilo qui ne sens pas cette fois-ci d'impatience. Je leur fais confiance, aux histoires non racontées qui s'étirent entre nous comme des filaments d'or battu. Ses histoires et les miennes. Rien ne se perd, même ce qui n'est pas formulé.

« Raven, maintenant il me faut vous dire mon nom. Me croirez-vous si je vous dis que vous êtes le seul homme en Amérique, dans le monde entier, à le connaître ? »

Quelque part le sol se cabre sous mes pieds, se fissure avec un frémissement. Quelque part, un volcan se réveille en sursaut et crache du feu. Le vent se transforme en cendres.

Oui, disent les yeux de mon Américain qui laisse tomber le manteau de sa solitude. Il me tend sa paume d'un éclatant brun doré (quelque part une femme pleure) et je dépose mon nom dedans.

Cumin noir

Raven est parti, et l'épicerie semble trop grande. Le silence bourdonne à mes oreilles. Comme le son assourdi de vieux tubes fluorescents, et cette remarque me surprend. Ces derniers temps, j'ai ce genre d'impressions, mon esprit évoque des sensations dont je n'ai aucune expérience. Sont-elles laissées par ceux qui traversent cet espace ? Est-ce ses souvenirs à lui qui deviennent les miens ?

Je parcours les couloirs, et range bien que tout soit déjà en ordre, occupant mes mains. Ce que je désire vraiment, c'est toucher tout ce qu'il a touché. Je suis avide du peu que je trouve. La légère odeur de savon de sa peau. La dernière empreinte du bout de ses doigts qui traîne.

C'est ainsi que j'en viens à la feuille de journal qu'il a dépliée sur le comptoir. Je pose les mains dessus et ferme les yeux, attends qu'une image m'apprenne où il se trouve maintenant, en train de rouler dans la nuit sur la grand-route, peut-être avec la fenêtre ouverte, des percussions à la radio et la senteur vive, fraîche d'un océan invisible, les épices dans ses cheveux. Et ce qu'il pense. Mais rien ne vient. Alors après un moment, je rouvre les yeux et me résous à replier la feuille ; je la range soigneusement au fond de la caisse où je garde les vieux papiers.

A ce moment-là, je vois le titre : LES CASSEURS D'INDIENS RELÂCHÉS. Et en dessous, la photo de deux adolescents blancs, un sourire de triomphe découvrant largement leurs dents. Malgré le flou de la photo, on devine leur arrogance dans l'inclinaison de leurs têtes.

Un instant je me sens tiraillée par un besoin urgent, un instinct pèse au creux de moi là où se terre la peur. *Tilo, découvre ce qui leur donne cet air si satisfait. Tilo, il le faut.* Au lieu de cela, je plie le papier avec des doigts qui tremblent un peu.

Je n'ai jamais lu aucun de ces journaux, pas même un des indiens qu'ils livrent au magasin toutes les semaines.

Vous voulez savoir si je n'en ai pas envie ?

Bien sûr que si. Moi Tilo dont la curiosité m'a si souvent fait outrepasser les limites que dicte la sagesse. Parfois j'approche mon visage des caractères. Une odeur comme de métal en fusion se dégage des minuscules lettres noires.

Puis je le recule. N'ai-je pas enfreint assez de règles déjà ?

La Vieille avait coutume de dire : « Les événements du monde extérieur ne comptent pas pour les Maîtresses. Quand vous vous emplissez la tête de faits qui ne sont pas essentiels, la véritable connaissance se perd, comme des grains d'or dans du sable. Concentrez votre esprit sur ce qu'on vous apporte, cherchez seulement le remède.

— Mais Première Mère, savoir ce qui se passe ailleurs, comprendre comment cette vie confiée à mes soins s'insère dans le dessin général de la tapisserie ne peut-il pas aider ? »

Son soupir est impatient mais non dépourvu de tendresse. « Mon enfant, la tapisserie est beaucoup plus grande que ce que nous pouvons en voir, toi ou moi. Tourne-toi vers l'intérieur pour trouver ce que tu dois connaître. Ecoute jusqu'à ce que la bonne épice te dise son nom.

— Oui, Mère. »

Mais aujourd'hui j'ai envie de demander : vous est-il jamais arrivé, Première Mère, de sentir que, vos pensées répandues autour de vous tels des écueils découverts par les vagues, seule une voix compte, la sienne, perçante comme le cri d'une mouette au point que tout le reste devient vague et lointain, comme des sons sous-marins ?

Mère, que faire ? Toutes les certitudes de ma vie s'effritent, falaises sous la tempête, poussière de pierre élançant l'œil.

Ma tête est si lourde que je dois la poser sur le comptoir là où le papier encore…

La vision me cingle, fouaille mes paupières. Un jeune homme dans un lit avec des tubes qui pendent de son nez, de l'intérieur de ses coudes. Le blanc des pansements se confond avec le blanc de l'oreiller de l'hôpital. Seule la peau ressort par endroits, peau brune comme la mienne. Comme la mienne, de la peau indienne. Des blips blips au radium sautillent sur un écran. Aucun autre mouvement dans la pièce.

Si ce n'est à l'intérieur de sa tête…

Tilo, qu'est…

Puis je me sens aspirée. Je plonge, saisie d'une violente douleur et je comprends alors que je me trouve au début de l'histoire dont le titre que je viens de lire, était la fin.

Le soir tombe, les arbres engloutissent le pâle soleil, le parc du centre ville s'emplit d'ombres, se vide ; seuls quelques employés de bureau qui pensent *maison* et *dîner* forment une masse compacte autour de l'arrêt de bus. Il décroche l'auvent rouge, les lettres d'un jaune vif CHEZ MOHAN, PLATS INDIENS se replient d'elles-mêmes. Il est un peu en retard parce que ça a été un bon jour, presque tout ce que Veena avait préparé a été vendu, et tant de gens lui ont dit « C'est bon ! » et ont ramené des amis. Peut-être qu'il devrait prendre quelqu'un pour l'aider, installer un nouvel étal à l'autre bout de la ville, près des nouveaux complexes de bureaux. Sûrement que Veena pourrait trouver une amie pour préparer la nourriture...

Puis il entend les pas, feuilles tombées foulées par le talon de bottes, un bruit de verre écrasé. Pourquoi cela lui semble-t-il résonner si fort ?

Quand il se retourne, les deux jeunes se tiennent tout près de lui. Il sent l'odeur d'ail rance de leurs corps non lavés. Il pense que les Américains n'ont pas la même odeur que les Indiens, même les *babu* des bureaux sous leurs eaux de Cologne et leurs déodorants. Et puis il se rend compte que c'est sa propre sueur, l'odeur de peur soudaine qui hérisse sa peau, qu'il sent.

Les jeunes ont des cheveux très courts, une coupe austère. Leurs crânes hérissés luisent blancs comme l'os, blancs comme le scintillement de leurs yeux. Il suppose qu'ils ont un peu moins de vingt ans, guère plus que des adolescents. Leurs vestes ajustées de paras le mettent mal à l'aise.

« Désolé, c'est fermé », dit-il en essuyant d'un geste appuyé le dessus de l'étal avec un morceau de papier absorbant, enlevant d'un coup de pied les pierres qu'il avait calées sous les roues. Est-ce incorrect de partir alors qu'ils sont encore là ? Il se met en devoir de pousser sa charrette.

Les jeunes s'avancent prestement, lui barrent le chemin.

« Qu'est-ce qui te fait croire qu'on veut de tes trucs merdeux ? » dit l'un d'eux. L'autre se penche en avant. Avec désinvolture, élégance même, il renverse une pile bien rangée d'assiettes en carton. L'Indien fait un geste instinctif pour les rattraper, et deux idées le traversent en même temps.

Comme leurs yeux sont plats, on dirait des flaques de boue. Et *j'aurais déjà dû me mettre à courir.*

Le bout carré de la botte l'atteint à l'aisselle sous le bras tendu, une douleur brûlante gicle et coule le long de son flanc tel du fer fondu, mais, malgré le coup, il entend l'un d'eux qui crache : « Salaud d'Indien, t'aurais mieux fait d'rester dans ton foutu pays. » La douleur n'est pas si grave qu'il le craignait, pas si grave qu'il ne puisse ramasser la pierre et la lancer sur l'homme qui fracasse à coups de pied sa charrette jusqu'à ce qu'elle s'effondre et que les brochettes et les *samosa* que Veena a roulés et farcis avec tant de soin s'éparpillent dans toutes les directions dans la poussière. Il entend avec satisfaction le son mat de la pierre qui fait mouche, voit l'homme que la force du coup renverse en arrière, son visage que la surprise rend presque comique. Cela fait du bien à l'Indien, même si respirer le fait souffrir et qu'une fraction de phrase – les *côtes* ? – se faufile un bref instant dans la partie encore consciente de son esprit. (Il ignore que, par la suite, un avocat montrera au juge la meurtrissure que la pierre a laissée sur la peau du jeune homme et dira que l'Indien a tout déclenché, que ses clients n'ont fait que se défendre.) Il pense un instant qu'il peut s'enfuir, il peut courir jusqu'à l'arrêt du bus, jusqu'au petit halo de sécurité du réverbère, la poignée de gens qui attendent *(ne voient-ils donc pas ce qui se passe, n'entendent-ils donc pas ?)*. Puis le second homme est sur lui.

Encore maintenant, alors que l'Indien ne se souvient plus exactement de ce qui a suivi (sa tête qu'on tire violemment, ses articulations qu'on enchâsse sous du métal), le souvenir de la douleur reste vif. La douleur constante, quel que soit l'ordre des événements. (Coup de pied dans l'aine, visage traîné sur le gravier.) Toutes sortes de douleurs – des brûlures, des aiguilles qu'on enfonce, des marteaux qu'on tape. Pas tout à fait comme ça. Douleur impossible à décrire qui ne ressemble qu'à elle-même. (« Ordure, salaud, merdeux, ça t'apprendra. ») Il croit qu'il a appelé à l'aide, mais le cri est sorti dans la vieille langue, *bachao, bachao*. Il croit avoir vu un tatouage rouge sur un avant-bras, le même svastikâ, signe de bon augure qu'on peignait sur les murs des maisons dans son village. Mais il s'est sûrement trompé (un coup à la tête si fort que ses pensées éclatèrent en mille étoiles jaunes), sûrement ce n'était que le sang dans ses yeux, ses nerfs tordus qui lui jouaient des tours.

Dans la chambre d'hôpital tout est si paisible, la douleur vient et s'en va avec la régularité de vagues. Il s'y est presque habitué maintenant. Il aimerait seulement que Veena soit là ; ce serait agréable de tenir la main de quelqu'un quand dehors le ciel se teinte de ce même violet d'encre que cette nuit-là, mais ils l'ont emmenée à la maison pour qu'elle se repose. « Ne vous inquiétez pas, ont-ils dit. Le souci vous empêchera de vous remettre. Nous nous occupons de tout. Essayez de vous reposer. » Mais que dois-je faire des questions qui cognent dans mon crâne, *vais-je pouvoir marcher à nouveau, comment gagner ma vie maintenant, l'œil droit, est-il totalement perdu, Veena si jeune et si jolie avec un mari infirme couvert de cicatrices.* Et encore et encore, *ces deux* harami, *la police les a-t-elle attrapés, qu'ils pourrissent en prison !*

Des mois plus tard dans son appartement quand il apprend qu'ils sont acquittés, il poussera un cri, aigu, plaintif, un son animal interminable ; avec ses béquilles, il fera pleuvoir les coups, cassera tout ce qu'il pourra atteindre. Les assiettes, les meubles, les photos encadrées du mariage sur le mur. Frappera, frappera, sans entendre Veena terrifiée qui le supplie d'arrêter en tremblant de tous ses membres. Doux craquement de la vitre de la fenêtre, la stéréo pour laquelle il avait économisé pendant de si nombreux mois s'affaissant aisément comme un crâne sous ses coups. Jusqu'à ce que Veena, qui sanglote, coure chez les voisins appeler Ramcharan et son frère. *Calmez-vous*, bhaîya, *calmez-vous.* Mais il se jette sur les deux hommes, griffant et criant de cette voix qui n'est pas humaine et semble venir d'un endroit de derrière ses yeux, le gauche veiné de rouge et exorbité, le droit maintenant une cavité noire et rétrécie. Jusqu'à ce qu'ils l'attrapent par-derrière, le couchent de force et l'attachent au lit avec des saris de Veena. Alors, il s'arrête de crier. Ne prononce plus un seul mot. Ni alors ni pendant les semaines qui suivent, ni dans l'avion d'Air India ; les voisins se sont cotisés pour payer le billet et les renvoyer, lui et Veena, à la maison, car pour eux, dans ce pays c'est fini.

O Mohan le corps brisé, l'esprit brisé par l'Amérique, je reviens de ton histoire en pièces ; quand je réussis à rassembler les morceaux de mon moi éclaté, je me trouve sur le sol froid de l'épicerie. Mes membres me font mal comme après une longue maladie, mon sari est mouillé de sueur, et dans mon cœur je ne saurais dire où finit ta douleur et où commence la mienne. Car ton histoire est l'histoire de tous ceux que j'ai appris à aimer, et pour qui j'ai appris à trembler, dans ce pays.

Quand j'arrive à me relever, je vais d'un pas chancelant jusqu'à la boîte où je range les journaux.

Il faut que je sache.

Oui, les histoires sont là. Feuille après feuille, je retourne en arrière ; au long des mois et des années passés, je les découvre lentement. L'homme qui trouve la vitrine de son magasin fracassée, ramasse une pierre et lit le message de haine enroulé autour d'elle. Des enfants sanglotant près de leur maison de banlieue sur le corps de leur chien empoisonné. Une femme avec son *dupatta* arraché de ses épaules en pleine ville, les adolescents enfonçant l'accélérateur de leur voiture en hurlant de rire. L'homme qui regarde son motel en cendres, les économies de toute une vie envolées, la fumée s'enroulant en un hiéroglyphe qui dit *malveillance*.

Je sais qu'il y a d'autres histoires, innombrables, dont personne n'a rendu compte, que personne n'a écrites, qui laissent des traînées sales et amères polluant l'air de l'Amérique.

Ce soir, je me remettrai à couper des graines de *cumin noir* pour tous ceux qui ont souffert à cause de l'Amérique. Pour tous ceux et surtout pour Haroun, dont je porte la blessure en moi, dont le nom chaque fois que je le prononce me déchire la poitrine. Je fermerai la porte à clef et resterai debout toute la nuit pour ce faire, dans la demi-obscurité le couteau d'argent s'élevant et retombant, tel un outil sacré, officiant d'un geste ferme. Ainsi, quand il viendra demain soir (car demain c'est mardi), je pourrai lui donner le paquet et dire « *Allah ho Akbar*, que Dieu te protège dans cette vie et toujours ! » Comme punition tandis que je travaille, je ne penserai pas une seule fois à Raven, moi Tilo qui me suis conduite de façon si égoïste déjà. Toute la nuit, je murmurerai des prières purifiantes pour les estropiés, pour chaque membre perdu, chaque langue écrasée. Chaque cœur réduit au silence.

*

Le jour passe si lentement que j'ai l'impression d'être sous l'eau, chaque mouvement me demande un effort immense. La lumière est faible et verte, filtrée. Les rares clients qui la traversent nagent paresseusement jusqu'aux étagères, puis reviennent poser des coudes maigres et langoureux sur le comptoir. Leurs questions sont de minuscules bulles qui éclatent contre mes oreilles. Mes membres cèdent, ils deviennent glissants comme des algues, se balancent au son d'un adagio sous-marin qu'ils sont les seuls à entendre.

Mon esprit bat, avec une colère et un désespoir plus forts que jamais.

Une si grande partie de la vie d'une Maîtresse n'est qu'attente, inaction. Qui l'eût cru ? Pas moi, qui voulais obtenir toutes les réponses à la fois, qui voulais dominer avec la rapidité d'une drogue s'élançant dans mes veines.

Un jour, la Vieille déclara : « Le pouvoir est faiblesse. Réfléchissez à cela, Maîtresses. »

Elle disait souvent ce genre de choses. « Le plus grand des bonheurs cause les plus grandes pertes. » « Regarder le soleil en face rend aveugle. » D'autres choses encore que j'ai oubliées. Elle nous donnait la matinée pour y réfléchir.

Mes sœurs Maîtresses escaladaient les falaises de granit à la recherche d'un endroit calme. Certaines avaient coutume de s'asseoir sous les banians, ou trouvaient une entrée de grotte. Silencieuses, elles tournaient leur attention vers l'intérieur, essayaient de voir.

Mais moi que les devinettes n'intéressaient pas, je passais mon temps à jouer avec la mer, à pourchasser les poissons aux couleurs d'arc-en-ciel. Si je m'immobilisais un instant, si je cessais de regarder fixement l'horizon miroitant, c'était seulement pour y chercher, pleine d'espoir, mes serpents.

Dans l'après-midi, la Vieille nous demandait : « Maîtresses, avez-vous compris ? »

J'étais toujours la première à répondre non de la tête.

« Tilo, tu n'as pas même essayé.

— Mais Mère, lui répondais-je éhontée, les autres ont essayé, et voyez, elles non plus n'ont pas compris.

— Ah, enfant ! »

Mais trop impatiente d'apprendre le nouvel enchantement, j'accordais peu d'attention à la déception dans sa voix.

Aujourd'hui, Mère, je commence enfin à comprendre. Bien que confusément dans cette atmosphère qui sent le goudron et la suie. Le pouvoir est faiblesse.

A ce moment-là, Kwesi entre et penser m'est épargné.

C'est un plaisir d'observer Kwesi faire ses achats.

Ses mouvements sont précis ; pas un seul de ses gestes n'est inutile. L'angle de son bras quand il le lève pour attraper un paquet, une boîte. Les muscles de son dos se déployant puis se contractant quand il se penche pour soulever un sac. Ses doigts qui filtrent les lentilles en connaisseur, ses doigts aux os cassés et réparés, solidement et proprement soudés.

Sans hâte ni perte de temps, son corps confortable créant son propre espace.

Je vois quel bon professeur il ferait, sachant ce que cela veut dire d'avoir été humilié.

En moi, une idée se déploie comme une feuille.

Kwesi pose ses achats sur le comptoir. Aujourd'hui, il achète de grosses lentilles *mung* vertes comme de la mousse. Une tranche de tamarin séché. Une noix de coco que je l'imagine en train d'ouvrir du tranchant de la main, fendant l'air de sa cuisine d'un geste en arc de cercle.

« Du *dâl* noix de coco-*mung* ? On devient ambitieux, hum ? »

Il hoche la tête. Son sourire apparaît lentement, cet homme qui ne sourit que quand il le veut vraiment, mais qui, s'il sourit, ne retient rien.

Il me fait penser à Raven, comme toute chose belle. Sous le bonheur qui surgit en moi il y a une peur, vais-je le revoir et quand ? Je ne suis jamais sûre. Amarrée à cette boutique, je ne peux qu'attendre et espérer.

« Pour mon amie, dit Kwesi. J'aime bien essayer quelque chose de nouveau et d'incertain pour elle une fois de temps en temps. Vous pensez que c'est trop délicat ?

— Non, non. Faites seulement bien attention à faire tremper les lentilles assez longtemps, et n'ajoutez la pâte de tamarin qu'au tout dernier moment. » Quelle idée charmante, *nouveau et incertain*. J'aimerais pouvoir en dire autant de ma propre vie.

En les enregistrant, je marmonne des formules de réussite sur les lentilles, lui précisant de ne pas oublier de les saupoudrer d'un peu de sucre. « Ainsi ce sera sucré et salé, doux et aigre, toutes les saveurs de l'amour, non ? » Ses yeux se plissent de joie.

Si seulement je pouvais rendre tous ceux qui viennent à moi aussi facilement heureux.

Tilo, sois honnête. Il était déjà heureux quand il est entré. Avec ceux qui ont vraiment besoin de bonheur, tu ne t'en tires pas si bien, ni avec toi-même.

Je dis : « Vous vous souvenez que vous vouliez mettre une affiche sur votre école de karaté ? J'y ai repensé.

— Oui ?

— Ce n'est pas une mauvaise idée. On ne sait jamais, quelqu'un peut entrer et la remarquer, avoir envie d'en savoir plus long. Vous en avez peut-être une dans votre voiture ? »

Je l'aide à la fixer, cette affiche austère et élégante en noir et or, tout près de la porte pour que personne ne puisse l'ignorer.

Il y a un peu de gris dans ses cheveux, comme des vrilles d'argent.

« Dites leur que je suis bon mais tenace. On vient pas au dojo de Kwesi pour faire joujou.

— De la ténacité, c'est justement ce qu'il leur faut », dis-je. Et ce que je ne dis pas : Vous êtes compatissant. Vous connaissez la dureté de la rue, sa force d'attraction. Vous aussi avez entendu le chant de sirène de la mort, celui qu'elle réserve particulièrement aux jeunes. Peut-être aurez-vous le pouvoir de les lui arracher, de leur faire voir la beauté de la lumière, la courbe d'une aile en plein vol, les gouttes de pluie sur les cheveux de l'être aimé.

Tout en agitant la main en guise d'au revoir, j'envoie une invocation pour fouiller de fond en comble les allées à balafres et à caches, les entrepôts abandonnés, les discos louches de bord de mer qui commencent à vibrer dans l'air incendié du soir. Fouiller et ramener.

Mais c'est le grand-père de Geeta qui pousse la porte, et pose sur le comptoir de ses mains vaincues la photo au cadre argenté que je lui avais donnée.

*

« *Dîdî.*

— Oui ? » A entendre le son de sa voix, je n'ai pas envie de l'interroger.

« J'ai pas de chance avec ce que vous avez dit de faire. Comme vous avez dit, je prépare le terrain prudemment, pendant le dîner, je remarque que la maison est calme avec seulement nous les vieux, mais Râmu se tait. Alors, je continue, on a peut-être été trop rapides, après tout elle est notre seule enfant, notre chair et notre sang. Il répond toujours rien. Pourquoi pas lui passer un coup de fil, rien qu'une fois, je propose, Sheela peut le faire. J'ai son numéro, des amis me l'ont donné. Non, dit-il, sa voix comme si une pierre lui écrasait la poitrine. Et quand je recommence, pourquoi pas, écoute, c'est le travail des aînés de pardonner aux plus jeunes, il repousse son assiette et quitte la table.

— Vous lui avez dit qu'elle vit chez son amie et pas avec Juan ?

— Oui. Le lendemain soir, je lui mets le numéro de téléphone dans la main et je dis, par amour de moi, Râmu, réconciliez-vous. La fille s'est bien gardée de faire quelque chose de blessant pour vous. Pourquoi pas lui demander de revenir à la maison ? Il me jette un regard froid comme des frites surgelées. Il dit, nous lui avons donné tout ce qu'elle voulait. C'est la seule chose que nous lui demandions de ne pas faire, et pourtant elle l'a fait.

« Je réponds que j'ai réfléchi, et puis alors si elle épousait ce garçon mexicain, c'est pas si grave, les temps changent, d'autres enfants ont fait pareil. Prends Jayanta, il a épousé cette infirmière blanche, prends la fille de Mitra, quels jolis bébés à peau claire elle a.

« Il dit, *baba*, c'est quoi ce nouvel air que tu nous chantes maintenant alors que pendant tout ce temps tu ne cessais de soupirer, te frapper le front et gémir *Hai ! elle met du* kâlî *sur le visage des ancêtres*. Qui t'a donné ces mauvais conseils ? Je fais, quoi, tu crois que je peux pas penser par moi-même ? C'est à cela qu'on reconnaît un homme sage, il change d'avis quand il comprend son erreur. Mais son visage est fermé comme un mur de briques. Il dit, je t'ai écouté assez longtemps. Quand elle a quitté cette maison en claquant la porte si fièrement derrière elle, elle s'est exclue de ma vie.

« Toute la nuit après cette conversation, je peux pas dormir. Je vois qu'il est aisé de planter une épine dans le cœur, mais pas si facile de l'enlever. Je regrette d'avoir ouvert la bouche dans cette histoire entre père et fille.

« En pleine nuit, je me lève et je descends. Je laisse la photo sur la table d'appoint où le matin il boit son *chaî* et lit le journal. Je pense que s'il la regarde quand il est tout seul, il se souviendra peut-être du temps où elle était petite, il se souviendra peut-être de tout ce qu'il a fait pour elle. Peut-être, ce sera un peu plus facile de quitter ce visage d'homme fier et de redevenir un père.

« Mais quand je reviens plus tard, après qu'il est parti au travail, je vois le cadre de la photo face contre terre sur les carreaux. Et regardez. »

Il pointe un doigt tremblant.

En frissonnant, je regarde ; une fissure, affilée comme une lame, coupe la photo en deux, séparant Geeta de son Juan.

J'arpente la pièce intérieure, laissant ma main courir le long des rayonnages où se trouvent les épices qui ont un réel pouvoir, attendant qu'elles me guident. Mais les épices sont muettes, et je ne peux compter que sur mon esprit troublé de femme.

Tilo, que faire ?

Les instants, infructueux et transis, forment une mare à mes pieds. Pas de réponse.

A travers les murs, j'entends le grand-père de Geeta, que j'ai laissé en charge de la boutique, conseiller les clients. Sa voix a retrouvé un peu de son ancienne confiance : « Je vous dis, le *chana dâl* va vous donner des gaz, vaudrait mieux acheter du *tur* à la place. Ça veut dire quoi, votre mari refuse d'en manger ? Faites-le bouillir jusqu'à ce qu'il soit tendre et mélangez-le avec beaucoup d'oignons frits et des feuilles de *dhania*, et il dira qu'il a jamais rien mangé de meilleur. »

Il ruse, je pense. Il biaise. Il a peut-être raison. Tricherie désespérée pour une situation désespérée.

Je fouille les rayonnages jusqu'à ce que je trouve le paquet étroitement enveloppé dans de l'écorce d'arbre, avec à côté la pince à bout d'argent. Je le déroule délicatement, en prenant bien soin de ne pas y toucher. Et la regarde se hérisser au contact de l'air, *kantak*, l'herbe aux épines dont la piqûre des aiguilles noires, fines comme des poils, empoisonne.

Avec la pince, je détache trois poils et les laisse tomber sur la pierre à concasser. J'ajoute du *ghî* et du miel pour lui enlever son piquant, les broie ensemble et emplis une petite bouteille de ce mélange.

Le grand-père de Geeta se tient au comptoir, l'allure martiale, tambourinant de ses doigts sur le verre, quand je reviens.

« Ah, *dîdî,* vous prenez beaucoup de temps. Non, non, ça m'est égal, non, pas impatient, pas le moins du monde, en vérité tout le contraire. Je pense, c'est bon signe, vous cherchez quelque chose de spécial pour nous aider.

— Vous disiez que vous feriez n'importe quoi pour Geeta, pour la ramener dans la famille. Vous êtes vraiment décidé ? »

Il hoche la tête.

« Alors voilà, mélangez cela à votre riz au dîner, mangez-le lentement. Ça vous brûlera la gorge quand vous l'avalerez, et plus tard ça vous donnera des crampes, peut-être pendant plusieurs jours. Mais pendant une heure vous aurez une langue en or.

— Ça veut dire quoi ? » demande le grand-père de Geeta, mais dans ses yeux, espoir et peur mélangés, je vois qu'il est au courant de ces vieilles rengaines.

« Quoi que vous disiez pendant cette heure-là, les gens sont contraints de le croire. Quoi que vous demandiez, ils sont contraints d'obéir. Ecoutez bien maintenant. »

Et je lui dis ce qu'il doit faire.

A la porte j'ajoute : « Utilisez le don avec soin. On n'en dispose qu'une seule fois. Et souvenez-vous, les crampes seront douloureuses. »

Il se redresse, lève la tête, le grand-père de Geeta, et je remarque que c'est un homme petit, qu'il a toujours été petit malgré ses fanfaronnades. Mais aujourd'hui, il y a une grandeur dans son regard.

« Les pires crampes, je les supporterai avec plaisir », dit-il très simplement en refermant la porte derrière lui d'un geste doux.

*

J'attends que tous les clients soient partis, que les phalènes viennent danser autour de la lumière de la porte et que résonne le léger bruit mat de leurs corps qui se cognent contre le globe de verre brûlant. Que le fantoche de la lune se balance au centre de ma vitrine au bout de sa ficelle invisible, et que les bruits de l'heure de pointe soient avalés par le calme terrifiant de la nuit, longtemps après l'heure de fermeture. Puis je ne peux plus me la cacher plus longtemps, la peur qui me glaçait, enroulée pendant tout ce temps au centre de ma poitrine : Haroun ne viendra pas. Pas maintenant. Peut-être plus jamais.

Comment alors me racheter ? Comment l'aider à éviter le drame qui l'attend et cherche à l'atteindre de sa main avide ?

La réponse vient si vite et avec une telle clarté que cela me surprend, preuve que je ne suis plus la Tilo qui a quitté l'île.

Il faut que tu le cherches. Oui, une fois encore, tu dois retourner en Amérique.

Mais, la Vieille ?

La voix connaît mes points faibles. *Vas-tu rester assise là, les mains croisées dans ton giron, et le laisser aller à sa perte,* dit la voix. *Est-ce là ce que la Vieille à ta place aurait fait, aurait voulu ?*

Je vois son visage, des rides profondes lui plissant le front, la bouche, sa bouche moqueuse et maussade à la fois. Les yeux parfois sombres et sereins, parfois étincelants d'ironie. A la fois bonne et sévère. « Des yeux qui peuvent sous le coup de la colère vous brûler la peau », disaient les Maîtresses plus âgées quand elles nous racontaient des histoires.

Je ne sais pas ce qu'Elle aurait voulu, mais je sais ce qu'Elle aurait fait. Et ça, je me sens tenue de le faire aussi.

Je réfléchis longtemps avant de choisir de transgresser, tout mon corps me fait mal comme si mon ossature se désarticulait.

Si vous deviez me demander pourquoi j'agis ainsi, je ne saurais que répondre. Sauf cela : moi qui ai tenu les mains de Haroun dans les miennes et senti le fol espoir qui les animait, je ne peux laisser la nuit le prendre dans son filet d'encre sans lutter. Est-ce de la révolte, est-ce de la compassion ? Peut-être le savez-vous mieux que moi, car il m'est difficile à moi de faire la différence, leurs intensités se mêlent l'une à l'autre au point qu'elles me semblent du même rouge.

Mais pour l'instant, je suis confrontée à un problème plus concret : je dois trouver Haroun. Je n'ai pas d'adresse, et quand j'ai recours à une invocation, elle me revient violemment en tête comme si j'étais cernée par un puits de pierre infranchissable. Sous la force du coup, la tête m'élance, et je ne puis éviter de me poser la question.

Tilo, tes pouvoirs sont-ils en train de te quitter ?

Mais, lentement, de la douleur, surgit un mot : *téléphone*. Une image se forme derrière mes paupières, et bien que je n'en aie jamais vu dans la vie réelle, je sais ce que c'est : un téléphone payant enclos dans son alcôve minuscule de cristal, la boîte rectangulaire faiblement éclairée sous le lampadaire capricieux, le cordon d'acier luisant qui fait des boucles et ressemble au corps mince et dentelé de quelque reptile préhistorique, la dure tête noire et renflée. De qui est-ce la mémoire ? Je n'en ai pas la moindre idée. Mais je sais choisir les pièces pour alimenter la bouche en fente de la machine.

Je cherche mon sac en plastique de chez Sears et en sors une feuille avec un numéro (car il faut que j'appelle Geeta aussi). Je m'arme de courage pour supporter le regard des épices et fermer la porte derrière moi. (Mais pourquoi n'y a-t-il pas de coups d'œil réprobateurs, pourquoi la porte ne me résiste-t-elle pas obstinément sous la main ?) Je ne suis pas surprise de trouver que mes pieds suivent sans trébucher tous les tours et les détours des allées qui me mèneront au téléphone.

Je passe le premier coup de fil, le facile. A Geeta, le numéro qu'elle m'a donné ce jour-là pleine d'espoir, tout en haut de sa tour d'un noir luisant. Et quand j'entends la réplique de sa voix qui se dévide ténue et métallique sur la machine, je comprends de quoi il s'agit. J'attends le bip et alors, clairement, lentement, je lui dis de venir à l'épicerie, seule, le surlendemain à sept heures, heure où les lumières mêlées du soleil et de la lune tombent sur nos espoirs, et où tout semble possible.

C'est le tour de Haroun maintenant. Mais je n'ai pas de numéro, pas la moindre idée de l'endroit où il vit. Autrefois je l'aurais deviné facilement. Mais aujourd'hui quand je commence à psalmodier la formule pour trouver, je bredouille et m'arrête net. Moi Tilo, de qui la Vieille a dit un jour que le perroquet, oiseau de la mémoire, devait nicher dans ma gorge. Trop tard, je commence à voir le prix que j'ai inconsciemment payé pour chacun des pas que j'ai fait en Amérique. En moi, une voix crie *Qu'as-tu perdu d'autre ?*

Pas le moment de me mettre martel en tête, pas le moment de m'affliger. Je dois prendre le gros livre avec sa chaîne de métal qui pend au mur de la cabine et feuilleter les pages, en priant.

Il ne s'y trouve pas.

La cabine est pleine de désirs qui se désagrègent, des innombrables désespoirs de tous ceux qui ont décroché ce combiné et essayé d'entrer en communication par-delà les kilomètres de fils bourdonnants. J'appuie ma tête contre le mur. Je pourrais pleurer, si je croyais que pleurer pouvait aider.

Tilo dont la magie s'est affaiblie par la faute de son entêtement, qui d'autre blâmer que toi-même ?

Pas de temps pour le blâme non plus. En moi les minutes affolées s'abattent, se heurtent contre les parois de ma poitrine, et retombent assommées.

Il faut que tu utilises ce que tu as, ton intelligence de fragile mortelle, ta mémoire imprécise. La douleur de ton cœur. Je me concentre sur cette première nuit à la boutique, Haroun énumérant les histoires d'amis que j'avais aidés. Je ferme fortement les yeux jusqu'à ce que je sente clairement la poussière de bois de santal dans sa paume. Sente la pression de ses lèvres pleines dans le creux de ma main. Ah, cela fait mal de regarder son visage, de le voir rayonner de confiance, Haroun qui se dresse sur une scène bâtie avec des rêves sous le feu d'une rampe sur le point de s'éteindre.

De la douleur, un nom finit par sortir : Najib Mokhtar. Je m'y accroche comme un noyé à un radeau dans l'océan, peut-être n'est-ce qu'un brin d'herbe. J'espère que ce n'est pas seulement mon désespoir qui l'a forgé.

Mais non, je le trouve dans l'annuaire, les lettres petites et noires comme des cadavres de fourmis écrasées sur la page, mais assez lisibles. Je ravale les questions qui encombrent ma bouche. Et si ce n'est pas le bon Najib et s'il ne sait pas où habite Haroun et s'il ne veut pas le dire, et si et si et si, et je fais le numéro.

Ça sonne, sonne, des ondes de sonneries qui se répercutent au centre de moi, et alors que j'ai presque perdu espoir, une voix de femme.

« Hello. » Prononcé à l'indienne, le mot reste suspendu en l'air, hésitant, interrogateur.

« Je cherche Haroun. Vous savez où je peux le trouver ? »

J'ai à peine fini ces phrases que je me rends compte de mon erreur. Je sens sa défiance comme une décharge électrique sur les fils. Sa peur. *Immigration ? Créditeurs ? Des ennemis du vieux pays de l'autre côté de la mer sur ses traces ?* Ses doigts se crispent autour du combiné, prêts à me raccrocher au nez.

Je me hâte de dire : « Je suis une amie. »

Elle n'est pas persuadée, je l'entends à ses phrases tronquées. « Connais pas de Haroun-maroun. Personne de ce nom ici.

— Attendez, ne raccrochez pas. Je viens de l'épicerie indienne, vous savez, le Bazar aux Epices, à côté de l'hôtel qui a brûlé dans Esperanza Street. J'ai aidé votre mari autrefois il y a longtemps. »

Seul le bruit de son écoute, sa respiration retenue, à demi persuadée.

« Il faut que vous m'aidiez. J'ai quelque chose à donner à Haroun, quelque chose pour le protéger de… » Je cherche une expression qu'elle puisse comprendre, une histoire qu'on lui a racontée petite fille, « le souffle du *jinn* ».

« Le souffle du *jinn* », murmure-t-elle. Elle connaît, ombre glacée qui peut sucer votre nom, votre vie.

« Oui. C'est pour ça qu'il faut que vous me disiez où le trouver. »

Elle réfléchit. Dans sa tête, les menaces de son mari : « Femme, ouvre la bouche et prononce un seul mot, et tu te repentiras d'être née. »

« Je vous en prie. Je ne lui veux aucun mal. »

Nous attendons toutes les deux. Entre nous le moment s'étire, tendu comme un câble d'acier.

Puis elle se décide : « Je vais vous dire. Il a pas le téléphone, mais je vais vous expliquer comment aller chez lui et quand le trouver. »

Elle me donne des noms de rues et de parcs que je note au dos de la petite feuille carrée estampillée avec le nom de l'employeur de Geeta. Des écoles de quartier, des pompes à essence, des feux, des gendarmeries. Prenez ce bus et puis celui-là, tournez à droite là, puis à gauche deux fois, dépassez le salon de massage et le terrain vague plein de carcasses de voitures, montez l'escalier branlant jusqu'à l'appartement du dernier étage. Allez-y tôt, huit heures au plus tard. Il quitte juste après le *namaaz* du matin et revient seulement dix minutes au coucher du soleil pour le *namaaz* du soir. Puis il prend son taxi, parfois toute la nuit parce que c'est la nuit qu'on a les meilleurs pourboires.

« *Shukriyah*, dis-je, merci de tout cœur. J'irai demain matin tôt – tôt avant l'ouverture de la boutique. »

En rentrant dans l'air enfumé, j'esquive des ombres et pire que des ombres, et je garde les yeux rivés sur la lune, blanche comme une mâchoire polie. Je répète tout ce que je dirai à Haroun, les excuses et l'affection ; je l'avertirai du danger, du cauchemar qu'il y a au fond de son rêve d'immigrant. Ah, nous discuterons, je le sais. Il frappera du pied et dessinera dans l'air des spirales furieuses, mais il finira par dire : « Ok Ladyjaan, rien que pour vous faire plaisir, je fais ce que vous dites. »

Je souris déjà à cette pensée tandis que je me penche pour ouvrir la porte de l'épicerie.

Alors je le vois, un petit rectangle blanc comme un sari de veuve ou la robe d'un ascète, pris dans la fente comme si quelqu'un avait fermé la porte trop vite.

Ma gorge est si serrée que je ne peux respirer. *Première Mère ?* je commence à me récrier.

Puis je vois que ce n'est qu'un mot.

Je l'ouvre et quand mes mains ont cessé de trembler, je lis les grands caractères sinueux.

Je suis venu dans l'espoir de vous voir mais vous étiez partie. Je ne savais pas qu'il vous arrivait de quitter parfois le magasin, mais le sachant, il m'est plus facile de vous demander cela. Voulez-vous venir demain avec moi en ville et partager avec moi les endroits que j'aime ? Je viendrai vous prendre tôt, et vous ramènerai le soir.

S'il vous plaît, dites oui.

Mon Raven, et comme n'importe quelle femme amoureuse, je pose ma joue là où sa main a touché le papier. « Oui, je murmure, oui. Demain ce sera notre jour de plaisir. » Je sens déjà l'air salé, tonique de la Ville, que j'ai longtemps imaginé, je sens sous mes pieds rouler les collines.

Mais alors les pensées viennent. Et les yeux curieux, réprobateurs, quand ils verront mon bel Américain avec cette femme à peau brune et flasque.

Et (ô pensée de femme folle), je n'ai rien à me mettre.

Et Haroun ? demande la voix épineuse.

Je mets les indications par sécurité dans une petite bourse de cuir que je prends dans l'armoire des cadeaux. Je réponds, je ne vais pas le négliger. Si des doutes subsistent quelque part en moi, je choisis de ne pas leur accorder trop d'attention. Ne connais-je pas mon devoir aussi bien que mon plaisir ? Première chose demain, je demanderai à Raven de m'emmener chez lui.

Nîm

Toute la soirée, je m'agite. Je ne peux m'empêcher d'arpenter la boutique, de long en large, de long en large, en me demandant, qu'est-ce que je peux faire pour avoir l'air un peu mieux ? Pas vraiment belle, je ne m'attends pas à ça, mais peut-être plus jeune, juste un peu, pour que les regards inquisiteurs ne soient pas trop blessants.

Tilo, depuis quand te préoccupes-tu de ce que les gens murmurent ?

Ce n'est pas pour moi. Mais je voudrais le protéger, lui, du ridicule.

Dans un bol, je mélange du lait bouilli et de la poudre de feuilles de *nîm* qui tue la maladie. Etale la pâte en une couche unie sur le cou et les joues, les creux sous les yeux. Je me frictionne les cheveux avec de la pulpe détrempée de *ritha*, rassemble le gris en une masse au sommet de ma tête. Je frotte mon unique tenue américaine dans l'évier avec un savon Sunlight qui a une odeur chimique. La nuit passe, chaque minute s'égouttant comme de l'eau de lessive des vêtements suspendus. La poussière de *nîm* sèche et me tire la peau. Mon crâne me démange. Des pointes de cheveux enduits de *ritha* m'agacent le visage.

Pourtant quand j'ai pris mon bain et me suis séchée, je sens sur mon visage la même peau froissée, autour de mes épaules les mêmes boucles, grossières et grises comme le jute *shon* que les femmes tissent pour faire des sacs.

O Maîtresse, que croyais-tu donc ? La voix des épices fait un son d'eau qui gambade, un rire impitoyable qui danse sur ma déception. *Si tu veux opérer un véritable changement, il faut nous utiliser autrement, tu dois évoquer nos pouvoirs. Tu connais les formules.*

Epices, que dites-vous ? Les charmes ne m'ont pas été donnés pour en user pour moi-même.

Pour toi, pour lui, comment distingues-tu les désirs ? Leur voix est pleine de dédain, comme si cela était de peu d'importance.

Moi qui sais que cela a de l'importance, je pense, éberluée, pourquoi disent-elles cela, elles savent mieux que moi distinguer le bien du mal.

Le chant s'élève maintenant de la pièce intérieure. *Viens, Tilo, te servir de nous, nous nous donnons avec joie à celle qui s'est occupée si fidèlement de nous. La racine de lotus et l'*abhrak, *l'* âmalaki *et surtout, la toute-puissante* makaradwaj, *sont à tes ordres. Utilise-nous pour l'amour, pour la beauté, pour la joie, parce que c'est pour cela que nous sommes faites.*

Leur chant plante dans ma chair des petits crochets qui m'attirent vers elles. *Viens, Tilo, viens.* Ma tête déborde d'images, la Tilo que je pourrais être, le visage de Raven quand il me verra. Nos corps ensemble, souples et enlacés dans l'extase.

Je me dirige vers la pièce intérieure. Le chant est rauque, les syllabes pénètrent mon corps et me démangent comme une gale.

Ma main est sur la porte maintenant, ma paume palpite sur le bois qui semble fluide comme de l'eau. Toutes les molécules de l'univers se dissolvent et se rassemblent en de nouvelles formes.

Puis, avec la soudaineté de l'éclair, je comprends ; elles me tendent un piège. Pour me faire rompre le serment le plus sacré, pour me perdre irrévocablement.

O épices qui avez été pendant de nombreuses années ma seule raison de vivre, ne me punissez pas en me soumettant ainsi à la tentation. Moi Tilo qui garde encore en mon cœur tant d'estime pour vous. Ne me combattez pas, ne me poussez pas à nous haïr, vous et moi.

Silence.

Puis : *Va pour maintenant. Nous sommes patientes. Nous te connaissons, tu ne tarderas pas à venir à nous. Quand tu auras entendu notre chant, auras senti la cadence du désir au plus profond de ton corps, tu ne résisteras pas.*

O épices, dis-je en couchant mon corps raide sur le plancher dur où je ne cesse de me retourner toute la nuit sans trouver le sommeil. Toute cette persuasion a fatigué ma voix qui est indécise. Ne puis-je vous aimer vous et lui à la fois ? Pourquoi faut-il que je choisisse ?

Les épices ne répondent pas.

*

A la fenêtre, le matin ressemble à une orange éclatée, suave et juteuse. Mais sur ma peau, la lumière souligne plus profondément mes rides, met en relief les veines noueuses. Je me tiens dans mon habit brun, triste comme de vieilles feuilles, et souhaite presque que Raven ne vienne pas.

Puis il arrive, et, de nouveau, je vois cet éclat de contentement dans ses yeux comme s'il enlevait mon manteau de peau et voyait en dessous. Il prend ma main dans la sienne, et pose contre ma joue surprise ses lèvres, dures et douces à la fois.

« Vous venez ? Je n'étais pas sûr. J'ai passé une grande partie de la nuit à me demander si vous alliez venir.

— Moi de même. » Je souris. Mon cœur a pris possession de mon corps qui n'est plus qu'une seule onde de joie. Raven qui ne sait pas, je ne veux pas qu'il sache, le prix que je devrai payer pour cette excursion, et que je suis heureuse de payer le prix fort.

Est-ce cela l'amour ?

« Regardez ! » Il ouvre un paquet. « Je vous ai apporté quelque chose. »

Cela se déverse sur le comptoir, un tissu léger comme une toile d'araignée perlée de rosée. Quand je le lève, cela tombe jusqu'à mes pieds, long et lâche, et blanc comme les premières lueurs de l'aube. La plus jolie des robes que j'aie jamais vue.

Je la repose.

Première Mère qui nous a mises en garde, qui nous observait de ses yeux soucieux quand nos corps, se déformant dans les flammes de Shampâti, vieillirent, aviez-vous prévu ce moment ? Ce regret lancinant qui me traverse de part en part.

« Je ne peux pas la porter, dis-je.

— Pourquoi pas ?

— C'est trop fantaisie. Une robe de jeune femme.

— Non, dit-il. Une robe de belle femme. Et vous êtes cette femme. » Du bout de son doigt léger comme une aile, il m'effleure la joue.

Les épices observent intensément, leurs pensées voilées. Elles suivent le moindre tressaillement de ma respiration.

« Comment pouvez-vous dire ça, Raven ? » Il y a des larmes dans ma voix. J'essuie la colère de mes yeux, le tire jusqu'à la lumière cruelle de la fenêtre.

En moi, une voix implore *Qu'il en soit ainsi !*

Non. Si je dois le perdre, que ce soit maintenant. Avant que la lame insidieuse de l'amour se soit enfoncée plus profondément en mon cœur.

« Vous ne voyez donc pas ? Je suis laide. Laide et vieille. Cette robe sur moi serait s'exposer à la risée. Et vous et moi ensemble, nous serions risibles.

— Chut ! dit-il. Chut ! » Puis ses bras sont autour de moi, ses lèvres rassurantes sur mes cheveux. Mon visage pressé contre sa poitrine, dans la douceur d'une chemise blanche qui sent le propre, qui sent le vent. Sous la chemise, la peau est chaude et soyeuse comme du bois de mûrier poli.

Comment vous décrire ce que je ressens, vous autour de qui tant d'hommes ont refermé leurs bras négligents au point que vous ne vous souvenez pas même quand cela a commencé.

Mais moi que personne n'a jamais tenue. Ni père ni mère. Ni mes sœurs Maîtresses.

Pas même la Vieille, pas de cette façon, cœur contre cœur avec son bruit mat. Moi Tilo, l'enfant qui ne savait pas pleurer, la femme qui ne pleurait jamais. Je souris à travers mes cils humides tandis que m'emplissent l'odeur de sa peau, le souffle chaud de son haleine sur mes cils. Mes os fondent dans ce désir d'être toujours tenue ainsi, moi qui n'ai jamais pensé que je pourrais désirer que des bras d'homme me protègent.

Ses pouces caressent gentiment les bords de mes omoplates. « Tilo. Chère Tilo. » Jusqu'à mon nom qui prend une nouvelle consistance dans sa bouche, les voyelles sont plus courtes et plus nettes, les consonnes mieux dessinées. Mon Américain, tu me refaçonnes de toutes parts.

« Mettez la robe », dit-il. Il pose une main légère sur ma bouche pour m'empêcher de protester. « Ce corps, je sais que ce n'est pas vraiment vous. »

Mes lèvres veulent se poser tranquilles sur les courbes fermes de ses doigts, l'anneau de platine frais, les lignes de la paume qui renferment son futur et le mien, si seulement je savais les lire.

Mais je m'éloigne. Il faut que je pose la question.

« Comment le savez-vous ? Vous qui déclariez qu'il n'est pas facile de connaître son vrai moi. »

Il sourit. « Peut-être pouvons-nous nous voir l'un l'autre mieux que nous ne le pouvons nous-mêmes. » Il me met la robe dans les bras, de la tête m'indique la pièce intérieure.

« Mais...

— Chère soupçonneuse, têtue. Je vous le dirai. Je vous dirai tout aujourd'hui. Mais je le ferai dans l'endroit approprié, là où la brume et l'air deviennent mer. Là où il est plus facile de se confesser, et plus facile peut-être de pardonner. Là où nous nous rendrons dès que vous serez prête. »

*

Mon Américain conduit une voiture longue et basse, couleur de rubis, dont la coque étincelante est si lisse que le vent même ne peut la retenir. A l'intérieur, ça sent le gardénia et le jasmin, le luxueux, le séduisant et le féminin, et, jalouse, je me demande *Qui ?* Le siège se moule autour de mon corps doux comme une paume en forme de coupe (combien d'autres femmes se sont-elles assises ainsi ?) et quand je me renverse, je vois, flottant au-dessus du toit de verre, des nuages qui semblent m'adresser de petits sourires compatissants.

Tilo, as-tu oublié que tu n'as aucun droit à faire valoir sur cet homme, ni sur son passé ou son présent ?

Mais je n'arrive pas à m'appesantir sur aucun des sentiments, doute, colère ou peine, qui me traversent. Ma robe s'est installée autour de moi comme les pétales d'un lotus blanc, et à travers la fenêtre, la main du soleil se glisse chaude comme une permission sur mon visage. La voiture glisse uniment telle une bête de la jungle, avec le même silence et la même vélocité. L'horloge sur la tour de la banque indique sept heures trente. Nous avons le temps de trouver Haroun.

« Allons-y, dit-il. Où se trouve cet endroit où vous voulez faire un saut pour commencer ? »

Je me souviens de la plupart des noms de rues, et je les lui cite de mémoire. Ellis et Ventura, et une qui s'appelle Malcolm X. La voiture se faufile dans des allées où les ordures se déversent sur le trottoir ; des hommes et des femmes aux cheveux tressés nous regardent fixement sur les seuils de maisons où ils ont passé la nuit. Autour de leurs pieds, en forme de remparts, s'alignent des sacs en plastique ventrus avec toutes leurs vies dedans.

« Vous êtes sûre que c'est le bon chemin ?

— Oui. » Puis soudain j'ai un doute. « Attendez, dis-je, j'ai les indications dans mon sac. »

Mais le morceau de papier sur lequel je les ai écrites s'est envolé. Je sors le paquet de cumin noir, renverse et secoue le sac. Seule une peluche de charpie s'en échappe comme un sarcasme.

« Je suis certaine de l'avoir mis là. » Les mots tombent de ma bouche en gros morceaux fêlés.

« Regardez encore. Il y est sans doute. »

Une pensée, incisive comme une aiguille, me pique alors et me contraint à me baisser et couvrir mes yeux de mes mains.

Epices, avez-vous d'une façon ou d'une autre… ?

« Vous l'avez peut-être oublié au magasin, dit Raven. Vous voulez qu'on retourne voir ? »

Je secoue la tête. Un mauvais tour des épices, est-ce pour cela que vous étiez si gentilles, pour endormir ma vigilance et mieux me punir, au moment où je m'y attendrais le moins.

« Dites, vous avez l'air vraiment contrariée. Est-ce si important ?

— C'est une vie d'homme, dis-je, dont j'ai pris la charge.

— Laissez-moi regarder. » Il arrête la voiture, se penche par-dessus mes pieds, soulève le tapis. Regarde soigneusement tout autour. Un long moment. Trop long. J'ai envie de lui dire que cela ne sert à rien, mais je n'ai pas le courage d'ouvrir la bouche.

« Attendez, c'est ça ? »

Ma feuille, petite boule chiffonnée aux bords déchiquetés. Mais encore lisible. Epices, quel jeu cruel jouez-vous avec moi, au chat et à la souris ?

« Je me demande comment il a pu se faufiler là-dessous », dit Raven.

Je garde mes doutes pour moi et lui dis où aller. J'appuie le bout de mes doigts sur le tableau de bord comme si cela pouvait faire avancer la voiture plus vite.

Raven me jette un coup d'œil, puis appuie sur l'accélérateur d'un seul mouvement continu. La voiture s'élance dans l'allée, vire avec un rugissement bas et uni comme si elle aussi sentait le sang palpitant dans mes mains et mes pieds. Nous arrivons plus tôt que je n'osais l'espérer. Je sors d'un bond, laissant la porte ballotter derrière moi, et gravis le sombre escalier maculé jusqu'au dernier étage. Je frappe à la porte de l'appartement, criant son nom, frappe et frappe jusqu'à ce que les paumes me fassent mal, que ma voix devienne rauque et se mette à trembler, mon corps aussi tremble.

Un bruit derrière moi. Je virevolte si vite que la tête m'en tourne. Une fente dans la porte de l'appartement d'en face, deux yeux comme des bougies noires, une voix de femme avec un léger accent. « *Woh admi*, il est parti cinq-six minutes. »

Tilo, si seulement tu n'avais pas perdu tant de temps à bavarder, à mettre cette robe stupide.

Je m'effondre sur la dernière marche usée, agrippe la rampe pour me soutenir.

La femme s'avance, soucieuse. « Vous allez bien ? Vous voulez de l'eau ?

— S'il vous plaît, laissez-moi, j'ai besoin de rester seule quelques instants », dis-je en me détournant d'elle pour écouter, paupières closes, le sang qui bourdonne à mon oreille et chante son petit refrain lancinant, *ah Haroun Haroun Haroun.*

Le temps s'étire sur toute sa longueur, m'enveloppe. Je reste assise là… un temps indéfini. Puis je sens ses mains sur les miennes qui me relèvent.

« Tilo, il n'y a rien à faire pour l'instant. Ecoutez, nous nous arrêterons de nouveau sur le chemin du retour, à l'heure que vous voudrez. »

Je scrute son visage. Entre ses sourcils, un petit pli sévère. Ses yeux semblent plus sombres, comme s'ils étaient en train d'apprendre ce dont il s'était toujours défendu : comment ressentir la douleur de l'autre, comment ne plus que désirer, l'espace d'un instant (ah, mais cela suffit à nous changer pour toujours), dans toutes les fibres de ses muscles, dans la moelle de ses os, dans le plus léger frémissement de son esprit, effacer cette douleur.

Un visage auquel je décide de faire confiance.

Toutefois, je demande : « Avant le coucher du soleil ?

— Je vous le promets. Maintenant voulez-vous faire quelque chose pour moi ? »

Mon oui sort machinalement, moi Tilo si entraînée à exaucer les désirs. Puis avec une prudence toute récente : « Si je le peux.

— Soyez heureuse, d'accord ? Du moins jusqu'à ce que nous revenions. »

Je ne dis rien. Je regarde la porte de Haroun, je me souviens de l'expression fermée de son visage la dernière fois que je l'ai vu.

« S'il vous plaît, j'ai besoin que vous soyez heureuse », dit Raven en me serrant les mains plus fort.

Ah Américain, tu sais bien comment émouvoir les cordes de mon esprit. Tu sais que je te donnerai à toi ce que, coupable, je ne peux me donner à moi-même. Toutes les femmes sont-elles comme ça ?

« D'accord », lui dis-je et je sens la lourdeur que je retenais en moi me quitter.

Nous descendons l'escalier. Derrière nous sur le palier obscur, mon cœur endolori s'attarde (mais je ne dois plus y penser maintenant) jusqu'au soir, jusqu'à mon retour.

*

Il emplit un verre d'un liquide d'un jaune aussi pâle que le ciel au-dessus de nos têtes et me le tend. Un instant, je me contente de le regarder. Comment se fait-il que certaines personnes aient cet air d'élégance dans le plus simple, le plus inconscient de leurs gestes ? J'en suis émerveillée, moi qui ne fus jamais élégante, pas même du temps où mon corps était jeune.

Quand je bois (une autre règle des Maîtresses que j'enfreins), le vin voyage en moi, froid d'abord et puis brûlant ; les points de lumière qui se rassemblent dans le petit espace entre mes paupières se mettent à clignoter. Il prend le verre, le tourne de façon à boire en posant ses lèvres là où j'ai posé les miennes. Il observe mes yeux. Ma bouche s'emplit d'une douceur aigre, un goût de peur et d'attente. Ma tête est légère, sans amarres. Est-ce le vin ou lui ?

Aujourd'hui, je suis en vacances, semblable aux touristes qui vont et viennent autour de nous, gais comme des papillons, partout où nous nous arrêtons. Fisherman's Wharf, Twin Peaks, Golden Gate Bridge. En vacances de moi-même. Aujourd'hui avec l'océan comme une feuille d'or déroulée jusqu'à l'horizon, qui me donne envie de pleurer.

Quelqu'un comme moi n'a-t-il pas droit à un jour comme celui-là, une fois dans sa vie ?

Raven s'est agenouillé sur le sol sans se soucier de son pantalon Bill Blass et a sorti pour notre déjeuner une miche de pain aussi longue que son bras, des morceaux de fromage dans leur épaisse peau blanche, un bol en bois débordant de fraises en forme de baisers. Tout cela est exotique pour moi ; quand je le lui dis, il éclate de rire et dit : « Non, rien que de très ordinaire. » Je sais qu'il dit vrai. Pourtant quand je prends une fraise, j'y vois un bijou rouge parfait aux formes lumineuses, et quand je la mords, son parfum d'éden, d'innocence me submerge. Je comprends soudain que c'est ainsi que Raven doit percevoir les objets de mon quotidien – le cumin, la coriandre, le clou de girofle, le *chana dâl* – et une fine, indéfinissable tristesse, comme un brouillard fugace, me traverse un instant.

Arrête, Tilo, car aujourd'hui tu es en vacances de tes pensées aussi.

Je porte toute mon attention à ce lieu, aux vagues du Pacifique qui s'écrasent sous nous dans un endroit que nous ne voyons pas, au cri des mouettes qui tournoient au-dessus, à cet endroit semblable à nul autre dont je me souviendrai. Je m'appuie, un instant avec l'élégance d'une impératrice (oui, moi), contre un cyprès qu'un siècle de vents a courbé et contemple les ruines mangées de sel d'une maison de bains qui miroite sur l'eau tel un mirage.

« Construite, dit Raven, par un rêveur fou.

— Comme moi », je lui souris.

« Et moi. » Lui aussi sourit.

« A quoi rêvez-vous, Raven ? »

L'espace d'un instant, il hésite. Une expression de pudeur, si rare chez les hommes, effleure brièvement son visage avant de céder la place à une autre expression qui, quand je la déchiffre, fait trembler quelque chose en moi ; car elle dit : avec vous, je ne retiendrai rien.

Voilà ce que j'attends, depuis que je l'ai rencontré ce soir poussière de diamant. Et pourtant.

Raven, n'est-ce pas stupide, j'ai peur, moi Tilo qui ai été la gardienne de si nombreux secrets pour tant d'hommes et de femmes. Mais je crains que quand j'apprendrai ton désir, tu ne sois plus différent de ceux qui viennent dans mon épicerie. Je te donnerai ce que tu veux, et en te le donnant, t'arracherai de mon cœur.

Peut-être est-ce mieux ainsi. Mon cœur appartiendra de nouveau complètement aux épices.

Alors même que je pense cela, mon esprit galope, frénétique, cherche quelque stratagème pour retenir tes mots. Mais tu as commencé à parler, les sons s'envolent tels des atomes de poussière dorée dans l'air saturé d'embruns.

« Je rêve du paradis terrestre. »

Le paradis terrestre. Les mots me transportent en un tourbillon jusque dans mon île au volcan avec la mer verte s'enroulant à ses pieds, les frondaisons engageantes des cocotiers. Entre mes doigts de pied, la chaleur des grains du sable dont l'éclat de vif-argent me pique l'œil de pleurs que je m'interdis de verser.

Raven, comment saurais-tu…

Mais il continue : « Haut dans les montagnes, les pins et les eucalyptus, une odeur humide de bois rouge, l'écorce et le cône, un ruisseau si pur et frais à la bouche que vous avez l'impression de boire de l'eau pour la première fois. »

Mon Américain, une fois encore, je me rends compte que nous sommes à des lieues l'un de l'autre, même dans nos rêves.

« La nature sans mélange, à la fois dans sa beauté et sa rudesse. Où vivre une fois encore la vie des origines ; l'ours, la gueule tendue vers les baies du sorbier, l'antilope dressée sur ses hautes pattes, à l'écoute. Le lion de la montagne bondissant sur sa proie qui fuit. Dans le ciel blanc tournoient des oiseaux noirs. Et ni homme ni femme. Si ce n'est... »

Je prends un air étonné.

« Je vais vous raconter, dit Raven, rabattant le rideau irisé de ses cheveux. Mais je dois commencer par le commencement, mon rêve et ma guerre. »

Toi en guerre Raven, avec tes mains assurées et tendres, tes lèvres généreuses, si empressées à donner ? Je ne peux l'imaginer.

A ce moment-là, une obscurité mouchette le soleil. Une bande de corbeaux, leurs ailes bruissantes couleur de feuilles de *nîm* passent au-dessus de nos têtes. Leurs cris plaintifs résonnent à nos oreilles comme une prémonition.

Des ombres cernent les commissures des lèvres serrées de Raven. Son visage n'est plus qu'angles et creux, toute la douceur s'en est allée. Un visage capable de tout.

Tilo, comme tu connais mal cet homme. Et, pourtant, pour lui tu risques tout. N'est-ce pas là le comble de la folie ?

Dans ma tête, un fort bourdonnement, comme des bombardiers. Cela noie les mots de Raven. Mais je sais déjà à quel endroit il pense.

La chambre du mourant.

« Pouvez-vous nous imaginer dans cet endroit sombre, dit Raven, les mains de ma mère me défendant sur mon épaule, le vieil homme avec son corps défaillant, son cœur farouche. Et moi, petit garçon dans son habit du dimanche pris dans l'animosité luisante comme un fil de fer vivant entre eux.

« Le vieil homme a dit, Evvie, laisse le garçon avec moi, et quand ma mère, le corps raidi, a dit non, il a ajouté, s'il te plaît, il ne me reste pas beaucoup de temps à vivre. Il y avait dans cette voix implorante une telle puissance, que je ne comprenais pas comment elle pouvait y résister. Et une faiblesse qui m'étreignit le cœur, les accents brisés d'un homme qui n'avait pas l'habitude de demander des faveurs.

« Mais ma mère regardait droit devant elle dans l'obscurité comme si elle ne l'avait pas entendu. Non, comme si elle l'avait entendu trop souvent auparavant. Et pour la toute première fois, son visage me sembla dur et défiant, laid.

« Je crois que le vieil homme le vit aussi. Sa voix changea, elle devint dure, et solennelle. Et bien qu'elle fût basse, elle rebondit sur les murs de la chambre comme une cascade. Petite-fille, dit-il, j'avais espéré ne pas devoir dire cela, mais maintenant je vais le faire. Je te le demande en remboursement de la dette que tu me dois pour toutes ces années où tu as vécu avec moi, tout ce que je t'ai donné et que tu as rejeté en partant.

« Ce fut ainsi que j'appris qui il était pour elle, et pour moi. Tout ce que je veux, reprit-il, c'est que le garçon puisse choisir sa vie. Comme tu l'as fait.

« Il est trop jeune pour qu'on le force à choisir, dit ma mère d'une voix étranglée. Je sentais la peur lui serrer la gorge. *Ma mère, peur,* pensai-je stupéfait, je n'avais jamais cru cela possible.

« Quand tu as choisi de ne pas suivre les anciennes coutumes, est-ce que je t'ai forcée ? demanda le vieil homme, s'arrêtant entre les mots comme si chaque mot était une colline qu'il lui fallait gravir. Non. Je t'ai laissée partir bien que cela m'ait déchiré la poitrine. Tu sais que je ne veux aucun mal au garçon.

« Dans le silence, j'entendais tout autour de moi la respiration contenue des gens présents. La pièce s'emplissait et se vidait comme un poumon.

« Très bien, finit-elle par accepter, enlevant ses mains de mes épaules. Tu peux lui parler. Mais je reste dans la pièce. »

« Quand ma mère enleva ses mains de moi et se retira dans le fond de la pièce, dit Raven, ce fut comme si elle emportait toute la lumière avec elle.

« Non. Il faut raconter ça autrement. Ce qui se retira avec elle, ce fut la lumière de tous les jours, celle qui luit sur nos tâches quotidiennes et connaît nos personnalités diurnes. Non pas que l'obscurité la remplaçât, mais une lumière différente, une rougeur tremblotante que vous pouviez percevoir si vous aviez des yeux différents. Et des mots. La pièce était pleine de mots, mais il fallait une oreille différente de celle que je possédais pour les entendre.

« Le vieil homme ne bougea ni ne parla. Cependant je sentais dans mes bras et mes jambes, au milieu de ma poitrine, qu'il m'attirait à lui. Une attraction intense, comme si lui et moi étions faits de la même substance, terre, eau, pierre, ou fer, et maintenant que nous étions en présence, cela tendait à se réunir.

« Je me mis à aller vers lui tout en sentant pendant tout ce temps cette autre volonté qui me tirait en arrière. Celle de ma mère. Elle voulait de toutes ses forces que je me détourne de cette partie de sa vie qu'elle avait remplacée par le mobilier reluisant et les jolis rideaux à fleurs, alors même que je devinais que ce n'était pas ces choses qu'elle avait désirées mais seulement la chance d'avoir une vie comme tout le monde, et américaine.

« Pouvez-vous comprendre cela ? »

Raven dans les yeux de qui je vois le souvenir désespéré des désirs de sa mère. Moi Tilo qui voulais tant, enfant, être différente, qui, adulte maintenant, désire si ardemment une vie ordinaire de cuisine et de chambre à coucher, de pain frais, un perroquet dans une cage pour dire mon nom, des querelles d'amoureux et les autres petites joies du je-te-donne-un baiser-et-on-se-réconcilie.

O l'ironie du désir, toujours à soupirer après le miroitement liquide au-delà de la dune la plus éloignée.

Parfois seulement pour découvrir qu'il n'est guère différent du sable aride sur lequel nous nous sommes tenus quelques jours, quelques mois, quelques années auparavant, à languir.

Tilo, voilà une question à creuser alors même que l'histoire de Raven t'emmène vers ce puits enchanté où disparaissent les voyageurs imprudents : sait-on jamais vraiment ce que l'on veut ? La mère de Raven le savait-elle ? Le sais-tu ? Toi qui voulais tant devenir une Maîtresse, serais-tu heureuse de n'être qu'une simple femme ?

« Pas à pas, continue Raven, j'avançai sans le savoir, et à chaque pas que je faisais, l'attraction du vieil homme s'intensifiait et celle de ma mère diminuait. Jusqu'à ce que je me retrouve face à lui et finisse par les entendre, les mots, cousus ensemble pour former un chant rassemblé autour de mon corps, chaud comme une peau de bête. Je ne connaissais pas la langue, mais le sens était assez clair. *Sois le bienvenu*, disait-il, *enfin. Nous t'attendions depuis si longtemps.*

« Le vieil homme me tendit les mains, et quand je posai les miennes dans les siennes, je sentis leur douceur sous les callosités. Elles me rappelaient les mains de mon père. Mais celles-là étaient vieilles, osseuses, avec des plis de peau tachetée qui formaient des rides aux poignets, rien de beau du tout, rien qui pût expliquer pourquoi je me sentis soudain si heureux.

« Elles m'agrippèrent avec une force à laquelle je ne m'attendais pas, et puis la pièce s'éclaira d'images : une foule d'hommes et de femmes au bord d'une rivière, déterrant des racines sous le soleil accablant, coupant des branches pour les tresser en paniers. Leurs corps maladifs courbés, leurs mains traçant des dessins imprimant dans l'air de petites lignes de lumière. Assis autour d'un feu de camp, ils chantaient les chants de prospérité, nourrissant les flammes de blé qui faisait des étincelles en brûlant.

« Peu à peu, je compris qu'il me montrait ce qu'avait été sa vie, et les vies de ceux qui étaient venus avant et avaient transmis leur pouvoir. Je sentis la douleur dans leur dos, l'exaltation comme des sabots de cheval martelant leurs poitrines quand un homme laissé pour mort ouvrait les yeux. Je compris que si je le décidais, cette vie-là serait mienne. »

Ma respiration s'accélère en l'écoutant. Apercevoir les parallèles, les différences de nos vies, m'exalte et me fait peur. Penser que Raven lui aussi a hérité d'un pouvoir.

Pourquoi alors est-il venu vers moi ?

Et je me prends à espérer.

Ah mon Américain, peut-être ai-je fini par trouver quelqu'un avec qui partager la vie de Maîtresse, ce beau, ce terrible fardeau.

« Je me tenais là, effrayé, ne sachant que faire, reprend Raven. Mais, peu à peu, je me calmai et remarquai que la peau autour de ses yeux était brune, plissée et tendre, comme l'écorce d'un arbre, que tout au fond de ses yeux brûlaient de petites flammes. Mon arrière-grand-père, pensai-je et les mots étaient comme un baume frais passé sur de la peau fiévreuse.

« Puis je les vis derrière sa tête, les autres visages qui se déroulaient en une enfilade de portraits jusque dans le mur, comme quand vous vous trouvez entre deux miroirs. Les visages changeaient, se superposaient au point qu'ils avaient et n'avaient pas les traits de mon arrière-grand-père, ou les miens. Puis il porta la main à sa poitrine et en sortit quelque chose. Son cœur, pensai-je, et pendant un instant je l'imaginai, horrifié, me le tendant, pourpre et sanguinolent, battant encore follement.

« Mais c'était un oiseau, un grand et bel oiseau, noir de charbon, luisant comme de l'huile, qui, immobile dans ses vieilles mains, me regardait de ses yeux globuleux et rouges. »

Il hoche la tête en réponse à la question que je n'ai pas posée. « Oui, un corbeau.

« Tout autour de moi, un son de tambours et les notes pleines, ténues d'une sorte de pipeau. Mon arrière-grand-père me tendit l'oiseau et je tendis moi aussi les mains pour le prendre. Je vis alors se dérouler d'autres scènes : moi en train de jouer au base-ball avec mes amis sur le terrain vague au coin de la rue, assis à table en train de faire mes devoirs avec mon père, au magasin avec ma mère, poussant le chariot de provisions pour qu'elle puisse payer à la caisse, son sourire étincelant comme des gouttes de rosée sous le soleil. Je savais que c'était ma vie que je voyais, celle que je devrais abandonner avant de choisir l'autre. L'odeur de fleur moite de l'haleine de ma mère quand elle m'embrassait sur le front se présenta à moi. Je sentis la peur dans ses doigts avant qu'elle ne m'ait laissé aller, et compris que si je décidais de suivre la voie de mon arrière-grand-père, les choses ne seraient plus jamais les mêmes entre nous. Mon cœur se brisa sous le poids de la terrible peine que je lui causerais, et soudain j'hésitai.

« Qu'aurais-je dû décider ? Je ne sais pas. Je me suis souvent repassé la scène dans mon esprit, essayant de voir, au-delà de ce qui arriva, ce qui aurait pu arriver. »

Il s'interrompt pour me regarder avec une brève lueur d'espoir dans les yeux. Mais je ne sais pas comment pénétrer dans le royaume des occasions perdues et dois à regret secouer la tête.

Son souffle est lourd, solide, entre nous. « Je ne cesse de me répéter, c'est le passé, n'y pensons plus. Mais vous n'ignorez pas qu'il est beaucoup plus facile d'être sage ici – il se touche la tête – que là. » Il pose la main sur sa poitrine puis la frotte d'un air absent, comme pour soulager une vieille blessure.

Raven, ce soir je mettrai sur le bord de ma fenêtre de l'*amritanjan*, baume brûlant, feu et glace. Qui te fera exsuder la douleur et ce qui est parfois pire, le souvenir de la douleur que nous autres, humains, ne semblons pas pouvoir empêcher de nous étreindre.

« Au moment de décider, reprend-il, voilà ce qui se passa. Du fond de la pièce ma mère dit, d'une voix douce mais insistante, la voix particulière qu'elle prenait quand j'étais sur le point de faire quelque chose de vraiment dangereux, *non*. Se peut-il qu'elle ait voulu se taire, car quand je me retournai pour regarder, elle avait une main sur sa bouche. Pourtant le mal était fait.

« Au son de sa voix, je me suis reculé instinctivement. Je ne fis qu'un petit pas en arrière, mais cela suffit. L'oiseau poussa un grand cri et prit son envol. Je sentis le souffle d'air que firent ses ailes. Il s'éleva tout droit. J'étais terrifié à l'idée qu'il pût s'écraser contre le plafond et se blesser, mais il le traversa comme s'il n'existait pas et disparut. Une seule plume retomba et atterrit dans mes mains. Je la touchai, c'était la plus douce des choses. Puis elle fondit dans ma paume, disparut.

« Quand je relevai les yeux, mon arrière-grand-père s'était affaissé. Deux ou trois hommes se précipitèrent, puis secouèrent la tête et l'allongèrent sur le dos. Ceux qui se pressaient autour de son lit poussèrent un gémissement ; moi, écrasé de culpabilité, je me taisais. Je me sentais perdu, je revoyais la bonté de son visage, et cette plume, comme de la soie, comme des cils dans ma paume.

« Ma mère m'entraînait vers la porte en disant allez, viens, nous devons partir. Je lui résistai. Effrayé que j'étais – car je ne doutais pas que c'était moi qui l'avais tué –, j'avais l'impression que je devais aller près du vieil homme et poser mes mains dans les siennes une dernière fois. Mais je n'étais pas de force à lutter contre l'énergie de ma mère. »

Raven me jette un regard aveugle. « Ce fut la première fois, dit-il, que je détestai vraiment ma mère. »

Je vois le souvenir de la haine dans ses yeux. Une émotion étrange, pas la haine outrée, enragée à laquelle on se serait attendu de la part d'un enfant, mais comme si en sortant d'un lac glacé dans lequel on l'aurait plongé, il avait posé sur toutes choses un regard nouveau, résolu et impitoyable.

« Je ne luttai plus ; je voyais bien que c'était inutile. J'attrapai son collier et tirai d'un coup sec. Il se cassa net et je m'attendais à ce que les gens se retournent pour regarder, mais bien sûr le bruit ne résonna si fort qu'à ma seule oreille. Ma mère en eut le souffle coupé et, haletante, porta la main à sa gorge. Les perles jaillirent en tous sens, rebondissant sur le sol et les murs avec de petits sons durs.

« Tu m'as fait blesser mon arrière-grand-père, dis-je. Il est mort à cause de nous. Puis je me tournai et me dirigeai vers la porte. Il y avait des perles sous mes chaussures, petites bosses lisses et glissantes. Je marchais lourdement avec l'intention de les écraser, mais elles se dérobaient et quand je jetai un regard en arrière, le sol sombre semblait jonché de larmes de glace.

« Le visage de ma mère avait frémi en m'entendant, et quand elle se fut ressaisie, je m'aperçus qu'il avait changé ; ses traits étaient plus lâches, comme si les muscles soudain fatigués avaient cessé de faire un effort. Une partie de moi, horrifiée, voulait arrêter, mais la partie nouvelle, la partie qui haïssait me poussait à continuer.

« Il allait me donner quelque chose de très particulier, repris-je, et tu l'en as empêché.

« Parfois je m'interroge. Si je n'avais pas dit cela, ma mère aurait-elle réagi autrement ? *Je n'avais pas l'intention de crier comme ça, mon chéri, ce fut plus fort que moi.*

Peut-être pas. Se mettre en colère est toujours plus facile que présenter des excuses, non ?

— Oui, dis-je, oui, pour nous tous.

— Mais elle dit, d'une voix si claire et maîtrisée que moi seul, qui la connaissais si bien, discernai le son mordant de la colère en dessous, il était mourant de toute façon. Nous n'avons rien fait. Je regrette seulement que tu te sois trouvé là quand c'est arrivé. J'ai commis une erreur. Je n'aurais jamais dû laisser cet idiot me persuader de revenir. Quant à ce quelque chose de si particulier, ne laisse pas toute cette comédie dans cette pièce te monter à la tête.

« Nous nous trouvions alors dehors, sous le porche où la plupart des gens s'étaient rassemblés. Les hommes aux cous épais portant des jeans raides de crasse buvaient à la bouteille, ou mangeaient des morceaux de beignets frits trempés dans une sauce sur des assiettes en papier. Les femmes étaient assises, massives comme des piliers, leurs hanches et leurs cuisses lourdes. Ce qu'ils pensèrent de la femme mince avec ses boutons de nacre et du garçon vêtu d'un complet-veston, ce qu'ils entendirent des reproches que nous nous jetions à la tête, leurs visages dénués d'expression le dissimulaient. Alors que nous passions, une des femmes leva le bord de sa robe pour essuyer le nez d'un enfant.

« Ma mère s'arrêta. Regarde, regarde bien, c'est de cela dont je t'éloigne, dit-elle, et je ne savais pas si elle désignait toute la scène, ou seulement cette jambe de femme non rasée, avec ses plis disgracieux de chair et de graisse, exposée de façon si indécente.

« Regarde, répéta ma mère, avec un dégoût manifeste. N'oublie pas. Voilà la vie que tu aurais si toi – ou moi – avions fait ce qu'il voulait.

« Puis nous nous retrouvâmes dans la voiture. »

Le soleil est bas sur le Pacifique, *gulab jamun* géant roux orangé que lèchent les vagues. Raven et moi enveloppons les reliefs de notre pique-nique. Je regarde son dos quand il jette les restes de pain aux mouettes, la raideur de ses épaules et de ses hanches, car laisser remonter toute cette histoire de là où il l'avait enfouie, lui redonnant, avec les mots, vie et pouvoir, l'a éprouvé. Je voudrais tant lui dire combien son histoire m'a peinée et m'a surprise, combien je suis honorée que ce soit à moi qu'il l'ait confiée ; comment, à l'écouter, j'ai pris une part de sa douleur dans mon propre cœur, pour la porter, la comprendre, et la guérir, j'espère. Mais je sens qu'il n'est pas prêt à entendre ce genre de choses.

D'ailleurs, il n'a pas encore terminé son histoire.

Raven se tourne vers moi avec un sourire décidé. « Assez parlé du passé », déclare-t-il comme s'il l'avait forcé à reprendre sa place dévolue, loin du présent. Comme si cela était possible. « Si nous allions jusqu'à la mer ? Nous avons juste le temps de faire une promenade le long de la plage avant de rentrer. Si vous voulez bien.

— Oui, dis-je, je veux bien. » Et au fond de moi, sous le chagrin et le désir de consoler – car tel est le paradoxe du cœur –, un espoir égoïste dont je suis à demi honteuse se fait jour : peut-être si je me concentre, si j'appelle, les serpents…

L'espoir qui n'est pas bâti sur la raison n'apporte que déception. C'est ce que dirait la Mère.

Mais je ne peux résister. Il y a quelque chose dans l'air, une sorte de grâce, les rayons de soleil dorés saturés de poussière déversent des dons immérités. Si jamais les serpents devaient me revenir, ce serait aujourd'hui.

Au tout dernier moment. Je les appellerai juste avant de repartir.

Nous marchons sur le sable froid et moucheté, nous le sentons s'enfoncer sous notre poids, sentons la façon dont il se moule autour de nos chevilles.

Ah océan, cela fait si longtemps. Chaque pas est un souvenir, comme marcher sur des os brisés. Comme dans ce vieux conte de la fille qui voulait devenir la meilleure danseuse du monde. Oui, dit la sorcière, mais chaque fois que tu poseras le pied sur la terre, tu sentiras des couteaux te taillader la chair. Si tu peux supporter la douleur, ton désir sera exaucé.

Première Mère, qui aurait cru que le goût de sel sur mes lèvres, alors que je marche aux côtés de l'homme qu'il m'est interdit d'aimer, réveillerait la nostalgie de cette époque plus simple où vous preniez toutes les décisions pour moi.

« Il est des moments dans nos vies, dit Raven, une personne telle que vous, vous n'ignorez sûrement pas cela, de très rares moments où la chance nous est donnée de réparer ce que nous avons abîmé dans notre fureur inconsciente. Un tel moment s'est présenté à moi autrefois, et je l'ai rejeté. »

Nous revenons sur nos pas, arpentons la plage en sens inverse. L'air marin est une drogue qui enflamme mes sens. Je sens tout avec une acuité affûtée de couteau : la façon dont les gouttes d'eau restent suspendues un instant dans l'air quand une vague se fracasse contre la falaise, les minuscules fleurs roses qui poussent dans les crevasses des rochers où l'on penserait que rien ne peut pousser, et, avant tout, l'âpre regret dans la voix de Raven quand il se laisse emporter par le ressac de la mémoire.

« Quelques minutes plus tard, sur le chemin du retour ce jour-là, la voiture s'est arrêtée à un feu rouge. Ma mère lâcha le volant pour se frotter les yeux d'un geste las. Je regardai la longue ligne de son cou penché, et sa gorge, si nue et si fragile, et une pensée me traversa : *Prends-la dans tes bras, appelle-la par ce nom magique de l'enfance, Maman, qui réconciliait tout autrefois. Nul besoin d'autres mots, d'excuses ou de reproches. Laisse la peau parler à la peau en enfouissant ton visage dans son cou, dans ce parfum que tu as toujours connu.*

« Mais quelque chose m'immobilisait sur mon siège et je restai impassible comme une pierre. Etait-ce le sentiment que nous éprouvons tous à un certain moment quand nous grandissons et comprenons que nous sommes des êtres séparés de nos parents, qu'il nous faut porter seuls nos propres vies, nos propres peines ? Ou s'agissait-il de quelque chose de plus simple, de dépit enfantin ? *Qu'elle souffre comme je souffre !* Et puis le feu changea et elle démarra. »

Je les vois dans la voiture, mère et fils, liés par ce lien du sang qui est le plus intime et sans doute le plus douloureux des liens. Je sens au fond de ma gorge la force blessante des mots endigués dans leur gorge. Je sais qu'il leur sera de plus en plus difficile, au fur et à mesure que la voiture parcourt les kilomètres qui les rapprochent de la maison, de les prononcer. Parce que chaque kilomètre parcouru les éloigne un peu plus l'un de l'autre, un peu plus de ce moment de grâce qui leur fut offert brièvement. Alors même que leurs souffles se mêlent, alors même que son coude effleure le sien quand elle change les vitesses. Jusqu'à ce que la distance s'étende trop entre eux et devienne infranchissable.

« A partir de ce jour, dit Raven, je suis devenu quelqu'un d'autre. Mon monde était sens dessus dessous comme un sac renversé, toutes les certitudes en avaient été secouées.

« Nous faisions quelque chose d'ordinaire – ma mère me conduisait chez le dentiste, ou nous choisissions dans un magasin des vêtements pour l'école –, je levais les yeux pour faire une remarque, et soudain le souvenir de cette chambre sombre tombait comme un voile sur mes yeux, changeant l'aspect de tout ce qui m'entourait. Je fixais d'un œil stupide le jean que je désirais depuis des mois, ou l'affiche sur le mur du dentiste qui disait VOUS N'ÊTES PAS OBLIGÉS DE BROSSER TOUTES VOS DENTS, SEULEMENT CELLES QUE VOUS VOULEZ GARDER, que j'avais trouvée si amusante lors de notre précédente visite. Et cela n'avait plus aucun sens. »

La peur me submerge comme une vague noire en écoutant Raven. Si fortuitement, une seule et unique expérience de cette vie de pouvoir a pu le démunir à ce point, que va-t-il m'arriver à moi ? Moi Tilo qui ai tout abandonné pour devenir Maîtresse. Comment le supporterais-je si les épices me quittaient ?

Et Tilo, en agissant comme tu l'as fait aujourd'hui, ne les pousses-tu pas justement à te quitter ?

Je veux arrêter Raven. Dire, cela suffit, ramenez-moi à l'épicerie. Mais je suis impliquée trop profondément dans son histoire. Et d'ailleurs, Haroun attend.

Demain, dis-je aux épices, m'efforçant de croire en ma promesse. A partir de demain, je serai obéissante.

Au-dessus de nos têtes, le cri des mouettes ressemble à un rire rauque.

« Ma mère aussi était devenue quelqu'un d'autre. Quelque chose s'est éteint en elle ce jour-là dans la voiture, une résolution, une énergie, qu'elle avait peut-être totalement épuisée en prononçant ce *non* fatal. Elle continuait à faire les mêmes choses – notre maison était toujours méticuleusement propre et soignée – mais pas avec la même conviction intense. Alors qu'auparavant elle aimait la musique – la radio était toujours allumée chez nous –, maintenant quand je rentrais de l'école, je la trouvais assise en silence près de la fenêtre, regardant le terrain vague de l'autre côté de la rue empli de hautes herbes qui oscillaient. Retourner dans cet endroit où sa vie avait commencé lui avait peut-être fait prendre conscience que, d'une certaine façon, elle ne s'en était jamais vraiment échappée, pas dans son cœur, qui est le seul endroit qui compte.

« Mais tout cela, je n'y ai pensé que bien plus tard. A cette époque-là, je notais les brefs moments d'égarement dans ses yeux avant qu'elle se mette en devoir de me préparer mon goûter, qu'elle redevienne une maîtresse de maison et une mère, et je pensais, *culpabilité*. Et avec la cruauté que seuls les enfants ressentent envers leur parents, je pensais *bien fait. Elle n'a que ce qu'elle mérite*. Et je réfléchissais à d'autres moyens de la punir encore plus.

« Un de ces moyens consistait à l'observer. A simplement rester assis et la regarder fixement alors qu'elle vaquait à ses tâches ménagères – épongeait le plancher, époussetait les meubles – mais là où auparavant dans ses mouvements, j'avais vu l'aisance naturelle pour laquelle je l'avais tant aimée, je ne voyais alors que l'effort contraint. L'effort pour être aussi différente que possible des femmes qu'elle avait laissées derrière elle, les femmes aux cheveux gras avec une tripotée de gosses pleurnichards accrochés à leurs robes défraîchies. Des femmes qui avaient perdu le contrôle de leurs corps et de leurs vies alors qu'elle était décidée à ne jamais faire pareil. Je prétendais faire mes devoirs tout en l'observant tandis qu'elle aidait mon père à faire les comptes, ses doigts agiles sur la calculatrice. Je m'asseyais dans un coin de la pièce avec un livre et la regardais verser le thé dans des tasses assorties à sa théière pour ses amies de la paroisse, leur offrir des biscuits faits à la maison comme si elle n'avait fait que ça toute sa vie. Et pendant tout ce temps, j'attendais que le masque glisse, que les muscles se relâchent, que ses traits se ternissent. Mais évidemment, cela n'arriva jamais.

« Je me rendais compte pourtant que cela la mettait mal à l'aise. Si nous étions seuls, elle disait, qu'est-ce que tu as, tu n'as rien de mieux à faire ? Et quand je secouais la tête, ses yeux s'assombrissaient – de culpabilité, je pensais à nouveau, bien que maintenant il m'arrive de penser qu'il n'y avait là peut-être que de l'impuissance – et souvent elle quittait la pièce. Si d'autres personnes étaient présentes, elle m'adressait un coup d'œil silencieux, m'implorant *s'il te plaît, va-t'en* et comme je lui renvoyais un regard indifférent et ne bougeais pas, elle se troublait si bien qu'elle se trompait parfois dans ses calculs ou renversait du thé.

« Ses amies disaient, quel garçon tranquille et poli vous avez, Celestina, comme vous avez de la chance, j'aimerais bien que le mien soit comme ça. Et moi je baissais la tête modestement devant elles avec un sourire tranquille et poli mais sous mes cils je la regardais, elle, à la dérobée. Je savais qu'elle savait que je lui demandais silencieusement *Que diraient tes amies si elles découvraient d'où tu viens, qui tu es réellement ? Que penserait Papa ?* »

Raven m'adresse un sourire lugubre. « Avec votre culture indienne, il vous est probablement difficile de concevoir que l'on puisse se conduire ainsi avec ses parents. »

Je souris à cette ironie. Mon Américain, comme tu as une conception romantique de mon pays et de mon peuple. Et surtout de moi, qui n'ai jamais été une fille dévouée, ni envers mes parents de sang, ni envers la Vieille. Moi qui n'ai causé que des ennuis partout où je suis allée. Viendra-t-il le jour où je pourrai te raconter cela ?

« La culture indienne n'est pas tout à fait comme vous vous la représentez, dis-je avec un petit air pincé.

— Mais dites-moi la vérité – vous ne trouvez pas que j'ai dû être un garçon insupportable, déplorable, contre-nature ? Oui, c'est vrai, je l'étais. »

J'ai envie de répondre, ce n'est pas mon rôle de vous juger, ni mon désir. En tant que Maîtresse des Epices, je ne le dois pas. En tant que femme tout aussi imparfaite que vous, je ne le peux pas. D'ailleurs, vous vous êtes jugé vous-même déjà, vous n'avez cessé de juger toutes ces années.

Mais je ne peux que poser ma main sur son bras et dire : « Raven, vous êtes trop dur avec vous-même. »

Il hausse les épaules et je vois qu'il s'est persuadé du contraire.

« Ma mère était une femme réservée, reprend-il, qui ne faisait pas d'éclats, mais de temps à autre, j'arrivais à lui faire perdre patience. Je ressentais une satisfaction amère quand elle commençait à me réprimander, tranquillement au début, puis sa voix devenait plus forte quand je prenais mon expression d'indifférence, et elle finissait par se mettre à crier. *Je ne sais pas pourquoi tu te comportes ainsi, je ne sais plus que faire de toi !* Elle s'arrêtait toujours avant de dire quelque chose de vraiment cruel – et même alors, je ne pouvais m'empêcher de l'admirer pour ça. Je me rendais à la salle de bains et m'examinais attentivement dans le miroir. Je passais mes doigts dans mes cheveux, qui semblaient chaque jour plus grossiers. Touchais les os saillants de mon visage. Je crachais les mots qui sûrement avaient été au fond de son esprit pendant tout ce temps-là : *Que peut-on espérer d'autre de toi, toi, vaurien d'Indien !* »

Tant d'années ont passé, et j'entends encore dans sa voix la lie de cette amertume, la haine de soi qui sûrement est la plus douloureuse de toutes les haines.

Je lui demande : « Mais pourquoi aviez-vous l'impression qu'elle pensait ça ? D'après ce que vous m'avez raconté, elle ne semble pas du genre à…

— Hum, moi aussi j'ai parfois cru cela. Un vieux souvenir se présentait à moi, un jour pluvieux où j'étais pelotonné sous la couette tandis qu'elle lisait à haute voix, ou quand j'avais été malade et qu'elle me veillait toute la nuit en tenant un sac de glace sur mon front. Je me disais que j'avais tort, que j'exagérais. Puis je me souvenais de ce jour en face de la baraque de planches qui sentait les couvertures sales et les couches souillées. Je me souvenais du dégoût dans sa voix quand elle m'avait dit de bien regarder. Du dégoût pour les hommes qui mangeaient leur pain frit avec la sauce qui dégoulinait le long de leur menton, les femmes qui renversaient la tête avec l'aisance que donne l'habitude de boire à la bouteille. Mais aussi du dégoût pour elle-même, pour la partie qu'elle tenait d'eux et existerait toujours, quoi qu'elle fît pour le cacher.

« Et si elle se détestait elle-même à ce point, pensais-je, quelle chance avais-je moi ?

« Si nous avions pu parler de cette journée juste une fois, si nous avions pu en débattre ouvertement, les choses seraient peut-être rentrées dans l'ordre. Mais elle ne pouvait pas. Son passé était trop profondément enfoui en elle, fiché comme une pointe de flèche brisée. Vous vivez en la portant soigneusement, mais vous n'y touchez jamais, parce que ça pourrait la remettre en mouvement, et cette fois-là elle vous transpercerait le cœur.

« Je comprends cela maintenant, mais j'étais jeune alors, et c'était elle l'adulte, celle dont j'avais toujours dépendu. Ainsi j'attendais qu'elle fasse le premier pas. Attendais et attendais, arrogant, honteux et hargneux, et puis ce fut trop tard. »

Je l'observe dans les dernières lueurs du soir quand il s'arrête pour regarder la mer au loin, plissant ses yeux éblouis par l'éclat doré. Le chemin a été long entre ce bout de miroir de la salle de bain et l'océan qui s'étale offert au ciel. Il se tient avec une telle assurance que personne en le regardant ne penserait à lui appliquer tous ces vieux adjectifs *arrogant, honteux, hargneux*. Pourtant quelque part au fond de lui, ils sont encore enchâssés, et il me faut les trouver pour les arracher.

Mais je ne le peux pas avant qu'il m'ait confié toute sa douleur. Et il me faut, à contrecœur, pénétrer plus avant.

« Quoi d'autre, Raven, quoi d'autre vous a mis dans une telle colère ? »

Pendant un instant il ne répond pas, et je pense qu'il va se dérober. Puis il dit, si bas que je dois tendre l'oreille pour entendre : « L'oiseau ».

« Oui, ce bel oiseau noir dont je m'étais écarté quand ma mère cria *non*, et qui disparut dans le ciel avec ses yeux de rubis tristes, son cri plus qu'humain. J'en rêvais de temps en temps, et quand je m'éveillais, ma paume me picotait là où la plume avait fondu. Et je me souvenais du sentiment que j'avais éprouvé quand mon arrière-grand-père me tenait la main.

« J'étais alors très en colère contre ma mère, mais à la façon des enfants, je m'incluais moi-même dans cette colère. Je me répétais que c'était par sa faute que j'avais perdu l'oiseau et tout ce qu'il aurait pu m'apporter. L'instant d'après, je me reprochais de ne pas avoir eu assez de présence d'esprit pour *agir*. Pourquoi ne l'avais-je pas attrapé, pourquoi n'avais-je pas crié un *oui* pour contrecarrer son *non* ? Et alors je pensais au pouvoir que j'avais senti un instant près de ce lit, une stupéfiante bouffée de chaleur comme si soudain, sans bien savoir ce que vous faites, vous ouvriez la porte d'un fourneau. J'avais l'impression – mais je n'avais pas les mots pour l'expliquer à personne, pas même à moi-même – que ce pouvoir valait tout ce que ma mère avait montré du doigt avec une telle répugnance. C'était une vérité plus réelle que le sordide et la saleté, la pauvreté et l'alcool. Elle le savait, me disais-je, et pourtant elle l'avait éloigné de telle façon qu'il était perdu à jamais pour moi.

« A ces moments-là, je faisais des bêtises.

« J'ai commencé à manquer l'école et à traîner avec une bande de mauvais garçons. Je pris part à des bagarres et découvris que j'aimais ça – le sentiment de mettre toute ma force dans mon poing, le son mat de la chair qui cède ; l'odeur du sang qui ne ressemble à aucune autre, la douleur dans mes mains qui me faisait oublier pendant un temps cette autre douleur à l'intérieur de moi.

« Ma mère était convoquée chez le proviseur. Elle écoutait en silence et par la suite, dans la voiture, une fois sortis du parking de l'école, elle se prenait le visage dans les mains et disait – elle avait arrêté de crier quand elle s'était rendu compte que je voulais qu'elle crie – *je ne peux plus supporter ça toute seule. Je vais devoir le dire à ton père.* Mais elle ne lui dit jamais rien.

— Votre père, dis-je en me souvenant de l'homme tranquille aux mains comme une forêt. Comment réagissait-il à tout cela ? »

Nous étions presque arrivés au bout de la plage, l'eau dorée se rassemblait autour d'affleurements de roche noire. Le cri plaintif de corne de brume des phoques emplissait l'air. Raven soupira et reprit :

« Mon père fut celui qui souffrit le plus de cette guerre silencieuse entre ma mère et moi. Quand il était à la maison, nous prenions bien garde de nous montrer aimables l'un envers l'autre – c'était là notre pacte tacite, la seule chose qui nous restait en commun, notre amour pour lui. Nous parlions normalement, nous souriions, nous faisions nos tâches ensemble, nous nous querellions même comme nous en avions l'habitude. Mais il n'était pas dupe. C'était comme s'il entendait les mots de haine silencieuse que je lui lançais, le moindre d'entre eux. Ils l'atteignaient de plein fouet jusqu'à ce qu'il en ait le cœur totalement transpercé, criblé de trous. Il faisait son travail quotidien, homme-passoire, tout le désir de vivre s'écoulant de lui.

« Le plus triste était qu'il essayait de toutes ses forces de nous rendre heureux. Il choisissait des endroits où nous emmener pendant le week-end, une promenade en bateau sur le lac, le rodéo à Cow Palace. Le cinéma. Nous étions dans son camion, tous les trois serrés l'un contre l'autre, ma mère avec ses jolis habits assise entre ses deux hommes, comme elle nous appelait. Les gens que nous croisions sur la route devaient penser que nous formions une famille idéale. Mon père faisait une plaisanterie, assez mauvaise en général – les plaisanteries n'étaient pas son fort – et nous riions tous les deux très fort, plus fort que la plaisanterie ne le méritait, plus fort que nous n'aurions ri avant. Nous étions là dans le camion tout résonnant de notre faux rire. Papa nous regardait, et il y avait dans ses yeux un tel chagrin inexprimé, j'avais l'impression que je pourrais m'y noyer. Mais comment pouvais-je lui dire ce qui me déchirait sans trahir ma mère ? Et peu importait que la fureur qu'elle m'inspirait fût si forte, je ne pouvais pas faire cela.

« Puis le temps nous prit de vitesse.

« Je me souviens de cet après-midi comme si c'était hier. Je suis rentré de l'école ; Maman avait préparé des brownies. J'adorais les brownies. Je les réclamais tout le temps quand j'étais petit. Mais ce jour-là, cela ne fit qu'augmenter ma colère. Que croyait-elle, qu'elle pouvait se faire pardonner d'avoir bouleversé ma vie en confectionnant une fournée de brownies ? Je n'en mangeai pas un seul, pourtant j'étais affamé. Je me préparai un sandwich, me versai un verre de lait et montai dans ma chambre. J'avalai le sandwich, bus le lait, et me couchai sur mon lit en m'apitoyant sur mon sort. La maison sentait le chocolat, et mon estomac se soulevait. Je ne prêtai pas attention quand le téléphone sonna. Je pensais que j'aimerais m'enfuir de la maison, à la grande peine que cela lui causerait. Puis elle frappa à ma porte. Je l'ouvris, prêt à dire quelque chose de blessant.

« Elle se tenait devant moi, les clefs de la voiture à la main.

« Il faut que nous allions à l'hôpital, dit-elle, le visage décomposé. Quelque chose a explosé à la raffinerie.

« Nous tombâmes dans les bras l'un de l'autre, tous les deux tremblants un peu. Malgré la peur qui attisait le sang dans mes veines et me faisait tourner la tête, je me souviens que j'attendais que cela se produise, comme dans un film. La tragédie qui nous réconcilierait. Mais cela ne se produisit pas. Ni à ce moment-là, ni plus tard quand nous fûmes assis près du lit où il gisait immobile, emmailloté dans ses pansements, bourré de tous les anti-douleurs imaginables, car les médecins ne pouvaient rien faire d'autre pour lui. Il devait souffrir, parce qu'il sursautait chaque fois qu'il inspirait. Mais quand il est mort quelques heures plus tard, ce fut tranquillement, la respiration s'arrêta seulement – c'est ainsi que les âmes bénies meurent, j'ai lu ça par la suite dans un texte bouddhiste. Sa mort ressembla à sa vie, ses proches ignorant même vraiment à quel point il souffrait.

« Quand Mère comprit qu'il était mort, elle se mit à pleurer, des sanglots laids, convulsifs qui secouaient tout son corps. Elle pleurait comme si sa propre vie avait pris fin, et en un certain sens, c'était vrai. Parce que la seule personne proche d'elle qui croyait au moi qu'elle avait créé avec un si grand soin était partie.

« Je repoussai à plus tard ma propre émotion – je n'avais pas vraiment cru à sa mort – et je me dis que je m'en occuperais quand je serai seul. Pour le moment, je devais m'occuper de ma mère. Je l'entourai de mon bras et essayai de sentir ce qu'elle devait sentir pour savoir comment m'y prendre pour la consoler. Et vous savez quoi ? »

Je crains de regarder ses yeux orageux.

« Je ne sentis rien. Rien. J'étais là, tenant ma mère veuve en larmes, sachant tout ce que j'aurais dû ressentir, pitié, remords, sentiment de protection et amour – oui, cela surtout – et je ne ressentis aucune de ces émotions. Je la tenais parce que c'était ce qu'on est supposé faire, mais en moi-même, je ne me sentais pas concerné, j'étais complètement détaché, comme si quelqu'un avait pris une cisaille géante et coupé tous les liens entre elle et moi – non, entre toute la race humaine et moi.

— C'était l'effet du choc », dis-je. Mon ton manque de conviction même à mes propres oreilles.

« Si c'est le cas, cela ne s'effaça pas dans les semaines, ni les mois qui suivirent, ni quand je partis à l'université. Parfois, j'ai encore ce sentiment. » Et il se frotte à nouveau la poitrine, mon Américain, les yeux vides comme des trous forés dans le ciel de la nuit. « Savez-vous, Tilo, ce qu'il y a de plus triste au monde ? C'est de tenir quelqu'un que vous avez aimé si fort que la seule pensée d'elle vous traversait la tête comme un éclair de lumière, et de sentir – non, non, pas de la haine, même ça c'est quelque chose – mais ce froid immense qui enfle en vous tel un ballon ; vous savez que vous pouvez laisser votre bras autour d'elle ou bien l'enlever et partir, cela ne ferait aucune différence.

« Oh Raven », dis-je, et impulsivement je me tourne vers le garçon qu'il fut pour déposer un baiser de compassion sur sa joue. Car il me semble qu'il dit juste, que ce doit être la pire chose au monde. Bien qu'en vérité je ne le sache pas, moi qui ai si souvent quitté l'ancien pour le nouveau, me souciant peu de ce que je laissais derrière. Moi qui en étais venue à croire que les chambres vides et sonores du cœur font partie intégrante de la condition humaine au même titre que le désir de les remplir.

Jusqu'à maintenant.

Alors que je pense cela, je sens ma poitrine comme écrasée entre les rouleaux que les lingères utilisent pour tordre le linge. Pour la première fois, j'admets que je me donne à l'amour. Non pas à l'adoration que j'avais pour la Vieille, ou le respect craintif que je ressentais pour les épices. Mais à l'amour humain, tout embrouillé, tout ensemble don et demande, bouderie et ardeur. Cela m'effraie, le danger que cela recèle.

Et je comprends que le danger réside non pas dans ce que j'ai toujours craint, la colère des épices, leur désertion. Le vrai danger est que je vais d'une façon ou d'une autre perdre cet amour. Et alors comment vais-je le supporter, moi Tilo qui apprends que je ne suis pas aussi invulnérable que je me l'imaginais autrefois ?

Je veux m'éloigner de Raven pour réfléchir à cela, et soudain ce n'est pas sa joue mais ses lèvres qui sont contre les miennes, et ce n'est pas le garçon mais l'homme qui m'entoure de ses bras, et ce n'est pas un baiser de compassion mais un baiser de désir mutuel. Nous nous embrassons là sous les derniers feux de l'océan avant que la nuit ne tombe sur nous ; mon premier baiser, sa langue câline, douce et dure dans ma bouche me surprend (est-ce ainsi que font les gens ?), mon estomac s'élevant et s'abaissant comme si, marchant à toute vitesse, j'avais rencontré un trou profond dans la chaussée. Jusqu'à ce que j'oublie que j'ai honte de ce corps et désire comme n'importe quelle femme, oui, que cela ne cesse jamais.

Puis j'entends un rire. Qui carillonne ses notes claires et impitoyables ; une sonnette de dérision me rappelant à moi-même.

Je n'ai pas besoin de regarder, je sais d'où il vient.

*

Oui, deux d'entre elles, l'une s'appuyant légèrement sur le bras de son cavalier, l'autre sortant d'une voiture noire, basse et luisante, avec un éclat d'or sur ses enjoliveurs, ses longues jambes gainées de bas soyeux. Tout argent et diamanté, ces filles-bougainvillées, secouant leurs boucles, fleurant des odeurs dont les noms voltigent dans l'atmosphère qui s'assombrit jusqu'à moi. Obsession. Poison. Giorgio Rouge. Des robes qui laissent le dos nu et tiennent par magie, une longue fente qui remonte jusqu'à la cuisse. Velours épais, couleur crème. Leurs corps d'un brun doré, vrombissants comme un moteur de voiture, parés pour l'aventure, prêts à couvrir de longues distances.

Que font-elles ici, ces filles qui la dernière fois que je les ai vues, achetaient du safran et des pistaches ?

« La nourriture n'est pas si grandiose, déclare l'une d'elles, mais j'aime la vue. »

C'est alors que je remarque pour la première fois le restaurant dans le rocher de la couleur du rocher, la discrète enseigne gravée, la porte de verre étincelant menant à d'autres portes de verre étincelant, et au-delà, l'océan offert sur un plateau d'or.

« Oui, la vue », répond l'autre femme, et elle me regarde un instant sous ses cils fumeux. Ses lèvres sont couleur d'airelle et brillent. Se recourbent en une sorte de sourire.

Je me rends compte que je suis toujours dans les bras de Raven, et je me dégage avec peine.

Son cavalier, un Blanc, murmure quelque chose.

La femme n'est pas aussi discrète. « Certaines personnes… dit-elle. Je suppose que tous les goûts sont dans la nature. » Son coup d'œil balaie Raven maintenant.

Quelque chose de chaud se met à palpiter derrière mes yeux, petites explosions de rouge. La seconde femme rit à nouveau, s'appuyant sur son homme, le bras de celui-ci autour de sa taille mince dans son étau de lamé. Je vois avec fureur la ligne gracieuse du cou, les seins. « Vous savez ce que c'est, les gens sont excités par toutes sortes de bizarreries.

— Et cette robe, continue son amie, tu as vu cette robe ?

— C'est pathétique, non, reprend la première, ce que certaines femmes font pour paraître jeunes. »

Les yeux de l'homme, ennuyés, comme s'il en avait vu d'autres, glissent sur nous. Comme si ça ne valait pas la peine de s'attarder. « On ferait mieux de se dépêcher, dit-il, si nous voulons arriver au théâtre à l'heure. »

La porte du restaurant se referme derrière eux.

En moi quelque chose martèle, je le sens qui se fraie un chemin le long de mon corps par vagues en partant de mes plantes de pieds. Couleur de boue en fusion.

Je laisse passer. D'un instant à l'autre, cela va se déverser de ma bouche sous forme de vieilles formules (où les ai-je apprises ?), ébouillantant les filles-bougainvillées jusqu'à les rendre méconnaissables.

Mais.

« Ne faites pas attention à elles, dit Raven. Elles ne comptent pas. » Il m'agrippe d'une main énergique au-dessus du coude comme s'il savait ce que j'avais l'intention de faire. « Très chère, dit-il d'une voix pressante. Elles ne vous connaissent pas, elles ne savent pas qui vous êtes vraiment. Elles ne nous comprennent pas. Ne les laissez pas gâcher notre soirée. » Il me tient fermement jusqu'à ce que le martèlement s'apaise.

Mais la soirée est gâchée. Nous rejoignons la voiture en silence, et quand Raven essaie de passer son bras autour de mon épaule, je recule. Il n'essaie pas une seconde fois. Ni ne reprend son histoire. En silence, nous retraversons le pont, et quand je regarde en arrière, le brouillard a terni les lumières de la Cité qui clignotent comme des mouches à feu agonisantes.

Raven arrête la voiture en face de chez Haroun, laissant le moteur tourner à bas régime un instant. Je lui adresse un bref « merci » et rien d'autre, il dit alors : « Je viendrai demain.

— Je serai occupée. » Je descends, raide et maladroite et consciente que je le suis, furieuse au souvenir du balancement doré des jeunes jambes vêtues de nylon.

« Le jour d'après, alors.

— Je serai occupée ce jour-là aussi. » Tilo ingrate, dit une voix dans le tumulte de ma tête. Qu'a-t-il fait ?

« Je viendrai de toute façon, déclare-t-il. Donnez-moi votre main. »

Comme je ne bouge pas, il la prend et dépose un baiser sur la paume. Replie mes doigts dessus. « Ma chère Tilo. » Il y a de la tendresse dans sa voix mais une pointe d'amusement aussi. « Et moi qui croyais que vous étiez la plus sage de nous deux. »

Tout en gravissant l'escalier, je garde la forme chaude de ses lèvres dans ma main repliée. Je souris presque.

Puis je me souviens que les filles-bougainvillées m'ont pris autre chose encore et la colère m'envahit de nouveau tout entière.

Les serpents. Ma seule chance de les voir.

Piment rouge

La porte de l'appartement de Haroun est friable comme une cosse de pois sous mes doigts. Vide comme une coquille abandonnée. Avant même que j'aie fini de cogner, je sais qu'il n'y a personne.

Où peut-il être ? L'ai-je raté cette fois encore ? Pourtant, je ne suis pas en retard. Peut-être fait-il *namaaz* et il ne répondra pas avant d'avoir terminé sa prière.

J'attends un peu, essaie de nouveau. D'abord des coups polis et mesurés, respectueux des voisins. Puis je frappe de grands coups sur la porte avec le plat de ma paume, sentant le bruit mat du bois qui vibre contre mes os, en criant son nom.

Derrière moi elle se tient sur le seuil de sa porte ouverte, auréolée par la lumière, et dit d'une voix douce : « Aujourd'hui, il est pas encore rentré. Pourquoi vous venez pas chez moi prendre un peu de *chaî* chaud en attendant son retour ? »

Ses yeux sont grands et clairs comme un lac par une nuit de lune, ses pommettes taillées dans la plus tendre des pierres de savon. Comment se fait-il que je ne l'aie pas remarqué plus tôt ?

Mais une question que je ne peux pas ignorer, comme une volée de coups, me martèle le corps. Pourquoi est-il en retard, en retard, aujourd'hui, justement aujourd'hui ?

« Venez, *khala,* je suis seule à la maison.

— C'est très gentil à vous, dis-je entre mes lèvres sèches, un goût de cendres dans la bouche, mais il vaut mieux que je l'attende ici.

— Excusez-moi une minute alors », dit-elle.

Elle revient avec un verre en inox fumant enveloppé dans un torchon brodé. Des grappes de raisin pourpres, des feuilles d'un vert soyeux. Malgré mon tourment, je remarque les petits points soignés.

Je bois le thé. Il est fort, épicé au clou de girofle. Cela me donne du courage, rend l'attente un peu plus légère.

La femme – elle s'appelle Hamîdâ – demande si elle peut s'asseoir avec moi. Elle a un peu de temps devant elle. Shamsur a emmené Latifa acheter un cadeau d'anniversaire. Ils lui ont demandé de venir avec eux, mais elle avait des choses à faire à la maison. D'ailleurs, c'est mieux qu'ils soient partis sans elle. Elle trouve que Shamsur achète toujours à la petite fille des choses trop chères, et alors ils se disputent au beau milieu du magasin.

Je suis contente de sa compagnie, de la façon spontanée dont elle engage la conversation, dont elle bouge joliment les mains en parlant. Le bruit d'eau de ses bracelets. Le surlendemain, c'est l'anniversaire de Latifa, elle aura six ans, ils feront une petite fête, deux ou trois enfants de la classe de Latifa, quelques voisins indiens. Haroun aussi, mais il est très comme-il-faut, très timide, il déposera probablement un cadeau avant. Elle enverra Latifa avec une assiette de nourriture après.

« Il est si timide avec les femmes, il me parle à peine. Quand nous nous croisons dans l'escalier, il dit seulement *salaam alekum* et se dépêche de descendre, il me regarde pas dans les yeux, il attend pas ma réponse. »

Voilà un autre aspect de Haroun que je découvre.

« Je crois il se rend pas compte qu'il est beau. Qui sait, peut-être, il s'en moque. Ses cheveux lui tombent toujours un peu sur le front. Si seulement il faisait un petit effort, il pourrait... »

J'entends dans la voix de Hamîdâ quelque chose de dangereux qui, s'il n'est pas contrôlé, causera la rupture d'un foyer.

Je lui demande d'un ton sévère : « Et votre mari, il aime Haroun aussi ?

— *Khala !* » Une rougeur embrase son visage à la pensée de ce que j'ai pu présumer, mais dans sa voix il y a aussi un petit rire. « Shamsur n'est pas mon mari, c'est mon frère.

— Où est votre mari alors ? »

Elle baisse les yeux. La douleur tombe tel un voile sur ses traits.

Je regrette ce que j'ai dit, moi Tilo qui ne sais que cancaner comme une commère de village.

« Je suis indiscrète, je m'empresse de lui dire. Ce *chaî* est très bon. Quelles épices avez-vous mises ?

— Non, non, reprend Hamîdâ. Ça ne fait rien. Avec vous, j'ai pas honte de raconter, je sais pas pourquoi. L'homme qui était mon mari, il y a de cela un an et demi en Inde, il m'a répudiée. Parce que je ne lui ai pas donné de fils. Et puis il avait remarqué une autre fille, plus jeune et plus jolie. Et son père possédait une grande entreprise de chaussures dans notre ville. Que pouvait-il trouver de mieux ? » Sa voix sombre un instant dans l'amertume.

« Mais, à vrai dire, j'ai plus de chance que la plupart des autres femmes à qui ça arrive parce que j'ai un frère si bon. Shamsur, quand il entend ce qui arrive, il prend un mois libre à son travail pour cause Urgence familiale. A l'époque, il est premier chef au Mumtaj Palace. Vous connaissez le Mumtaj Palace ? Un très bon restaurant, il m'a emmené, Latifa et moi, y manger trois ou quatre fois. Donc, il vient en Inde et fait beaucoup de tapage jusqu'à ce qu'il m'arrange un bon divorce, met l'argent de la pension sur un compte d'épargne à mon nom, puis il obtient un visa temporaire pour moi pour le visiter ici.

Quand j'arrive ici, il dit *Bahen*, pourquoi tu restes pas avec moi et tu vas pas à l'université, tu trouves un bon travail, tu te débrouilles toute seule. Ici personne n'insultera ta Latifa parce que son père l'a mise à la porte de sa maison, personne dira d'elle qu'elle a le mauvais œil.

« J'ai un peu peur de ce nouveau pays, mais je finis par dire oui. Et maintenant je vais au cours gratuit d'anglais pour adultes pour apprendre à lire et écrire l'américain.

« Peut-être après je vais étudier l'informatique à l'université, pourquoi pas ? »

Je répète « Pourquoi pas ? », et en regardant son visage rayonnant, mon cœur s'allège un peu.

« Vous savez, *khala*, ce qu'ils disent est vrai. Allah aide ceux qui font du bien aux autres. Le patron de Shamsur va ouvrir un autre restaurant bien plus grand, alors il a nommé Shamsur directeur de celui qui existe. Maintenant on a assez d'argent pour vivre dans un plus grand appartement mais j'ai dit *Bhaîjaan*, on n'a pas besoin de plus de luxe, ici avec de si gentils voisins, ça nous suffit. »

Je vois le rouge envahir sa gorge tandis qu'elle parle. Ses yeux se posent sans le vouloir sur la porte de Haroun. Et de tout mon cœur, je fais des vœux pour eux deux, les mêmes vœux qu'elle.

Il est tard et il fait froid maintenant, j'ai perdu la notion du temps. Mes jambes sont engourdies à force de rester assise sur le bois nu de l'escalier. Shamsur et Latifa sont rentrés depuis longtemps, et Hamîdâ est allée leur servir à dîner. Elle est revenue avec de la nourriture pour moi, mais je n'ai rien pu avaler tant la crainte me serrait la gorge.

Haroun, où es-tu ?

« S'il vous plaît, *khala,* venez vous asseoir sur le sofa. Vous allez attraper *jukham* à rester ici dehors. Je vais laisser la porte ouverte, comme ça vous l'entendrez dès qu'il arrivera.

— Non, Hamîdâ, il faut que je reste ici. »

Je ne lui ai pas dit que j'espérais que ma douleur serait une sorte d'expiation, une protection pour Haroun. Mais peut-être le comprit-elle, car elle n'insista pas. Elle ajouta seulement : « Cognez si vous avez besoin de quelque chose. J'ai le sommeil léger. »

Les sons invisibles de la nuit ne me sont pas inconnus. Mais, ce soir, ils ont une intensité étrange, une résonance particulière, menaçante. Les pas claquent comme frappés sur une enclume ardente sur le trottoir qui semble voler en éclats. Les sirènes forent ma boîte crânienne avec un mouvement de vrille. Un cri (homme ou animal ?) déchire l'air et se plante en moi, tel un couteau. Même les étoiles brillent de façon irrégulière, semblables à des cœurs en cavale.

Des pas pesants sur les marches de l'escalier, comme ceux d'un éléphant fou butant contre un tas de pierres, me blessent l'oreille. Cela me fait penser à un homme que j'ai vu autrefois dans mon village, dans cette autre vie, il y a longtemps, se cogner contre un mur, la bouteille s'échappant de sa main. Les éclats de verre brun, le pétillement de la mousse, l'odeur fermentée jaune se déversant dans la rue, noircissant le sol.

Haroun. Il est ivre.

Je suis étourdie de colère et de soulagement, les reproches se forment déjà. *Vous vous rendez compte du souci que je me suis fait ? Vous avez vu l'heure, vous n'avez pas honte ? Ça fait des heures que je suis assise dans le froid, c'est pour ça que j'ai perdu mon temps ? Je n'aurais jamais cru cela de vous, vous un bon musulman.* En imagination, je me vois déjà lui préparer du café amer en laissant infuser les grains avec des amandes pour lui éclaircir la tête et le cœur.

A ce moment-là, il débouche sur le palier du dessous et je vois son visage.

Les croûtes sur son front. D'un rouge profond comme des grenats.

Son sang.

Au premier coup que je frappe sur la porte, Hamîdâ ouvre si vite qu'elle devait attendre elle aussi. Elle me regarde, puis regarde derrière moi là où Haroun s'est effondré recroquevillé sur l'escalier tel un manteau qu'on a laissé tomber, étouffe un cri, *Allah, non*, court chercher un tissu et de l'eau chaude. Réveille son frère. Plus efficace que moi, elle détache les clefs du poing de Haroun. Ouvre sa porte pour que nous puissions le transporter dans sa chambre de célibataire ordonné, aux murs blanchis et vides à part deux portraits accrochés là où il peut les voir dès son réveil. Un passage du Coran en urdû dans une luxuriante graphie incurvée, et une Lamborghini argent.

O mon Haroun.

« *Khala*, pas le moment de pleurer, dit Hamîdâ, cette jeune femme mince beaucoup plus forte que je ne le pensais. Tenez sa tête comme ça. Et toi, *bhaîjaan*, va téléphoner.

— Hôpital ? demande Shamsur, un homme légèrement voûté aux yeux doux encore embués de sommeil et de surprise.

— Non, non, qui sait ce qu'ils diront : Appelez la police, toutes sortes de *jhamela.* Il ne voudrait peut-être pas ça. Appelle plutôt Rahman-*saab.* »

Le temps semble avoir sauté une mesure, ou est-ce mon esprit, car Rahman-*saab* est déjà là, petit homme pimpant, avec une moustache, vêtu d'une robe de chambre de velours marron et chaussé de pantoufles assorties, muni d'une trousse de médecin d'un cuir noir usagé, qui m'explique qu'il était chirurgien à Lahore, hôpital militaire, avant de venir dans ce pays. « Je pense je serai grand docteur à l'étranger », dit-il tout en examinant adroitement la blessure à la tête que Hamîdâ a nettoyée. « Mais autorités disent, passez cet examen, et celui-là, et celui-là, et aussi examen oral. Dans salle examen, moi pas comprendre leur accent américain, alors maintenant j'ai pompe à essence. Qui peut dire c'est mieux ou pire ? »

Il fait une piqûre à Haroun, attend que l'anesthésique agisse, que les gémissements s'arrêtent.

« Mais faire le docteur j'aime encore, alors j'aide mes amis en difficulté. Les choses que je vois, les choses que je dois faire ! Heureusement pas difficile trouver des médicaments au marché noir. » Il fait une grimace en recousant la coupure, fait deux autres piqûres, explique à Hamîdâ les cachets à donner, empoche discrètement les billets que Shamsur lui a tendus. « Bon pour eux et bon pour moi, non ? Pas trop s'inquiéter pour ce beau jeune homme. Le *kismet* a été bon pour lui cette fois. Mais prochaine fois, qui sait ? On dirait ils se servent une barre en fer. Le crâne aurait pu éclater comme coquille d'escargot. Appelez-moi si fièvre monte plus que quarante. »

J'entends sa voix qui donne à Shamsur des tuyaux sur la Bourse tout en descendant l'escalier.

Plus que nous deux dans la chambre maintenant. Hamîdâ ne voulait pas s'en aller mais je lui ai dit d'aller se reposer un peu. « Il aura besoin de vous demain quand je serai partie », dis-je.

Elle a fait oui de la tête et disparu sur la pointe des pieds, cette fille intelligente aux yeux de biche qui ne pose pas de questions, bien qu'elle se demande sûrement qui je suis, et pourquoi je suis là. Hamîdâ qui j'espère saura guérir la vie meurtrie de Haroun avec le baume de ses mains secourables.

Mais comment fera-t-elle pour l'éloigner du danger ?

Je pose ma paume sur le front de Haroun, pour que la douleur en sorte, qu'elle le quitte et passe en moi. Ses yeux sont fermés ; il dort ou il est inconscient, je ne sais pas. Sa poitrine bouge si légèrement que de temps en temps, je mets la main devant ses narines pour m'assurer qu'il respire. Son visage est pâle et le pansement lui donne un air sévère. *Vous n'avez pas tenu votre promesse,* disent silencieusement ses lèvres rentrées.

Oui Haroun, je t'ai trahi. Moi Tilo, timorée, retenue par des interdits, distraite par mes propres désirs.

Je prends ses mains, me concentre de toutes mes forces sur elles.

Brûlure, viens.

Au lieu de cela, ses paupières clignotent et s'ouvrent. Un instant ses yeux affolés font le tour de la pièce, sans rien reconnaître. J'ai un goût de cendres dans la bouche, mon corps fiévreux se sent à l'étroit dans sa peau. Puis il dit « Ladyjaan » avec un sourire si content que mon cœur se fend comme une grenade. Avant que j'aie pu réagir, il s'est rendormi.

Je vais à la fenêtre où dans les premières lueurs de l'aube, Dhruva, l'étoile de la détermination, me fixe de son regard impitoyable.

Dhruva, sur toi je promets de ne plus manquer à mes engagements. Je donnerai à Haroun ce qu'il faut pour le protéger, sans faute, quel qu'en soit le coût.

Je prends le sac de graines de *cumin noir* que j'ai transporté si soigneusement toute la journée. Les verse dans ma paume. Un bref instant, je contemple leur faible lueur à la lumière trouble de l'étoile, puis les jette sur la ville endormie.

Cumin noir gâché une fois encore, quelle excuse te donner ? Je ne peux que dire ce que tu sais déjà. Il est trop tard pour que tu exerces ton pouvoir. Il n'y a plus qu'une seule épice qui puisse aider Haroun maintenant.

*

Qu'auriez-vous vu si vous aviez attendu ce matin devant l'épicerie ? Dans la lumière grise, une femme voûtée enroulée dans un châle gris, courbée sous le poids de sa nouvelle promesse à ajouter à tout le reste, sa culpabilité et son chagrin. Fatiguée. Elle est si fatiguée. Ses doigts s'escriment sur la serrure qui refuse de s'ouvrir. La peur la brûle comme des piqûres d'ortie : le magasin s'est-il ligué contre elle pour ne plus la laisser entrer ? Elle tourne à nouveau le bouton, appuie de tout son poids, pousse. Et là, la porte s'ouvre, d'un seul coup, comme si elle se moquait d'elle ou lui jouait un tour, et elle est à deux doigts de tomber.

Quelque chose est différent dans la pièce, elle le sent immédiatement. Quelque chose qu'on a ajouté ou enlevé, et qui la déséquilibre. Un sentiment de malaise lui picote le fond de la gorge.

Qui est venu et pourquoi ?

C'est alors qu'elle le voit à ses pieds – comment a-t-elle pu ne pas le remarquer tout de suite ? – rayonnant de son éclat froid et phosphorescent. *Alum.*

Elle ramasse le cube en forme de glaçon et s'émerveille de le voir si petit et si innocent dans sa paume, l'*alum* purificateur. Car, utilisé à mauvais escient, elle sait qu'il peut causer la mort. Ou pire, la mort-dans-la-vie qui emprisonne la volonté et le désir dans un corps pétrifié.

Phatkiri alum, quel message m'apportes-tu aujourd'hui ?

Elle passe des doigts nonchalants sur sa matière lisse. Elle sent alors l'image aux bords saillants s'élever sous sa main. Prendre sa forme inexorable. Et soudain. Plus d'air. Pour respirer. La pièce se resserre autour d'elle comme un filet qu'on tire ; tout ce sur quoi elle pose son regard est veiné de rouge et de bleu, à moins que cela ne soit dû à quelque chose qu'elle a dans les yeux.

Elle passe de nouveau la main sur le bloc. Une fois, deux fois. Aucune erreur possible. C'est là, clair comme le tonnerre, clair comme l'éclair, l'oiseau de feu tel qu'elle l'a vu cent fois sur l'île, mais cette fois-ci renversé, si bien qu'il ne s'élève pas des flammes.

Mais que, tête la première, il plonge.

Le brasier de Shampâti me rappelle, murmure la femme, se souvenant des leçons dans la maison-mère. Sa voix est vieille, et désespérée. Il n'y a pas à discuter, elle le sait. Pas moyen de refuser. Il ne lui reste que trois nuits.

*

Je ferme la porte de la boutique derrière moi ; mes mains sont assurées alors que mon esprit est aux prises avec une tempête de sable tournoyant qui m'épuise. Je laisse le panneau FERMÉ sur la porte.

Réfléchis, Tilo, réfléchis.

Soixante-douze heures seulement, les moments s'égouttent tel du vif-argent de mes paumes en coupe de plus en plus vite.

Ne pense pas à ça. Pense point par point à ce que tu dois finir, à qui tu dois aider avant de…

Avant de faire ce que je n'ai jamais pensé que je devrais faire dans cette vie – rallumer le brasier de Shampâti et y entrer. Moi Tilo qui ai rompu tant de règles que je ne sais pas ce que les épices vont…

Arrête, Tilo. Pense à une seule chose à la fois et surtout pas à toi. Pense à Haroun.

Je ferme les yeux, force ma respiration à se ralentir, prononce les formules qui recréent. Et voilà ce que je vois.

Haroun dans un quartier qu'il ne connaît pas bien, un quartier éloigné avec des bâtiments qui se ramassent dans les ténèbres, le brouillard nocturne est épais, comme la voix dans le siège de derrière qui lui dit où tourner, à gauche et puis encore à gauche. Haroun conduisant son taxi jaune comme un tournesol, un jaune si délicat dans cette rue d'entrepôts où de pâles lumières transforment les nids de poule et les salissures en mares brunes et stagnantes. Haroun qui pense *Mais personne ne vit ici,* qui pense *J'aurais dû refuser cette course mais il a offert un pourboire de vingt dollars dès le départ.*

« Arrêtez », dit l'homme à l'arrière et Haroun entendant quelque chose d'autre dans la voix se retourne et voit le bras levé, la barre, une chose noire et recourbée. Se met à crier *Non, ne faites pas ça, ne faites pas ça, prenez l'argent*. Puis une averse d'étoiles, métal brûlant, et la douleur cinglante dans ses yeux, sa bouche, son nez. Malgré la douleur, il entend les mains qui fouillent ses poches et la secousse de la boîte à gants qu'elles ouvrent d'un coup sec, la voix qui crie « Viens, bon sang, faut se tirer, vieux ». Une voiture démarre tout près, non, c'est le rugissement d'une moto et il tombe, tombe, tombe.

Moi aussi je tombe, dans la colère que je ne m'étais pas autorisée à exprimer jusqu'à maintenant. Une colère qui enflamme les parois de la gorge, une colère rouge comme l'incandescence de charbons se consumant lentement, comme le cœur d'un volcan qui crève, comme l'odeur aveuglante de piments grillés, me disant quoi faire.

Dans la chambre intérieure, inutile d'allumer la lumière. D'ouvrir les yeux. Mes mains savent où trouver ce dont j'ai besoin.

Le bocal de piments rouges est étonnamment léger. Je le prends, et hésite un instant.

Tilo, tu sais qu'à partir de maintenant, tu ne pourras plus retourner en arrière.

Les doutes, une foule de doutes s'accumulent dans la cage de ma poitrine, ils me déchirent de leurs griffes et réclament à grands cris mon attention. Mais je leur résiste et pense au visage de Haroun, et derrière lui à Mohan avec son œil aveugle, et derrière lui à tous les autres, à la longue série d'injustices qui remonte jusqu'à l'aube des temps.

Le sceau est plus facile à briser que je ne l'aurais cru. Je plonge la main, sens la fine cosse froissable comme du papier sous ma peau, le bruit de grelot impatient des graines.

O *lanka* qui attend depuis si longtemps ce moment, je te verse sur un carré de soie blanche, le pot entier sauf un que je laisse au fond du bocal. Pour moi, car bientôt j'aurai besoin de toi aussi. Je noue les coins du tissu en un nœud invisible, impossible à défaire, qu'il faudra couper pour ouvrir. Le paquet en main, je m'assieds face à l'est, là où naissent les orages. J'entonne la psalmodie de la métamorphose.

La psalmodie démarre lentement, rampe le long du sol, puis prend de la vitesse et de la force. Je suis soulevée, emportée haut jusqu'au soleil qui perce ma peau de son trident. Puis je traverse des nuages, deviens le murmure de la pluie. Et me sens tomber jusqu'au fond de l'océan, là où des poissons aveugles couleur de boue paissent en silence.

La psalmodie, tunnel que je traverse, et soudain à la sortie, un visage inattendu.

La Vieille.

La psalmodie s'enroule comme une volute de fumée, plane immobile un instant, me laissant le temps de demander :

« Première Mère, que…

— Tilo, tu n'aurais pas dû ouvrir le bocal rouge…

— Mère, c'était le moment.

— ... Tu n'aurais pas dû lâcher cette puissance dans cette ville déjà saturée de tant de colère.

— Mais Mère, la colère du piment est pure, impersonnelle. Sa puissance de destruction est purificatrice, comme la danse de Shiva. Ne nous l'avez-vous pas enseigné vous-même ? »

Elle se contente de répondre : « Il y a de meilleurs moyens d'aider ceux qui viennent à toi.

— Il n'y avait *pas* d'autre moyen, dis-je exaspérée. Croyez-moi. Ce pays, ces gens, ce qu'ils sont devenus, ce qu'ils ont fait à… Ah, bercée dans votre île tranquille loin de tout danger, comment pourriez-vous comprendre ? »

Puis je vois qu'elle ne m'entend pas. Je vois aussi les nouvelles rides qui creusent son visage, l'âge et les soucis. La maladie qui enfle la peau sous les yeux.

« Tilo, le temps est compté ; laisse-moi te dire ce que j'aurais dû te dire plus tôt. Avant de devenir Première Mère, celle que je fus. Comme toi, Maîtresse. Comme toi, rebelle… »

La psalmodie est impatiente, elle s'élève à nouveau, et moi qui me suis liée à elle, je dois suivre.

« ... comme toi rappelée. Moi aussi je dus me jeter dans le brasier de Shampâti une seconde fois. » Elle lève ses mains blanchies pour me les montrer. « Mais je ne suis pas morte. »

Je me sens entraînée de plus en plus vite, le vent mugit à mes oreilles. Je crie « Arrêtez », j'ai tant de questions à lui poser. Mais c'est la psalmodie qui mène la danse maintenant.

D'une voix lointaine, affaiblie, je l'entends dire : « Peut-être que toi aussi tu auras la permission de traverser. J'y mettrai mes dernières forces, j'intercéderai en ta faveur. Te ramènerai dans l'île. Tilo, pour être Mère des Maîtresses à venir. »

J'ouvre les yeux, un instant je ne sais ni où je me trouve ni l'heure qu'il est. Autour de moi, tout est silencieux, nulle forme, nulle couleur, la mélopée s'est éteinte, dissoute. Je me souviens seulement de la voix de la Vieille, de la promesse qu'elle contenait mais du doute aussi.

Les questions me harcèlent comme des taons. Moi Tilo devenir la nouvelle Vieille, est-ce possible, est-ce cela que je veux, puis-je seulement l'imaginer ? Un tel pouvoir, le pouvoir ultime, à moi.

Puis le poids dans mes mains ramène le présent.

Le ballot est différent, plus lourd. Ramassé, solide. Luisant un peu à travers le tissu. Quelle que soit la transformation que les piments aient subie, ils s'accordent parfaitement à ma main, comme faits sur mesure. Je caresse à travers le tissu la forme lisse de cylindre, la courbe de métal, telle une virgule, dans laquelle un doigt pourrait si aisément se glisser. Ma respiration s'accélère.

Un instant, je suis tentée. Mais non. Seul Haroun doit couper le nœud.

D'ailleurs, je sais déjà dans mon cœur qui bat fort (ô ivresse, ô pitié et terreur) ce que les épices ont donné à Haroun comme remède final.

*

Je reste assise, hébétée, à écouter mon cœur, son battement insistant, irrégulier, arythmique, puis je comprends. Ce n'est pas seulement mon cœur qui cogne, mais il y a quelqu'un à la porte. Je lève mes membres raides pour aller répondre et suis stupéfaite de voir que le soir est déjà tombé.

Tilo, un jour de moins.

Dehors Geeta attend, le souci soulignant de noir le coin de ses yeux comme un mascara appliqué maladroitement.

« J'ai frappé et frappé, mais personne ne répondait. Puis j'ai vu le panneau et j'ai pensé que je m'étais peut-être trompée de jour. Je m'apprêtais à partir. »

Je la prends par la main. Brûlure du fer chauffé à blanc, piqûre d'aiguille vénéneuse, je ne sens rien. J'ai changé depuis cette toute première fois où la femme d'Ahuja, cela fait longtemps que je ne l'ai vue… ah mais ce n'est pas le moment de penser à elle.

Ce changement, est-ce bien, est-ce mal ? Je ne suis plus capable d'en juger.

« Je suis si contente que vous ne soyez pas partie », dis-je. Je l'entraîne dans la pièce intérieure. Avant de pouvoir lui expliquer mon plan, j'entends quelqu'un d'autre à la porte, frappant des petits coups secs, impatients.

Je murmure en refermant la porte sur elle : « Soyez vous-même. C'est la seule chose que vous et moi puissions faire. »

Mais à part moi, j'adresse une prière aux épices. A l'imprévisible cœur humain.

« Il est vraiment malade », dit le père de Geeta. Il pèse de tout son poids sur le comptoir, les mains crispées comme si la douleur l'étreignait lui aussi, un homme grassouillet avec un visage qui doit être assez plaisant en d'autres circonstances, des lignes tremblées, joviales, autour d'une bouche généreuse. Un homme qui voulait seulement être heureux à la maison avec son père et sa fille, est-ce trop demander ?

« *Baba,* vous savez. Il vomit, et en plus il a des crampes. Et têtu comme toujours. » Il secoue la tête. « Il veut pas que je l'emmène à l'hôpital. Il m'a dit, Râmu, sur l'âme de ta mère morte, je t'en prie, ne m'oblige pas à voir ces docteurs *firingi,* qui sait la drogue qu'ils vont me donner, m'embrouillant l'esprit et le corps à la fois. Va plutôt chez la vieille femme du Bazar des Epices, elle connaît ce genre de choses, elle saura quoi faire. Je ne sais pas pourquoi je l'ai écouté. Il devrait être à l'hôpital en ce moment. » Il me regarde fixement comme si tout cela était de ma faute.

Il ignore que, d'une certaine façon, c'est de ma faute.

« Je peux vous aider », dis-je, ma bouche plus assurée que mon esprit.

Son corps est tendu, survolté, il n'est pas prêt à croire encore. « Jamais pensé qu'un jour je dirais ça, mais la vie n'est rien qu'une suite d'ennuis l'un après l'autre. Si seulement vous saviez tout ce qui s'est passé ce mois dernier. »

Ah Râmu, mais je sais.

Il soupire. « Croyez-moi, j'en ai par-dessus la tête.

— Je vous comprends. Cela m'arrive aussi parfois », dis-je, moi qui ai appris par la faute de ma propre ingérence ce qu'est la détresse des hommes.

Il ne tient pas en place. Passons aux choses sérieuses. « Eh bien, que pouvez-vous me donner ?

— C'est dans la réserve, dis-je. Il va falloir que vous m'aidiez à le sortir.

— Ah bon, très bien. » Mais, en son for intérieur, il se dit, quelle bêtise, j'aurais dû aller à la pharmacie.

« Désolée, il n'y a pas d'électricité ici. Passez devant, avec cette torche, dis-je. Regardez dans le coin.

— Ça ressemble à quoi ?

— Vous le saurez quand vous le verrez. Croyez-moi, vous allez le trouver. »

L'ovale de la lumière rebondit en haut et en bas, s'allonge et se raccourcit, parcourt le plancher puis le mur. S'immobilise.

J'entends, tranchant comme des écailles de marbre, le souffle d'une inspiration, son souffle à lui, puis son souffle à elle.

Je referme la porte.

Au comptoir, de toutes mes forces, je ferme les yeux. *Tilo, concentre-toi.* J'espère que dans son lit à la maison, le vieil homme joint la force de sa pensée à la mienne.

Epine de *kantak* avec laquelle enlever les épines plus anciennes, que va-t-il se passer ? Vont-ils choisir la solution facile, celle qui consiste à rester dans le bourbier de la haine ? Adopter le masque de la légitimité, si confortable pour le visage ?

Les mains tremblantes, j'allume un bâtonnet d'encens du *kastûri* le plus rare, le parfum que le daim sauvage dans sa course folle poursuit à travers toute la forêt, ignorant qu'il le transporte dans son propre nombril.

Mots difficiles à prononcer : *J'avais tort.* Presque aussi difficiles parfois que le mot *Amour*.

Père et fille, cela fait longtemps que vous êtes là-dedans, que faites-vous donc, êtes-vous capables de vous pencher par-dessus ce fossé que vous avez creusé avec votre douleur entre vos deux vies, d'émouvoir le souffle de l'autre ?

Le bruit de la porte qui s'ouvre violemment m'atteint comme une gifle. Il sort. Seul.

Je retiens ma respiration, essaie de voir derrière lui.

Que lui a-t-il fait ?

Bordés de rouge, ses yeux sont des fentes. Sa bouche. Sa voix grêle et perçante, une lame de couteau. « Vieille femme, pensiez-vous qu'une tricherie de si mauvais goût pouvait marcher ? Est-ce si simple de reconstruire les murs d'une maison qu'une enfant ingrate a envoyé promener d'un coup de pied ? »

L'odeur de l'encens, trop sucré, m'étouffe. J'essaie de le contourner pour me rendre dans la pièce intérieure, mais il me tient sous son emprise.

Une pensée me traverse, légère comme des semences d'herbe. *Va-t-il me frapper aussi ?* Je le souhaite presque.

Puis, éclatant de rire, il me serre sur son cœur, et, derrière lui, dans l'encadrement de la porte, son visage à elle, mouillé de larmes, qui rit aussi.

« Pardonne-moi, grand-mère, dit-il. Je n'ai pu résister à l'envie de te rendre le tour que tu m'as joué, toi et *baba* ensemble. Mais je suis content. »

Elle, elle ne dit rien mais pose une joue humide contre la mienne plus loquace que des tirades.

Mes mains tremblent toujours, et mon rire aussi quand je déclare : « Faire ça à une vieille femme au cœur fragile, une minute de plus et c'est moi que vous alliez devoir emmener à l'hôpital.

— *Baba*, je ne savais pas que c'était un si bon acteur.

— La douleur n'est pas feinte, dis-je, en remplissant une bouteille d'eau de fenouil, à laquelle j'ajoute du fenugrec et des graines d'aneth sauvage avant de la secouer énergiquement. Faites-lui boire ça toutes les heures jusqu'à ce que les crampes aient disparu. »

A la porte, je leur dis : « C'est pour vous qu'il l'a fait, vous savez.

— Oui », répond le père de Geeta, ses bras autour de la fille prodigue. Il baisse les yeux.

« Souvenez-vous de cela la prochaine fois qu'il vous agacera avec ses bavardages, je suis sûre qu'il ne va pas tarder à recommencer. »

Père et fille sourient. « Nous nous en souviendrons », dit Geeta. Elle se penche un instant vers moi pour murmurer : « Nous n'avons pas parlé de Juan, je ne voulais pas gâcher le moment, mais la semaine prochaine, j'aborderai le sujet. Je reviendrai vous dire comment ça se passe. »

A travers un voile d'encens, je lui adresse un au revoir de la main sur le seuil. Je ne lui dis pas que je ne serai plus là pour la voir.

*

Ce matin, deuxième des trois jours, j'ai beaucoup à faire. Il me faut déplacer certaines boîtes, vider des rayonnages, tirer des sacs et des caisses sur le devant de la boutique. Rédiger des écriteaux. Pourtant à plusieurs reprises, je me retrouve à la fenêtre. A regarder seulement. L'arbre solitaire suffoqué de poussière, la bande étroite de ciel décoloré. Les bâtiments tapissés de graffiti, les bus vomissant leurs volutes polluantes, les impasses envahies d'herbes malodorantes. Les jeunes hommes qui se rassemblent aux coins des rues ou passent lentement au volant de leurs voitures, la musique tonitruante se déversant de leurs machines. Pourquoi tout cela me paraît-il soudain si poignant ? Pourquoi suis-je déchirée à la pensée que tout restera là inchangé, tout sauf moi. Pourquoi alors que je peux avoir une puissance supérieure à tout ce dont j'ai jamais osé rêver, l'île entière, des générations de Maîtresses sous mes ordres. Et le pouvoir des épices, plus fort que jamais auparavant.

Quelle est cette pensée qui monte des profondeurs de ma conscience ? Alors que je l'observe, je me rends compte que, sans la formuler, elle est là depuis longtemps.

Tilo, et si tu refuses ?

Refuse. Refuse. Les mots résonnent en moi, ondes de sons s'élargissant dans mon esprit. Cercle sur cercle de possibles.

Puis je me souviens des mots de la Vieille. « Pas le choix. Une Maîtresse rappelée qui ne vient pas de sa propre volonté est ramenée de force. Le brasier de Shampâti ouvre sa gueule et dévore tous ceux qui l'entourent. »

Je regarde fixement par la fenêtre poussiéreuse une femme vêtue d'un *kamîz* rouge sortir d'une vieille Chevrolet, prendre un enfant sur le siège de la voiture, criant à ses filles : « Dépêchez-vous, j'ai mille choses à faire. » Par-dessus son épaule le bébé me fixe sans ciller, sa tête bouclée auréolée par le soleil matinal. Les nattes huilées de la fille luisent quand elle franchit le seuil d'un pas leste pour m'offrir le sourire de sa bouche où manque une dent.

C'est comme un coup de poing qui m'atteint au centre de la poitrine, l'amour que je ressens pour eux, même pour la mère qui marmonne d'une voix assez forte pour que je l'entende que mon *dâl* est trop cher, pourquoi est-ce que je le vends pas au même prix que chez Mangal ?

Etrange, tous ces amours différents que nous pouvons ressentir. Etrange qu'ils naissent en nous sans raison. Même moi, novice en ce domaine, je sais déjà cela.

Je sens leurs noms qui bougent en moi, bulles de lumière, tous ces gens que j'aime de façon différente. Raven et la Première Mère, Haroun et Geeta et son grand-père aussi. Kwesi. Jagjit. La femme d'Ahuja.

Ah Lalitâ-en-devenir, comment m'en aller sans te revoir une fois encore ? Et Jagjit pris dans les mâchoires dorées de l'Amérique, comment…

Mais pour leur propre bien, je dois partir.

« Ecoutez, dis-je à la femme en *kamîz* rouge. Prenez tout le *dâl* que vous voulez, gratuitement. »

Elle me lance un regard soupçonneux, certaine que c'est un piège. « Pour quelle raison ?

— Seulement comme ça.

— Personne ne donne seulement comme ça.

— Prenez alors parce que le soleil brille haut dans le ciel, prenez parce que vos enfants ont des visages aimables, prenez parce que je cesse mon commerce et vais fermer boutique demain. »

Longtemps après qu'elle est partie avec ses sacs, je reste à regarder fixement devant moi…

L'air semble retenir des impressions, comme quand on ferme les yeux après avoir fixé le soleil. Lumineuses et palpitantes, les silhouettes des gens qui ont un jour traversé ce lieu.

Air, retiendras-tu ma forme quand je serai partie ?

« Que veut dire ceci ? » demande Raven en entrant.

J'ai mis des écriteaux sur les vitrines. SOLDES DE L'ANNÉE. LES PRIX LES PLUS BAS DE TOUTE LA VILLE. TOUT DOIT PARTIR.

« Oh, c'est une coutume indienne, la fin de l'année.

— Je ne savais pas que l'année indienne se terminait à cette époque.

— Pour certains d'entre nous, si », dis-je et je ravale les larmes qui encombrent ma gorge. Je glisse sous le comptoir, avant qu'il puisse le voir, l'écriteau que je viens juste de finir de rédiger, celui que je mettrai demain.

POUR CAUSE DE FERMETURE, DERNIER JOUR.

Y aura-t-il bientôt une autre Maîtresse ici en train d'écrire un autre panneau NOUVELLE DIRECTION ? Qui sera-t-elle ? Raven viendra-t-il la voir aussi et…

Arrête, Tilo, tu es stupide. Là où tu vas (mais où vais-je ?), rien de tout cela n'aura d'importance.

Raven attend patiemment que je lui accorde mon attention. Je remarque qu'il porte des jeans. Un simple chemise de coton blanche comme le soleil de midi. Sa simplicité m'éblouit.

« Je suis venu vous raconter le reste de mon histoire. Si vous avez le temps.

— Tout le temps que vous voudrez », dis-je, et il commence.

« La mort de mon père m'a libéré de tout lien, de tout souci. J'étais comme un bateau qui a rompu ses amarres, dansant sur un océan débordant de trésors, d'orages et de monstres marins, et nul ne savait où je finirais par m'échouer.

« Avez-vous déjà eu cette impression, Tilo ? Alors vous savez ce que c'est que de se sentir seul, et comme c'est dangereux. Cela peut transformer les hommes en meurtriers, ou en saints.

« Je n'avais personne à aimer, car à leurs différentes façons, mon père et ma mère étaient perdus pour moi et mon grand-père aussi, car je me gardais bien de penser à lui. Ainsi les lois du monde ne semblaient plus s'appliquer à moi. L'opinion des autres ne comptait pas. Je me sentais léger et poreux, comme si je pouvais devenir tout ce que je voulais – à condition de trouver quelque chose qui en vaille la peine – ou m'abîmer dans l'insignifiance.

« Je passais beaucoup de temps seul dans mon lit, les yeux rivés au plafond, à imaginer des vies possibles. Mon existence présente – sécher l'école, prendre part à des rixes, faire la fête avec les copains, m'asseoir à table pour dîner avec ma mère, avaler des fourchettées de silence – m'emplissait de mécontentement. Il y manquait une direction, une intensité. Un *pouvoir*.

« Car il m'apparut progressivement, tandis que j'étais dans ma chambre et que le monde déferlait impétueusement au-dehors, qu'il n'y avait qu'une seule chose dans la vie qui valût la peine. Le pouvoir. C'était ce que m'avait offert mon arrière-grand-père dans cette chambre de mourant. Et que ma mère m'avait arraché. Mais bien qu'il fût impossible de revivre ce moment-là, de retrouver ce pouvoir-là, il y en avait d'autres dans le monde. Il me fallait trouver celui qui me convenait.

« Je jouais avec des idées totalement différentes – devenir membre d'un gang, partir avec le Comité pour la Paix, m'engager dans l'armée. Même retourner à cette baraque de planches et trouver quelqu'un qui connaissait les façons de mon arrière-grand-père. Mais au bout du compte, je ne fis rien de tout cela. Je finis par m'inscrire dans une école de commerce.

« Vous riez ? Je savais que vous alliez rire. Mais voilà ce qui m'est venu lorsque je réfléchissais : l'argent était au centre du monde – du moins celui dans lequel je vivais. L'argent était le pouvoir. Avec de l'argent, je pouvais me créer une autre vie – pas comme ma pauvre mère s'était appliquée à le faire si laborieusement, mais de manière agréable – totalement, tout de suite et pour toujours.

« J'avais, en grande partie, raison.

« Je n'avais pas de problèmes financiers – mon père avait une assurance-vie – mais je savais que je devrais travailler dur et changer d'habitudes – acquérir des diplômes, arrêter de traîner avec les copains, tout ça. Mais ce fut moins difficile que je ne l'aurais cru. Je découvris une dureté inattendue en moi-même, une détermination, quelque chose qui s'affranchissait de tout ce qui me retenait en arrière, quelque chose qui ne s'opposait pas à ce que je me défasse de tout cela. Peut-être était-ce une qualité que j'avais héritée de ma mère, mais en me la transmettant, cela s'était cristallisé, était devenu plus intransigeant.

« Mes journées prirent une tonalité silencieuse, sous-marine, alors que je me préparais pour mon futur. Les gens s'éloignèrent de moi, et j'étais content de les laisser partir. Les amis qui me raillaient ou essayaient de me provoquer à me battre, les professeurs qui parlaient de moi avec des chuchotements stupéfaits dans la salle commune, même ma mère qui m'observait avec gratitude mais sans comprendre. Ils n'étaient que de simples distractions, des remous sur une surface lointaine qui avait peu de rapport avec ma vie. J'avais les mêmes sentiments pour mes camarades de classe.

« Voilà ce que je découvris sur moi-même pendant mes études : je comprenais l'argent et son étrange logique sans effort. La façon dont il surgissait, prospérait, ses flux et ses reflux. Je me délectais à l'apprentissage de son langage secret. J'avais un don pour les investissements, et même les premiers temps – j'étais encore étudiant – où je commençai à jouer en Bourse, je savais exactement quoi acheter et quand vendre.

— Et cela vous a apporté ce pouvoir dont vous rêviez ? »

Mon Américain regarde les lignes de ses mains, puis mes yeux. « Cela m'a apporté du pouvoir, oui. Et une – *solidité.* Je comprenais pourquoi dans les vieux contes les géants étaient toujours en train de compter leur or. Cela leur donnait l'assurance qu'ils existaient. Il y a une ivresse dans le pouvoir que donne l'argent, le sentiment que tout ce qui existe est là offert et qu'il vous suffit de choisir et examiner, prendre ou rejeter, comme vous le feriez pour des fruits à un étalage. Vous seriez étonnée du nombre de choses qu'on peut acheter, les gens aussi. Je mentirais si je disais que je ne prenais pas plaisir à ça.

« Dès le début, je décidai que je m'amuserais avec l'argent. Je rassemblai autour de moi tout ce que je croyais susceptible de m'amuser. Vous allez probablement penser que c'était infantile, vous qui venez d'une culture moins matérialiste. »

Je laisse passer. Une autre fois, Raven, je crois, nous discuterons de ce point. (Mais Tilo, Maîtresse encore seulement pour quelques heures, quand cela sera-t-il possible ?)

« Je me rends compte maintenant que ce n'étaient que les rêves de vie riche d'un garçon pauvre, glanés dans des magazines et des shows télévisés. Yachts, appartements avec terrasse, Porsche, sous-vêtements Gucci, vacances sur la Côte ou à Las Vegas. Tous les stéréotypes. Les gens qui ont toujours été riches dépensent probablement leur argent tout autrement. Mais cela m'était égal, et aucun des nouveaux amis (si on peut les appeler des amis) qui se rassemblaient autour de moi n'avait l'air de s'en soucier.

— Et votre mère ? »

Silence coupant comme un tesson de verre entre nous. Puis Raven reprend : « Quand j'ai gagné mon premier million, j'ai envoyé à ma mère un chèque de cent mille dollars. C'était la première fois que je reprenais contact avec elle depuis que j'avais quitté la maison. Oh, elle m'écrivait, pas souvent mais régulièrement, me racontant ce qu'elle faisait. Rien de vraiment passionnant – les kermesses de la paroisse, les pétunias qu'elle plantait au printemps, la maison qu'elle faisait repeindre, ce genre de choses. Après un certain temps, les lettres arrivaient et je ne les ouvrais pas tout de suite. Parfois elles se perdaient sans que je les aie lues. Je ne répondais jamais.

« Pourquoi le ferais-je, me disais-je. Plus rien n'existe entre nous. Mais je crois que je n'étais pas tout à fait honnête avec moi-même. Au fond de moi, je voulais lui prouver que j'avais fait ce qu'elle voulait, en allant beaucoup plus loin qu'elle n'avait jamais réussi à le faire, elle. J'avais fait fortune dans un monde auquel elle ne pouvait même pas rêver d'appartenir. C'est pour cela que je lui envoyai le chèque, en y joignant une photo de moi et d'un groupe d'amis – dont ma dernière petite amie – prise dans une maison de bord de mer que je venais d'acheter à Malibu. Ce fut l'ultime punition. »

Il éclate d'un rire âpre. « La lettre me revint avec un tampon rouge mentionnant qu'il n'y avait personne de ce nom à cette adresse. Et en y réfléchissant, je ne pus me souvenir de la date d'arrivée de sa dernière lettre.

« Deux ans plus tard environ, après un certain nombre d'autres événements, je me suis rendu dans notre vieux quartier – je ne pensais pas y retourner jamais. Une famille de Mexicains habitait notre maison. Ils me dirent qu'ils étaient là depuis un certain temps. Non, ils ne savaient pas où était partie la femme qui leur avait vendu la maison.

« Je n'ai jamais eu l'occasion de me réconcilier avec elle, bien que j'aie essayé. Je suis allé demander aux voisins, j'ai rendu visite aux dames de sa paroisse, j'ai même engagé un détective pendant un certain temps. J'ai pensé retourner voir sa famille – non que je fusse certain de l'y trouver, mais j'aurais peut-être appris quelque chose. Mais je ne l'ai jamais fait. Vous savez comment certaines phobies infantiles peuvent gouverner notre vie. Ainsi je me persuadai qu'ils n'auraient rien su de plus que moi. »

Ah Raven. Je me demande si tu la cherches toujours dans toutes les femmes, la mère perdue. Eternellement belle, éternellement jeune.

« J'avais tant de choses à lui raconter, dit Raven. Que je regrettais ma froideur de ces dernières années, que je comprenais, un peu du moins, pourquoi elle avait quitté les siens et nié tout ce qu'elle était. » Il soupire. « Je voulais lui dire, essayons de nous pardonner l'un l'autre et recommençons. Et par-dessus tout, je voulais lui raconter mon rêve. Parce qu'elle aurait peut-être pu m'expliquer ce qu'il signifiait. Après tout, son grand-père lui avait transmis son savoir, et on n'oublie pas ce genre de choses même quand on le veut.

— Quel rêve ? » dis-je. J'ai la bouche sèche. Tilo, dit mon cœur qui s'affole, nous y voilà.

Mais Raven continue comme s'il n'avait pas entendu. « Les choses ont un peu changé à partir du moment où la lettre me fut renvoyée. Sans ma mère à qui la montrer, ma vie dorée sembla perdre beaucoup de son éclat, je ressentais de l'ennui, rien qu'un petit tiraillement, comme les premiers signes de l'âge dans les muscles. Cela m'effraya.

« Pour combattre cet ennui, je commençai à prendre des risques. D'abord à la Bourse – mais il semblait que je n'étais pas fait pour perdre. Tout ce que je touchais faisait du profit et du profit, et je n'y trouvais plus d'intérêt. Alors je me tournai vers des activités physiques – descendre des rapides sur un radeau, sauter en parachute. J'ai même descendu l'Amazone. Mais cela ne m'a pas satisfait non plus. A part les quelques moments de poussée d'adrénaline, j'éprouvais une fatigue nerveuse puis me reposais cette question qui me taraudait : *Bon sang, qu'est-ce que je fais ici ?*

« Puis un de mes amis m'apporta les champignons.

« Je n'avais jamais pris de drogue auparavant. Je ne joue pas le vertueux – je n'avais rien contre le fait d'en proposer pendant les fêtes. Mais je méprisais les gens qui en prenaient. Je les trouvais faibles. Cela me répugnait de les voir redescendre de leur extase et se traîner le reste de la journée jusqu'à la prochaine prise. La façon dont ils se comportaient quand ils étaient en manque. Et en dépit de ce qu'ils prétendaient, je n'en ai jamais connu un seul qui n'ait pas fini par devenir dépendant de sa drogue de prédilection. Maintenant que j'étais libre (ou du moins que je croyais l'être) de tout ce dont j'avais dépendu par le passé, je n'allais pas adopter une nouvelle dépendance pour obtenir quelques moments d'un plaisir douteux.

« Mais les champignons, soutenait mon ami, étaient différents. Ils étaient puissants et sacrés, rien à voir avec une drogue du commerce. Vous pouviez vous les procurer par l'intermédiaire d'un revendeur, mais cela n'avait rien de vénal ou de mercantile. Il s'était procuré ceux-là pour la seule raison qu'il avait la chance d'avoir un ami, un Indien du Guatemala, où ils se servaient de ces champignons pendant certaines cérémonies particulières pour induire des transes.

« On a des visions incroyables, dit mon ami. Ce sera comme mourir et aller au paradis, mieux même ; l'ecstasy, l'acide, rien n'est comparable à ça. Et sans danger. Pas plus dangereux que du lait maternel.

« J'étais intrigué. Non pas que j'eusse une grande confiance dans les qualités, mentales ou morales, de cet ami particulier. Pourtant, tout ce discours de visions et d'Indiens touchait la partie de moi vulnérable que je m'efforçais de nier.

« J'avais continué à m'intéresser, secrètement, aux Indiens pendant toutes mes années d'études. Chaque fois qu'il y avait une réunion à laquelle ils prenaient part sur le campus, j'allais m'asseoir au fond de la salle et j'observais. De jeunes hommes et femmes sérieux, bien habillés, nous parlaient dans un langage choisi de l'importance du Comité de Défense des Droits des Indigènes Américains ou décrivaient le travail qu'effectuaient les Jeunes Tribaux Américains. J'appréciais leurs luttes et admirais leur énergie, mais j'avais beau essayer, je n'arrivais pas à me sentir l'un d'entre eux, pas de cette façon viscérale que j'avais ressentie sous le porche de mon arrière-grand-père. Et malgré tout leur savoir sur la tradition et l'histoire, leurs vies me semblaient sans attrait, aussi dénuées de mystère que la mienne.

« Ainsi, quand mon ami me tendit les champignons, quelque chose tressaillit en moi.

« Je ne le montrai pas, bien sûr. J'étais alors passé maître dans l'art de cacher mes sentiments. J'avais découvert que cela constituait un ressort important du pouvoir. Je jetai le paquet de champignons dans un tiroir, prononçai un mot convenu de remerciement, lui tendis de l'argent qu'il ne prit que parce que j'insistai à plusieurs reprises, et j'attendis qu'il s'en allât. Mais dès que la porte se fut refermée derrière lui, je les ressortis. Ils étaient noirs et desséchés dans ma paume, d'une consistance de vieux caoutchouc. Une étrange excitation s'empara de moi quand je les regardai, le sentiment que, peut-être, j'étais enfin parvenu de nouveau au seuil qui reliait deux mondes, comme ce fut le cas quand mon arrière-grand-père mourut. »

Sa respiration se fait plus courte et plus superficielle à l'évocation de ce souvenir.

Et la mienne aussi, car j'ai peur de ce qui va suivre. Je connais ces substances. La Vieille nous en a parlé plus d'une fois. *Mes filles, elles vous révéleront l'interdit, mais cette révélation vous brisera l'esprit.*

« Mon ami m'avait dit que le soir était le meilleur moment pour tenter l'expérience, mais je ne pus me retenir. J'en mis un dans ma bouche et mâchai. Je n'avais jamais rien goûté d'aussi mauvais. Il m'avait prévenu – pas de douleur, pas de gain, avait-il dit – malgré tout, je ne m'étais pas attendu à cela – amer n'est pas le mot juste –, cette abomination. Je dus utiliser toute la force de ma volonté pour ne pas le recracher.

« Puis j'attendis.

« Quinze minutes au plus, avait dit mon ami, et tu vas partir en flèche, mais rien ne se produisit.

« Une demi-heure plus tard, je mâchai un deuxième champignon – cela me sembla moins dégoûtant cette fois-là. Je suppose que c'est dans la nature même de la répétition du phénomène de l'agression. Une demi-heure plus tard, j'en pris encore deux autres.

« Toujours rien.

« J'étais furieux à l'idée d'avoir été trompé. Je me rendis à la salle de bain pour me laver la bouche. Le lendemain, j'étais sur le point d'appeler mon ami – en faire un ex-ami – et lui dire son fait. S'il faisait la moindre difficulté pour me rendre mon argent, j'étais prêt à appeler certains messieurs qui m'avaient offert leurs services pour justement ce genre de situations délicates. Vous êtes choquée ? Je vous ai dit que je ne vous cacherais rien. C'était le côté noir de la vie de pouvoir que je menais. Vous détournerez-vous de moi si je vous dis que je le trouvais aussi attrayant que l'autre côté ? »

Je secoue la tête, moi Tilo qui connais, plus qu'il n'est nécessaire, l'attirance des ténèbres.

« J'aspergeai ma tête d'eau et me regardai dans le miroir. Et vis – non, rien d'horrifiant comme vous pourriez vous y attendre, du genre tête de monstre, ou quelqu'un avec des serpents grouillants lui sortant de la bouche. Et pourtant c'était vraiment horrible.

— Qu'est-ce que c'était ?

— Rien d'autre que moi, mais quand je regardai mes yeux, ils étaient morts. Des yeux morts me renvoyèrent mon regard. Je compris alors subitement que ma vie avait été un gâchis complet.

— Pourquoi un gâchis, Raven ?

— Parce que dans tous les souvenirs de ma vie d'adulte, je n'avais jamais rendu personne heureux, ni n'avais été heureux moi-même. »

Américain, ce que tu dis me touche de si près. A la lumière aveuglante de ta sincérité, je dois réexaminer ma propre vie. Moi qui me fais une gloire d'avoir exaucé les désirs de tant de gens, combien en ai-je rendu heureux ? Est-ce que j'ai réussi à être heureuse moi-même ?

Raven reprend : « Mes yeux me montraient mon cœur, et lui aussi était mort. A quoi bon alors garder ce corps, ce sac d'excréments, en vie ? Je cherchai quelque chose pour y mettre fin. Rien dans la salle de bain, alors je me dirigeai vers la cuisine à la recherche d'un couteau.

« En m'y rendant, je fus saisi de crampes. La douleur me plia en deux, je vomis. Je vomis jusqu'à ce que mon estomac se vide complètement, j'avais l'impression que je pouvais vomir mes tripes. Entre deux crises de vomissement, je me souviens d'avoir pensé, ah, comme ça, je n'aurai pas besoin de me tuer, je vais en mourir. Je me demandai brièvement si mon “ami” savait que cela se passerait ainsi, et m'avait incité délibérément à prendre ce champignon. Puis je m'évanouis.

« Je me réveillai à l'hôpital. Ma femme de ménage m'avait trouvé le lendemain matin et appelé l'ambulance. Ils m'avaient fait un lavage d'estomac, mais c'était trop tard pour me soulager vraiment. J'avais vomi une certaine quantité du poison, mais une autre s'était infiltrée dans mon système nerveux. Ils me dirent que j'avais de la chance d'être en vie. Cette ironie me fit sourire. Ils me gardèrent en observation.

« Les accès de fièvre et de sueurs froides se succédaient, et je tremblais violemment.

« Mes paumes étaient moites et ma gorge sèche comme du sable. C'était cela le pire. Je ne devais pas boire parce que les médecins craignaient que cela ne provoque de nouveaux vomissements. Ils m'avaient mis sous perfusion mais ça ne soulageait pas la soif. Je ne pouvais détourner ma pensée de l'eau, de l'eau dans de grands verres frais, dans des brocs et des seaux, des tonneaux d'eau que je pourrais, en mettant mes mains en forme de coupe boire, boire, boire.

« C'est pendant cette nuit de soif intense que je fis le rêve.

« Je me tenais sur une colline de cendres au milieu d'un lac de feu tandis qu'un vent brûlant m'enveloppait. J'avais des cendres dans la bouche et le nez, dans la gorge, m'étouffant. Il y avait une odeur de chair calcinée tout autour. La soif avait empiré. Elle me brûlait, littéralement, car quand je baissai les yeux sur moi, mon corps était parcheminé et couvert de cloques, comme avait dû l'être le corps de mon père sous ses pansements. La douleur était si intense que je ne pouvais la supporter. Au secours, criai-je à travers mes lèvres fendillées. Au secours ! Mais personne ne s'approcha de moi qui m'étais coupé, moi-même, de toute la race humaine dans mon cœur et m'en faisais une fierté. Je compris alors qu'il ne me restait qu'une solution. Mourir. Donc, je me jetai du haut de la colline dans le lac en fusion, et tout en tombant, je me demandais, et si je ne meurs pas, si je continue à brûler ?

« Ce fut alors qu'apparut le corbeau.

« Je ne sais pas d'où il vint, mais il décrivit un plongeon pour m'attraper dans ses ailes. Il était encore plus beau qu'autrefois, et ses plumes luisaient d'un éclat bleu-noir profond à chaque battement d'ailes. A mesure qu'il s'élevait, le souffle d'air sur mon visage effaçait l'odeur de chair calcinée. Ah, je ne m'étais jamais senti aussi bien. J'entendis comme une mélodie tout près de mon oreille, âpre mais pas amère, forte, la voix de l'oiseau. Je me rendis compte qu'il me disait son nom. Je fermai les yeux, le but, et ma soif s'apaisa.

« Quand je rouvris les yeux, le corbeau avait disparu, et je me retrouvai dans l'endroit que je vous ai décrit. Les eucalyptus et les pins, les cailles de Californie, les daims. Les rochers escarpés et les ravins emplis d'une eau douce que je bus sans hâte. Un endroit sauvage, tempéré, où travailler, reprendre des forces et redevenir pur. Un endroit sans personne pour le souiller. Puis je m'éveillai.

« Je ne suis pas sûr du sens de ce rêve. Ma mère aurait peut-être pu me l'expliquer. Le pouvez-vous ? »

Mais non, moi je ne peux pas.

« C'est un endroit réel, reprend Raven, je suis sûr de cela. C'est le lieu de mon bonheur. Je pense que c'est ce que voulait me dire l'oiseau. D'arrêter de gâcher ma vie en trivialités et de le chercher. De retourner aux vieilles coutumes, de retrouver l'ancienne sagesse de la terre avant qu'elle ne soit spoliée. Le paradis terrestre.

« Le problème, c'est que je ne savais pas comment m'y prendre. Je me suis rendu dans le désert un certain nombre de fois, avec des guides et par la suite, tout seul. J'ai découvert de nombreux endroits solitaires, mais la beauté d'aucun de ces lieux ne m'a ému autant que le lieu de mon rêve.

« Peu à peu j'ai perdu courage et me suis persuadé que cela n'avait été qu'une hallucination due à la fièvre. Je me suis résigné à vivre – si on peut appeler ça vivre – dans un monde d'où toute la magie s'est envolée. »

A ce moment-là, il tend le bras par-dessus le comptoir pour poser sa main sur la mienne. Dans le changement de sa respiration, je le sens venir, dense et brillant à faire peur, le cœur de l'histoire, la raison pour laquelle…

« Mais ces derniers temps, j'ai refait le même rêve. Il se précise à chaque fois. Le corbeau aussi. Il tournoie dans le ciel. Quand je me réveille, je sens une chaleur, comme si le soleil était à l'intérieur de ma poitrine, qu'il grandissait. Comme si j'avais enfin une chance de le trouver, de le vivre, de découvrir qui je suis vraiment. Vous savez quand les rêves ont recommencé ?

— Non. » Ma réponse est à peine audible. Je sais pourtant ce que je veux lui entendre dire.

— Si, dit-il, Raven qui lit dans mon cœur. Quand quelqu'un m'a dit, il y a une femme à Oakland, va la voir. Elle n'est pas ce qu'elle paraît. Elle a des pouvoirs. Après les champignons, je n'arrivais plus à croire en rien. Mais sur une impulsion, je suis venu à l'épicerie un vendredi soir. Et je vous ai rencontrée.

« Dans les derniers rêves que j'ai faits, vous étiez là-bas avec moi, vous et moi dans cet endroit idyllique. Mais vous aviez un air différent, celui que je sais que vous avez, sous cette peau. »

Il passe un ongle, comme une traînée de feu, sur mon bras.

Je laisse ses mots m'envelopper de leur chatoiement. Pourquoi pas, me dis-je avec entêtement. Pourquoi cela serait-il impossible ?

« Je veux essayer une fois encore, cette fois-ci avec un compagnon qui voit plus clair que moi. » Ses yeux sont profonds et m'implorent, mais en eux il y a aussi un défi. « Viendrez-vous avec moi, Tilo ? M'aiderez-vous à trouver le paradis terrestre ? »

*

Je pense encore à ce que je vais répondre, à ce que je veux dire, à ce que je devrais dire, quand la sonnette de la porte retentit. Je relève les yeux et les vois, trois filles-bougainvillées, les plus jolies et les plus jeunes, toutes de rire mousseux et de cils papillonnants. Dans leurs mini-jupes, leurs jambes sont longues et brunes, lisses comme du beurre de cacao. Leurs lèvres sont sombres et boudeuses. Elles rejettent en arrière d'un mouvement de la tête leurs cheveux crêpés et jettent des œillades alentour puis rient de nouveau comme si elles ne pouvaient croire qu'elles se trouvent là où elles se trouvent et qu'elles sont en train de faire ce qu'elles font.

Elles ont l'air de ne jamais avoir préparé un repas – certainement pas un repas indien – de leur vie.

L'une d'entre elles se détache de ses amies et s'avance vers nous. Elle porte un mince corsage de soie à travers lequel j'aperçois l'ombre d'un soutien-gorge en dentelle. De l'ombre à paupières beige qui lance des étincelles. Une odeur de roses. De minuscules boucles d'oreilles or et diamant en forme de cœur, un pendentif assorti qui se soulève et retombe dans le creux de sa gorge.

L'effet est charmant, même moi je dois l'admettre. A en juger à l'expression de son regard, Raven est du même avis.

« Excusez-moi, vous comprenez l'anglais ? A notre bureau, nous organisons une fête en commun, quelque chose d'ethnique, vous savez, chacun sa culture, on fait soi-même et on apporte. Nous n'avions pas la moindre *idée.* » Elle nous adresse un sourire ingénu. « Peut-être pourriez-vous nous aider ? »

Ce mot *aider.* Je ne peux me résoudre à y résister. Je mets de côté mon ennui et réfléchis. C'est un défi, trouver un plat de fête assez simple pour qu'elles ne puissent pas le gâter en le préparant.

« Vous pouvez peut-être faire un *pullao* aux légumes », finis-je par dire. Je lui dis comment le cuire, comment mesurer l'eau et la bouillir, le basmati trempé juste le temps qu'il faut, le *kesar* qu'on parsème dessus, les pois, les noix de cajou rôties et les oignons frits comme garniture. Je lui fais une liste des épices : le clou de girofle, la cardamome, la cannelle, une pincée de sucre. Du beurre fondu. Peut-être un nuage de poivre noir.

Elle a un air un peu dubitatif, mais elle est résolue. Elle prend d'abondantes notes dans un mince carnet à tranche dorée avec le crayon assorti. Ses amies étouffent de petits gloussements en regardant par-dessus son épaule.

Je leur dis où trouver les ingrédients. Les regarde se diriger nonchalamment vers le fond de la boutique, tout en déhanchements et ondulations. Raven aussi observe. Et apprécie, je pense. Il y a un picotement comme d'épingles au centre de ma poitrine.

« Tout à fait surprenant, déclare-t-il, cette façon qu'ont les femmes de se balancer sur des talons guère plus épais que des pointes de crayon.

— Toutes les femmes ne peuvent pas », dis-je sèchement.

Il sourit, presse ma main. « Vous pouvez, vous, faire des choses que ces filles ne sauront jamais faire même en cent ans. »

Les picotements d'épingles s'atténuent.

« Vous êtes authentique d'une manière qu'elles ne connaîtront jamais », ajoute-t-il.

Authentique. Quel mot curieux. Je demande : « Que voulez-vous dire, authentique ?

— Vous savez, véritable. Une véritable Indienne. »

Je sais qu'il y entend un compliment. Pourtant cela me chagrine. Raven, en dépit de leur rire mousseux, de leur rouge à lèvres et de leurs dentelles, les filles-bougainvillées sont à leur manière tout aussi indiennes que moi. Et qui peut dire si l'une ou l'autre des manières est plus véritable ?

Je suis sur le point de lui dire cela quand l'une d'elles appelle : « A l'aide, nous ne trouvons pas la cardamome.

— C'est parce que nous ne savons pas à quoi ça ressemble », dit une autre. Elles rient enchantées par l'humour exquis de cette déclaration, qu'on puisse s'attendre à ce qu'elles possèdent un tel arcane de savoir.

Je suis sur le point de retourner les aider mais « Laissez-moi y aller », dit Raven. Il disparaît derrière les rayonnages – pendant longtemps, il me semble. D'autres rires volettent, bandes d'hirondelles, à travers l'épicerie. J'entaille le dessus du comptoir avec l'ongle de mon pouce, m'efforce de ne pas m'en mêler.

Ils finissent par revenir, Raven qui porte des paquets et des sacs. Des boîtes. Elles ont acheté assez de marchandises pour nourrir dix fois le personnel du bureau réuni.

« Vous avez été de si bon conseil », déclare l'une d'elles. Elle lève les yeux sur Raven de dessous ses cils. « Les *papad* croquants et le nectar de mangue iront merveilleusement bien avec le *pullao*.

— Et quelle excellente idée d'acheter assez pour pouvoir nous entraîner à la maison avant le jour de la fête », dit une autre, braquant sur lui un sourire éclatant.

La troisième fille-bougainvillée, celle qui porte le chemisier en soie, met une main sur son bras. Vifs comme ceux d'un merle, ses yeux enregistrent ses hautes pommettes, sa taille bien prise, les muscles fermes de ses bras et de ses cuisses. « J'ai une idée, dit-elle, venez, vous serez notre juge. Vous direz si nous nous débrouillons bien.

— Non, non. » Mais son visage s'épanouit en un large sourire, il est tout à fait à son aise au milieu de tant d'attentions. A ses manières, je devine que plus d'une belle femme a dû l'inviter ainsi, et que peut-être il a souvent accepté.

Inconscient de la bulle de chaleur qui enfle à l'intérieur de mon cerveau, il me désigne d'un mouvement de tête. « C'est elle l'experte, c'est elle que vous devriez inviter. »

Celle qui porte le soutien-gorge en dentelle chasse cette suggestion d'un battement de sourcils. « Voilà ma carte », dit-elle avec un sourire, en gribouillant quelque chose sur le dos et en la lui fourrant dans la main. Je vois ses doigts qui effleurent les siens, d'un geste paresseux, délibéré. « Appelez-moi si vous changez d'avis. »

La bulle de chaleur éclate. Quand le tourbillon de vapeur s'est calmé, je vois clairement ce qu'il me reste à faire.

Il les aide à sortir avec leurs sacs de provisions. Ferme la porte de la voiture avec empressement, agite amicalement une dernière fois la main.

Raven, tu n'es guère différent des autres hommes attirés par la haute cambrure d'un pied, la courbe d'une hanche, la façon dont un diamant brille d'un éclat moite contre la gorge soyeuse d'une femme.

Il se penche sur le comptoir maintenant comme si de rien n'était, comme si toute cette scène n'avait pas eu lieu, cherchant à nouveau mes mains. « Tilo, ma chère, que dites-vous ? »

Je recule les mains. Les occupe, hors de sa portée, avec du travail, pliant, rangeant, nettoyant.

« Tilo, répondez-moi.

— Revenez demain soir, dis-je, après l'heure de fermeture. Je vous répondrai alors. »

Je ne le quitte pas des yeux jusqu'à ce qu'il ait atteint la porte. L'élasticité de son pas, l'éclat doux des cheveux, sous ses vêtements la peau lisse de son corps doré.

Je ressens une violente douleur dans le cœur.

O mon Américain, si la jeunesse et la beauté sont ce que tu désires, la joie de ce que tu peux voir, de ce que tu peux toucher, je te donnerai tout ton content. J'userai du pouvoir des épices pour satisfaire les plus fantasques de tes idées sur mon pays.

Puis je te quitterai.

Quand je baisse les yeux sur mes mains déformées, je vois que j'ai déchiré en petits morceaux la carte que la fille a donnée à Raven. Qu'il a choisi (mais pourquoi ?) de ne pas emporter.

Makaradwaj

Seule, sur un rayonnage qui lui est réservé dans la pièce intérieure trône la *makaradwaj*, reine des épices. Elle attend depuis tout ce temps, certaine que je finirai par venir à elle. Un peu plus tôt, un peu plus tard. Dans quelques jours, quelques mois, ou années ; cela lui importe peu à la *makaradwaj*, car c'est elle la maîtresse du temps.

Je prends la longue et mince fiole, la garde dans mes mains jusqu'à ce qu'elle se réchauffe.

Makaradwaj, me voici comme tu le prédis autrefois, moi Tilo à qui le temps est compté. Me voici, moi Tilo prête à enfreindre la dernière, la plus sacrée des règles.

Quelle règle ? demande la *makaradwaj*.

Makaradwaj qui connais ma réponse, pourquoi faut-il que tu m'obliges à le dire ?

Mais l'épice attend en silence jusqu'à ce que je m'exécute.

Fais-moi belle, *makaradwaj*, d'une beauté telle que personne n'en vit jamais de semblable sur cette terre. Belle, cent fois plus belle qu'il ne peut le concevoir. Pendant une nuit pour que sa peau en soit éblouie, que le bout de ses doigts en soit marqué à jamais. Que jamais plus il ne puisse se trouver en présence d'une autre femme sans se souvenir et regretter.

Le rire de l'épice est lent et profond, mais pas méchant.

Ah, Tilo.

Je sais que j'ai tort de lui demander cela pour moi-même. Je ne vais pas faire semblant de me repentir, je ne vais pas feindre la honte. Je vous dis, la tête haute, que c'est là mon désir, accédez-y ou privez-m'en selon votre bon vouloir.

Ce désir est-il plus fort que celui que tu eus de nous sur l'île, ce jour où tu te serais jetée du haut des falaises de granit si la Première Mère avait dit non ?

Epices, à quoi bon comparer. Chaque désir au monde est différent, comme l'est chaque amour. Vous qui êtes nées à l'aube du monde savez cela bien mieux que moi.

Réponds !

Faites vous-même la pesée ; à lui, je donnerai une nuit, à vous le reste de mes jours, quelle que soit la vie que vous ayez choisie pour moi, cent ans sur l'île ou en un seul instant, la conflagration et la dévoration dans le brasier de Shampâti.

Alors même que je parle, le dernier de mes doutes m'abandonne, le dernier de mes espoirs. Je vois clairement mon futur dans l'éclat de la fiole. Ce que je ne peux obtenir. Et j'accepte.

Tilo, ce ne fut jamais pour toi l'amour ordinaire des humains, la vie ordinaire du commun des mortels.

Ma réponse a été bien reçue. L'épice ne dit plus rien. La fiole est très chaude maintenant dans mes mains, son contenu a fondu. Je la porte à mes lèvres.

Et entends alors la voix d'autrefois de la Vieille : « La *makaradwaj*, la plus puissante de toutes les épices de la transformation, doit être manipulée avec le plus profond respect. Agir autrement peut rendre fou ou causer la mort. Selon le poids de la personne, mesurez-en un millième, mélangez-le à du lait et à du fruit *amla*. Il faut le siroter lentement, une cuillerée par heure, pendant trois nuits et trois jours. »

Je le bois d'un seul trait, moi qui dans trois nuits et trois jours serai partie nul ne sait où.

La secousse m'atteint, comme une balle, d'abord à la gorge, une brûlure d'une intensité que je n'ai jamais ressentie auparavant. Mon cou explose, cela descend tout le long de mon gosier jusqu'à mon estomac. Ma tête enfle d'abord comme un ballon géant, puis diminue et se réduit à la taille d'une pépite de fer. Je suis allongée sur le sol. La nausée me secoue et se déverse de moi comme le sang d'une artère rompue. Mes doigts sont raides et écartés, mon corps se plie et s'arque indépendamment de ma volonté.

Tilo trop confiante, qui pensais comme Shiva à la gorge bleue pouvoir digérer le poison, qui as tout risqué pour rien, meurs maintenant.

Pour rien. C'est ça le plus dur à accepter.

Mais attendez, la douleur se relâche, assez pour me permettre de respirer par saccades. J'ai une sensation différente ; tout au fond de mon corps, quelque chose change de place, se resserre. Les os se ressoudent. La *makaradwaj* fait son effet.

Et une voix : *Demain soir Tilo, tu seras au sommet de ta beauté. Profites-en bien. Car le lendemain matin, elle aura disparu.*

Ah épices, pourquoi me préoccuperais-je du lendemain matin ? N'aurai-je pas alors, moi aussi, disparu ?

Et seras-tu heureuse de partir, ou viendras-tu à nous le cœur entaché des couleurs du regret ?

Pour moi-même, je n'ai pas de regrets, dis-je. Et je me persuade presque que ce que je déclare est vrai.

Pourtant j'ajoute : Il y a deux personnes confiées à mes soins que je n'ai pas aidées. Je ne peux pas partir en paix sans savoir la fin de leur histoire.

Ah oui, le garçon, la femme. Mais leur histoire ne fait que commencer. C'est la tienne qui prend fin.

Je sais. Mais bien que je n'aie pas le droit de faire cette requête, j'aimerais les voir une dernière fois.

Encore des souhaits, Tilo ? N'as-tu pas déjà formulé ton dernier désir ?

S'il vous plaît.

Nous allons voir, répondent avec indulgence les épices, car elles savent qu'elles ont gagné.

*

Mon dernier jour se lève ; la beauté de la lumière me bouleverse, le ciel est d'un bleu indigo extrêmement pâle, l'air empli d'un parfum de roses, bien que je ne m'explique pas comment cela soit possible dans cette ville. Je suis étendue sur mon mince matelas, craignant de regarder, mais je lève mes mains. Les articulations noueuses ont disparu, les doigts sont longs et effilés. Pas encore vraiment jeunes mais en bonne voie de rajeunissement.

Je me détends, pousse un grand soupir. Epices, pardonnez-moi, jusqu'à maintenant je n'osais pas espérer.

O vous qui êtes jeune, vous ne connaîtrez jamais le plaisir avec lequel je me lève du lit, comme le simple fait d'étirer ces bras neufs de femme dans la force de l'âge m'enivre de plaisir interdit.

Je prends une douche, et sens sous mes mains mon corps qui continue à s'affermir tandis que je le lave. Je laisse mes cheveux mouillés pendre sur une partie de mon visage, moitié ombre, moitié lumière.

Le changement est déjà notable. Comment serai-je ce soir ?

Tilo l'impatiente, ne pense pas à ce soir. Il y a d'abord une journée entière de travail qui t'attend.

Je rassemble mes cheveux en un petit chignon tout ce qu'il y a de raisonnable, enfile ma robe américaine de chez Sears. J'ouvre la porte de la devanture pour y accrocher l'écriteau DERNIER JOUR.

Sur mon seuil, un bouquet, débordement de velours rouge. Des roses couleur de sang virginal. *A ce soir*, dit le mot.

Je les prends à bras le corps. Même les épines me font plaisir. Je vais les mettre dans un grand pot sur le comptoir. Toute la journée, nous échangerons en secret des sourires.

La nouvelle des soldes s'est répandue. L'épicerie est plus pleine que jamais, la caisse enregistreuse ne cesse de retentir, mes doigts (plus jeunes, plus jeunes) sont fatigués d'enfoncer des touches. Le tiroir de la caisse est bourré. Quand il est trop plein, je fourre l'argent dans un sac à provisions et l'ironie de ce geste me fait sourire, moi Tilo à qui ces billets de banque ne sont pas plus utiles que des feuilles mortes.

J'aurais dû tout donner gratuitement, par affection. Mais ce n'est pas permis.

« Que se passe-t-il ? » demande un client après l'autre, à l'affût d'une histoire.

Je leur dis seulement que la vieille femme ferme la boutique pour des raisons de santé. Oui, quelque chose de soudain. Non, pas vraiment grave, rien d'inquiétant. Je suis sa nièce, venue l'aider pour ce dernier jour.

« Dites-lui au revoir pour nous. Remerciez-la pour toute son aide. Dites-lui qu'on ne l'oubliera jamais. »

Cette chaleur dans leurs voix m'émeut. Même si je sais que ce qu'ils disent, ce qu'ils croient est une illusion. Parce qu'avec le temps tout s'oublie. Pourtant je les imagine passant dans la rue le mois prochain, l'année prochaine, le doigt tendu. « Autrefois, il y avait une femme ici. Ses yeux comme des aimants perçaient vos secrets les mieux gardés, disent-ils à leurs enfants. Ah, elle faisait ce qu'elle voulait avec les épices. Ecoutez attentivement. »

Et ils racontent mon histoire.

Tard dans l'après-midi il vient de sa démarche lente, le grand-père de Geeta, en s'arrêtant pour reprendre haleine.

« Ça me fait encore un peu mal, *dîdî,* mais il fallait que je vienne vous remercier, vous raconter ce qui est. »

Il s'interrompt au beau milieu de sa phrase, me lance un regard noir. Continue à me regarder de travers après mon explication.

« Comment peut-elle nous quitter ainsi ? Ce n'est pas juste.

— Elle ne contrôle pas tout. Elle doit parfois faire ce qu'on lui ordonne de faire.

— Mais elle a tant de pouvoirs, elle pourrait…

— Non, dis-je. Les pouvoirs ne sont pas donnés pour cela. Vous, avec la sagesse de votre âge, vous devriez le savoir.

— Sagesse... » Il ébauche un sourire narquois, puis redevient sérieux. « Mais j'ai besoin qu'elle soit au courant de certaines choses.

— Je vous promets qu'elle le sera. »

Il fronce les sourcils avec méfiance, rajuste ses lunettes, le grand-père de Geeta, toute la joie de son récit envolée.

« Geeta est-elle rentrée à la maison hier soir ? »

Il relève brusquement la tête. « Comment savez-vous ça ?

— Ma tante m'a raconté. Elle m'a dit de guetter votre venue, que vous pourriez venir. »

Il me dévisage longuement. Il finit par dire : « Oui. Elle est revenue avec Râmu. Sa mère est si contente que tard dans la nuit elle se remet à faire la cuisine, du poisson à la moutarde, du *cholar dâl* à la noix de coco, tous les plats préférés de Geeta. On s'assied tous autour de la table et on bavarde, même moi, parce que j'ai pris le médicament et me sens mieux, mais malheureusement je peux pas encore manger. » Il claque la langue à la pensée de toute cette bonne nourriture gâchée. « Bref, tout le monde est très heureux et fait très attention, on parle de travail et de cinéma et des cousins qui sont rentrés en Inde, pour ne pas réveiller la colère, moi surtout. Votre tante sera fière d'apprendre que je réussis à tenir ma langue ; je ne demande pas ceci cela, je fais seulement des commentaires sur la politique américaine.

« Puis juste avant de se lever pour nous laver les mains, Râmu dit, eh bien, tu pourrais peut-être demander à ton jeune homme de venir nous rendre visite. Et Geeta dit tranquillement, si tu veux, Papa. Râmu dit, comprends bien que ce n'est pas là une permission que je t'accorde, et Geeta dit je sais. Et c'est tout. Chacun va dans sa chambre en souriant. »

Il lève les yeux, le sourire de la veille encore pris dans les plis de son visage.

« Je suis si contente pour eux, dis-je. Pour vous aussi.

— Ce père et cette fille, si pareils, si fiers. Je suis sûr qu'ils vont recommencer à se disputer.

— Tant qu'ils n'oublient pas qu'ils s'aiment, dis-je.

— Je me souviendrai. » Il se frappe la poitrine avec fierté.

« Faites attention à ne pas trop parler, ma tante m'a recommandé de vous dire cela. Tenez, elle dit aussi qu'elle vous donne toute l'huile *brahmi* du magasin. Pour que vous gardiez la tête calme, a-t-elle ajouté. Non, non, c'est son cadeau de départ. »

Il me regarde envelopper les bouteilles dans du papier journal, les mettre dans un sac. « Ainsi elle ne va pas revenir.

— Je ne crois pas. Mais qui sait ce que l'avenir réserve ? » Je m'efforce de garder une voix légère, bien que le chagrin enfle dans ma gorge.

« Vous avez les mêmes yeux, dit-il en se détournant pour partir, je ne m'étais pas rendu compte tout ce temps à quel point ils étaient beaux. »

Il ne demande rien d'autre, ce vieillard aux lunettes qui voit bien mieux que d'autres avec une vue parfaite. Je ne lui tends pas la perche. C'est notre pacte silencieux.

« Dites-lui que je lui souhaite tout le bonheur possible. Je vais faire une prière pour elle.

— Merci. Elle a un grand besoin de prières. »

Mais regardez qui entre maintenant dans mon épicerie, une jeune femme que je n'ai jamais vue, la peau propre d'une prune sombre, les cheveux ondulés en une centaine de nattes minuscules, un sourire engageant comme du bon pain frais.

« Super, c'est coquet, c'est la première fois que j'entre ici. »

Elle m'offre quelque chose, une enveloppe. J'hésite puis, à la couleur de son uniforme bleu ciel et de son sac, l'oiseau au bec courbe sur son brassard, je comprends. C'est une employée de la poste.

« Ma toute première lettre ? » dis-je en la prenant avec émerveillement. Je jette un œil sur l'écriture, mais elle m'est inconnue.

« Vous venez d'arriver ?

— Non. En fait, je suis sur le point de m'en aller. »

J'aimerais bien me confier plus à cette femme au visage amical, mais que puis-je dire qu'elle – ou quiconque – puisse comprendre ?

« C'est mon dernier jour, finis-je par ajouter. Je suis heureuse de recevoir une lettre pour mon dernier jour.

— Je suis heureuse aussi pour vous. Elle a mis un certain temps parce que cette personne n'avait pas le code. Pas d'adresse au dos non plus, sinon ils l'auraient renvoyée. Vous voyez. »

Je regarde ce qu'elle me désigne, mais mes yeux sont attirés par le nom sur la lettre. *Mâtâjî.*

Une seule personne au monde m'appelle ainsi.

Mes poumons ont oublié comment respirer. Mon cœur cogne si durement que sûrement il va se briser en morceaux. Les bords du jour se racornissent, roussissent.

« Cette lettre est très importante pour moi, dis-je. Merci de me l'avoir apportée. »

A l'aveuglette, je tâtonne dans l'air brun pour trouver quelque chose à lui donner. Un sac de raisins secs dorés, des *kismi* pour donner de l'énergie qui dure.

« De mon pays. Cadeau.

— Merci, c'est vraiment gentil à vous. »

Elle regarde dans son sac. Que cherche-t-elle ? Pourquoi prend-elle tant de temps ?

Quand elle sera partie, je pourrai ouvrir la lettre.

Puis soudain je comprends qu'elle aussi cherche quelque chose à donner.

Elle le trouve, me le tend.

De minces rectangles argentés liés ensemble par du papier vert, doux au toucher.

Exhalant une odeur fraîche et sucrée de menthe.

« Chewing-gum, dit-elle en réponse à mon air interrogateur. Vous aimerez peut-être ça. Quelque chose de l'Amérique, vous savez, pour votre voyage. »

J'espère qu'elle le voit dans mes yeux avant de partir, le fait que j'apprécie ce cadeau inattendu, moi Tilo qui pour une fois ne trouve rien à dire.

Sur le seuil, la lumière du soleil illumine son visage, comme il illumina autrefois le visage de la femme d'Ahuja.

Je ferme la porte derrière elle. J'ai besoin d'accorder toute mon attention à cette lettre, à tous les mots et tout ce qu'il y a entre les mots.

J'enlève l'emballage d'un morceau de gomme, la plie pour la fourrer dans ma bouche.

La douceur généreuse sur ma langue me donne le courage de lire.

Mâtâjî.

Namaste.

J'ai pas votre adresse complète et je sais pas si cette lettre vous parviendra jamais, mais on m'a dit que le système postal américain est bon, alors j'espère. Parce que je veux tant que vous sachiez.

J'ai quitté la maison. Je suis dans une autre ville, mais je n'ai pas le droit de dire où pour des raisons de sécurité.

Tout cela est arrivé il y a une semaine bien que j'y aie pensé et pensé pendant des mois.

Vous savez, le magazine que vous m'avez donné ? A la fin, il y avait des annonces. L'une disait, si vous êtes une femme battue, appelez ce numéro. Je l'ai regardé longtemps. Un instant, je pensais, pourquoi pas ? L'instant d'après, je pensais, chee chee, *quelle* sharam, *dire à des étrangers que votre mari vous bat. J'ai fini par jeter le magazine sur la pile de vieux journaux qu'il emporte pour le recyclage à la fin du mois.*

J'ai décidé d'essayer encore une fois. D'oublier le passé. Avais-je le choix ? Je lui ai dit, et si j'allais voir un médecin pour savoir ce qui ne va pas, pourquoi je ne deviens pas mère ?

Il n'a pas fait d'objection. Même l'argent, il était prêt à le dépenser. Peut-être que lui aussi pensait qu'un bébé arrangerait les choses, nous lierait dans un amour partagé. Ok, il a dit, si c'est une femme médecin. Indienne, c'est mieux.

Je n'ai pas trouvé de médecin indien mais l'Américaine a dit que je n'avais pas de problème. Ça pourrait venir de votre mari, elle a dit. Peut-être que le taux de fertilité de son sperme est bas. Envoyez-le-moi pour un contrôle. Dites-lui de ne pas s'inquiéter. Aujourd'hui, on peut faire tout plein de choses faciles.

Mais quand je lui ai raconté, son visage est devenu sombre comme un ciel de mousson. Les veines de son front étaient des nœuds bleus. Qu'est-ce que tu dis, je suis pas un homme ? Tu veux trouver quelqu'un de mieux ? Il a commencé à me secouer si fort que je pouvais entendre les os de mon cou craquer.

S'il te plaît, j'ai dit, je suis désolée, c'est ma faute, oublions, tu n'es pas obligé d'y aller.

Il m'a giflé fort, deux, trois fois. Tu as manigancé tout ça, hein ? Pour mettre le médecin américain de ton côté.

Il m'a entraînée dans la chambre, m'a jetée sur le lit. Enlève tes vêtements, il a ordonné. Je vais te montrer si je suis un homme ou non.

Mâtâjî, *j'avais tellement peur que mes mains se sont levées sur les boutons de la blouse de mon sari, machinalement. Puis je me suis souvenue de ce que vous aviez dit : Aucun homme, mari ou pas, n'a le droit de vous forcer à coucher avec lui.*

Je me suis assise. Une partie de mon esprit disait, il va me tuer. Une autre disait, que peut-il arriver de pire ? J'ai grossi ma voix et déclaré, je ne coucherai pas avec un homme qui me bat.

Un instant il est resté stupéfait, pétrifié. Puis il a dit : Ah bon ? C'est ce qu'on va voir.

Il s'est jeté sur moi, a attrapé le devant de mon corsage et l'a déchiré. J'entends encore le bruit du tissu, comme si c'était ma vie, qui se fend.

Je ne peux pas écrire ce qu'il m'a fait encore. J'ai trop honte. Mais d'une façon, ç'a été utile aussi. Ça a brisé ma dernière hésitation, ma peur de blesser mes parents. Après j'étais là, l'écoutant pleurer, m'implorant de le pardonner, me mettant des compresses de glace sur le visage, disant, pourquoi tu me forces à faire ces choses ? Quand il s'est endormi, je suis allée me doucher et je suis restée sous l'eau chaude à frotter, même les bleus, jusqu'à ce que la peau se détache. Je regardais l'eau sale qui s'écoulait par la canalisation et j'ai compris qu'il fallait que je m'en aille. Si mes parents ne m'aiment pas assez pour comprendre, j'ai pensé, tant pis.

Le lendemain matin il m'a dit de ne pas sortir, il prendrait sa demi-journée, reviendrait déjeuner avec une surprise pour moi. Je connaissais ses surprises, des bijoux, des saris, des choses qu'on peut pas se permettre. Lui croyait que cela me ferait oublier. Ça me rendait malade de penser que je devrais les porter pour lui. Dès que sa voiture a disparu au coin de la rue, je me suis précipitée sur la pile de journaux. Tout d'abord je n'ai pas trouvé le magazine. J'étais si effrayée. J'ai cru qu'il l'avait vu et jeté, que je serais obligée de vivre avec lui pour le restant de mes jours.

J'ai fouillé de nouveau la pile. La tête me tournait, j'étais si nerveuse, il allait revenir tôt. Quand je l'ai trouvé, j'ai éclaté en larmes. Je pouvais à peine parler quand j'ai téléphoné.

La femme au téléphone était très gentille. Elle était indienne comme moi, elle comprenait sans que je lui explique. Elle m'a dit que j'avais bien fait d'appeler, ils allaient m'aider si j'étais sûre de ce que je voulais faire.

J'ai préparé un sac, pris mon passeport, quelques bijoux du mariage qui étaient à la maison, tout l'argent que j'ai pu trouver. Je ne voulais pas toucher au sien, mais je savais que je devrais survivre.

Deux femmes m'attendaient à un arrêt de bus. Elles m'ont emmenée dans cette maison dans une autre ville.

Je ne sais pas ce que je vais faire maintenant, Mâtâjî. *Elles m'ont donné toutes sortes de livres à lire. Mes droits. Des histoires d'autres femmes comme moi qui mènent une meilleure vie maintenant. Des histoires de femmes qui sont rentrées chez elles et ont été battues à mort. Elles me disent que si je veux porter plainte à la police, elles m'aideront. Elles peuvent aussi m'aider à monter une petite boutique de couture, si je veux. Elles me préviennent que les choses ne seront pas faciles.*

Il y a d'autres femmes ici. Certaines pleurent tout le temps. Certaines ne disent rien. Elles ont peur de porter plainte, peur de quitter cet endroit. Une femme a eu le crâne fracturé avec une clef à molette. Parfois je l'entends qui prie, Râma, pardonne-moi d'avoir quitté mon mari. Moi, je peux même pas prier. A qui demander de me bénir ? Râma, qui a banni la pauvre Sîtâ enceinte dans la forêt à cause de ce que les gens pourraient dire ? Même nos dieux sont cruels avec leurs femmes.

Certains jours, j'ai peur aussi. Et je suis si déprimée. Je regarde la chambre que je partage avec deux femmes, on vit avec toutes nos affaires dans nos valises. Je ne peux pas être seule. Une salle de bain dans la maison pour six d'entre nous, des sous-vêtements pendus partout. L'odeur du sang menstruel. Je pense à ma maison bien tenue. Et puis mon esprit me joue des tours, me rappelle les moments heureux, parfois il pouvait être si gentil, il rapportait des films vidéo et des pizzas le vendredi soir, et nous assis sur le sofa pour regarder Dev Anand, en train de rire.

Il y a des voix dans ma tête tous les jours. Elles murmurent, il a appris sa leçon, les choses seront différentes maintenant, serait-ce si mauvais de retourner ?

J'essaie de les repousser. Je me souviens de ce que vous m'avez dit juste avant que je parte. Je me dis à moi-même, j'ai droit à la dignité, je mérite le bonheur.

Mâtâjî, *priez pour moi que je reste assez forte pour le trouver.*

Votre Lalitâ

La lettre, que je serre dans mes mains, se brouille. Est-ce des larmes de douleur ou de joie ? Oui, ma Lalitâ qui reçois enfin ce qui te revient, je prie pour toi : ô épices, ô toutes les forces du monde, faites qu'elle n'abandonne pas. Fille, le passage de la naissance est toujours étroit, suffocant. Mais cette première bouffée d'air emplissant les poumons, ah, je prie pour qu'elle t'emplisse !

Moi, en attendant, je vais broyer des amandes et du *chyavanprash* qui donne de la force mentale et physique et le mettre devant la porte pour que le vent l'emporte jusqu'à cette maison de femmes où tu attends. Je vais le faire maintenant, dans le peu de temps qui me reste et s'amenuise.

*

J'ouvre la porte pour déposer le *chyavanprash* et je le trouve là sur la marche, son visage étonnamment près du mien, Jagjit dans une veste de cuir véritable, regardant à travers le verre laiteux l'affiche du dojo de Kwesi. Jagjit que les garçons du quartier appellent Jag.

Merci épices, j'avais perdu espoir.

Il se recule avec un grognement, Jag diminutif de jaguar, portant la main à la poche, puis il se reprend.

« Hé, Lady, vous devriez pas vous approcher comme ça d'un type sans prévenir. Vous pourriez vous faire agresser. »

Je souris, pense à lui dire : *C'est mon seuil après tout.* Mais ce n'est plus vrai.

« Tu m'as fait peur aussi, dis-je à la place.

— Peur, qui a dit que j'avais eu peur ? » Eclat argenté d'une boucle d'oreille tandis qu'il secoue la tête. Puis il regarde de plus près dans la lumière du crépuscule. « Attendez une minute. Vous n'êtes pas la vieille femme qui tient l'épicerie. » Ses yeux montrent un intérêt nouveau, Jagjit qui n'a pas encore quatorze ans et grandit si vite en Amérique.

Je lui raconte l'histoire de la nièce. Puis j'ajoute : « Mais moi je sais qui tu es.

— Comment que ça se fait ?

— Ma tante m'a dit de te guetter. Elle m'a dit, ce Jagjit est un beau jeune homme, plein de ressources. Il pourrait devenir tout ce qu'il veut.

— Elle a dit ça ? » Un instant son visage montre un plaisir enfantin, puis il se rembrunit à nouveau. Ses pensées sont pleines de sons violents.

Jagjit conquérant du monde, qu'as-tu fait, qui as-tu…

Le visage de Haroun pâle dans ses pansements passe comme un éclair devant moi mais non ce ne peut pas être cela, je me refuse à le penser.

Tilo, tôt ou tard, cela finira par arriver, avec le chemin qu'il prend.

Je lui demande : « Tu viens acheter quelque chose ? » Je veux l'attirer à l'intérieur. Je lui désigne l'écriteau des soldes. « Aujourd'hui c'est un bon jour pour acheter. Ta mère a peut-être besoin de quelque chose ? » Mais je sais bien qu'il ne fait plus les courses pour sa mère.

« Non. Je passais seulement par là, je sais même pas pourquoi je me suis arrêté. Peut-être à cause de l'affiche. » Il la désigne d'un mouvement brusque de son menton levé.

« Tu aimes le karaté ? » Epices, faites en sorte que cela arrive, faites que cela arrive.

Il hausse les épaules. « Jamais essayé. Coûte trop cher à pratiquer. D'ailleurs, j'ai autre chose à faire. Faut que j'y aille maintenant. »

Ses pieds sont déjà tournés vers les impasses de la nuit.

Je réfléchis vite, moi qui ne suis pas douée pour cela. Puis cela me frappe.

« Oh, j'ai failli oublier. Ma tante m'a laissé quelque chose pour toi.

— Vraiment ?

— Oui. Elle a dit que c'était très important. Je vais le chercher si tu veux bien entrer. »

Il hésite. « J'ai pas le temps. » Mais la curiosité le tiraille, Jagjit qui n'est encore qu'un gamin. « Rien qu'une minute.

— Seulement une minute », dis-je. Par la pensée, je suis déjà dans la pièce intérieure. J'agrafe les bouts du sac où j'ai fourré l'argent, écris un mot que je mets avec.

« Vous pensez que j'ai bien fait ? demanderai-je à Raven plus tard quand nous serons couchés. Cela m'a paru alors une solution parfaite, tout cet argent qui aurait été perdu sinon. Mais maintenant, je ne sais plus. »

Un pli de doute se creuse entre ses sourcils à lui aussi. Mais il veut que je sois heureuse. Alors il dira : « Je pense que vous avez fait la meilleure chose possible. »

Pourtant, l'incertitude me dévore.

« Il y avait plus d'un millier de dollars dans ce sac. Et s'il l'utilise à mauvais escient, vous savez, de la drogue, des armes, au lieu de se rendre chez Kwesi et de s'inscrire ?

— Ayez confiance, dira-t-il, ayez confiance en lui, ayez confiance dans l'univers. Il y a cinquante pour cent de chances pour que ça marche. Plus que vous et moi en avons eu de nous rencontrer. » Il lèvera ma main de dessus le couvre-lit, en embrassera chaque doigt.

Je caresserai sa mâchoire, le léger picotement de sa barbe naissante, l'odeur fraîche de citron. Il a raison.

« Pensez à son visage. Quel air avait-il quand il a ouvert le paquet ? Quand il est sorti de la boutique ? »

Je me souviendrai des yeux éberlués de Jagjit. « Pour moi ? » La façon dont il a lu et relu plusieurs fois le mot.

« Vous savez ce que dit le mot ? demande-t-il.

— Non. Vous voulez me le lire ? dis-je, mentant effrontément.

— Il dit : *Pour Jagjit mon conquérant du monde, pour recommencer une vie nouvelle.* Et dessous : *Utilise le pouvoir, ne le laisse pas t'utiliser*.

— Cela me semble bien. Cette tante à moi, c'est une sage », je lui souris. Puis je détache l'affiche de la porte, la lui donne. « Vas-y faire un tour », lui dis-je.

Dans ses yeux, une vision brillante de hauts coups de pied impossibles, de tranches de la main brisant en deux une brique. Des *kiai* assez féroces pour ébranler les murs du cœur d'un ennemi, des *kata* délicats et précis comme une danse. La gloire et la fortune, peut-être le cinéma, comme Bruce Lee. Une escapade hors du présent et un saut dans l'éternité.

Mais aussi un souci. Jagjit qui sait déjà que le chemin pour revenir est deux fois plus long. Hérissé de lames d'acier là où il n'y en avait pas auparavant.

« Je ne sais pas si mes potes vont me laisser. »

Je lui donne un sac de *laddu*, de *besan* et de sucre candi en guise de protection. Pour affermir la résolution qui ne s'effrite pas. Je lui dis : « *Comment le sauras-tu si tu n'essaies pas*, c'est ce que ma tante aurait dit. »

Il m'adresse un sourire, un peu craintif mais ouvert et plein. « Remerciez-la. Dites-lui que je vais essayer de toutes mes forces.

— J'ai confiance », finirai-je par murmurer sur le lit de Raven au cours de ma dernière nuit en revoyant Jagjit disparaître dans le brouillard laiteux de la nuit, répétant les mots d'espoir de ma prière, la seule chose que je puisse encore faire. « Jagjit, je sais que tu le feras. »

Racine de lotus

Enfin, la journée est finie, les clients sont partis, tout dans la boutique est vendu ou donné sauf ce dont j'aurai besoin pour le brasier de Shampâti.

Le brasier de Shampâti, flamme bleue, cendres vertes, le bruit de la fournaise pas si différent du bruit de la pluie, que vas-tu faire de ce corps que m'ont donné les épices ? Où emmèneras-tu ce cœur que j'ai promis de leur rendre ?

Et la douleur. Sera-t-elle…

Arrête. On verra ça plus tard. Le moment est venu d'arroser cette nuit avec l'eau de la rivière éternelle du désir, la plante que tu as cueillie, inconsciente, ce jour-là dans le magasin Sears.

Je mets la robe blanche, toute d'écume et à l'odeur de fleur, que Raven m'a offerte ; elle tombe sur la taille et les hanches minces, murmure glissant autour de mes jambes nues. J'emplis un petit sachet de soie de poudre de racine de lotus, herbe de l'amour durable. La noue avec une cordelette de soie autour de mon cou pour que le sachet tombe entre mes seins qui sentent les mangues mûres.

Maintenant je suis prête. Je me place là où il pend sur le mur, enlève le tissu qui le recouvre, moi Tilo qui ai enfreint je ne sais plus combien de règles.

Combien de vies se sont-elles écoulées depuis la dernière fois où j'en ai consulté un ?

Miroir, que vas-tu me révéler ?

Je suis éblouie par le visage qui me rend mon regard, jeune et sans âge à la fois, le plus beau des rêves devenu réalité, pouvoir des épices au mieux de leur puissance. Le front lisse ressemble à une feuille de *shapla* qui vient d'éclore, le nez incurvé à la fleur de *til.* La bouche en cœur évoque l'arc de Madan, dieu de l'amour, les lèvres ont la couleur de – il n'y a pas d'autres mots pour ça – piments rouges écrasés. Couleur de baisers qui enflamment et consument.

C'est un visage qui ne trahit rien, un visage de déesse sans défaut humain, distant comme une peinture d'Ajanta. Seuls les yeux sont humains, fragiles. En eux je vois Nayan Târâ, je vois Bhagavatî, je vois la Tilo que je fus. Des yeux, élargis par l'ivresse de la joie, qui expriment un sentiment surprenant.

La beauté peut-elle effrayer ? Je vois dans mes yeux que la mienne me terrifie.

*

Quelqu'un frappe à la porte.

Je me déplace comme immergée dans une eau profonde, moi qui ai attendu toute ma vie – bien que je ne m'en rende compte que maintenant – que s'épanouisse ce bref instant tel un feu d'artifice dans un ciel de minuit. Tout mon corps tremble, de désir et de peur, parce que ce n'est pas seulement pour Raven que je fais cela mais pour moi aussi. Et pourtant.

La main sur la poignée de la porte, je m'immobilise.

O Tilo, et si la nuit réelle n'est pas à la hauteur (il en est sûrement ainsi) de la nuit imaginée. Et si l'amour de l'homme et de la femme, lèvre contre lèvre corps contre corps cœur contre cœur est moins que...

« Tilo, crie-t-il de l'autre côté. Ouvrez. »

Mais quand j'ouvre, c'est lui qui s'immobilise. Jusqu'à ce que je mette mes mains en coupe autour de son visage et dise tendrement : « Raven, ce n'est que moi. »

Il finit par déclarer : « Je n'avais pas osé rêver d'une telle beauté. Je n'ose pas la toucher. »

Je prends ses bras et les place autour de moi, à demi enjouée, à demi effarée. « Le corps fait-il tant de différence ? Ne voyez-vous pas que je suis toujours la même Tilo ? »

Il regarde mieux. Puis ses bras se resserrent. « Oui, dit-il contre mes cheveux en cascade. Je le vois dans vos yeux.

— Alors emmenez-moi avec vous, Raven. Aimez-moi. » Et dans mon cœur, j'ajoute, oh, ne perdez pas de temps.

Mais il me reste une dernière chose à faire.

Raven arrête sa voiture sans à-coup. Regarde l'escalier sombre avec appréhension.

« Vous êtes sûre que vous ne voulez pas que je vienne ? »

Je secoue la tête, serre plus fort contre ma poitrine le paquet que je porte. Je repousse de mon esprit ce qu'il dirait s'il connaissait son contenu.

Tout le long de la spirale de l'escalier qui sent les vieilles chaussettes, une voix tel un clou rouillé gratte à l'intérieur de mon crâne. Est-ce celle de la Première Mère, est-ce la mienne ? Y a-t-il encore une différence ?

Tilo, sais-tu ce que tu fais ?

Je serre les dents pour me protéger de cette voix parce que je ne sais pas vraiment. Parce que de temps en temps, en imaginant ce moment, à l'idée de me tromper, j'étais malade de peur au point que la tête m'en tournait. Mais voilà ce que je dis à voix haute : « Dent pour dent. Parfois c'est la seule façon. »

Quand je pousse la porte de Haroun, elle s'ouvre sans résistance. Il devrait être plus prudent, cela me met en colère. Haroun, n'as-tu pas encore compris ?

Sa chambre est pleine de formes immobiles et sombres. Son lit, son corps, une cruche d'eau, une lampe de chevet éteinte, un livre que quelqu'un lui a lu. Seuls les pansements jettent une lueur, comme un avertissement. L'ovale de sa tête est détourné. Je crois qu'il dort.

Il me répugne de le réveiller et de réveiller sa douleur, mais il le faut.

« Haroun. »

En réponse à mon murmure, il bouge un peu, comme en un rêve.

« Ladyjaan. » Sa langue bute sur le mot, mais il le prononce avec plaisir.

Eberluée, je demande : « Comment savez-vous que c'est moi ?

— C'est la façon que vous prononcez mon nom, répond-il, la voix fatiguée mais souriante dans les ténèbres. Même si votre voix est différente aujourd'hui, plus douce, plus forte.

— Comment vous sentez-vous ? Le médecin est revenu vous voir ?

— Oui. Il est très gentil, et aussi Shamsur-*saab* et sa sœur. » Sa voix monte un peu sur le dernier mot. « Ils me prennent pas un centime. Elle prépare tous les repas, change mes pansements, s'assied près de moi et raconte des histoires pour me tenir compagnie. »

Ah Hamida ! C'est ce que j'espérais.

« Haroun, ce qui est arrivé ne vous rend pas furieux ?

— Aïe Ladyjaan. » Sa bouche s'effile telle une lame de rasoir. « Bien sûr je suis furieux. Si jamais j'attrape ces salauds, ces *shaitaan*... » Il se tait un instant, revivant le passé, imaginant le futur. Puis inspire profondément. « Mais j'ai eu de la chance. L'œil gauche est encore un peu brouillé, mais le docteur-*saab* dit qu'à la grâce d'Allah et de son savoir-faire, il sera comme neuf. Et je me suis fait de si bons amis – ils sont comme une famille. Même la petite fille de Hamîdâ avec sa voix comme un oiseau *mynah*. On a déjà prévu d'aller au cirque dès que je vais mieux.

— Haroun, je suis venue vous dire au revoir. »

Il fait un effort pour se relever. « Où vous partez ? » Ses doigts tâtonnent pour trouver la lampe de chevet.

« Non, Haroun, non. »

Mais il a déjà allumé. Il inspire avec peine, presse la main contre la douleur qui lui étreint soudain les côtes.

« Lady, qu'est-ce que c'est que ce *jaadu*, et pourquoi ? »

Je rougis sous son regard. Je n'ai pas de réponse qu'il ne jugera pas frivole. Mais Haroun avec son cœur récemment ouvert comprend mieux que je ne l'espérais.

« Ah ! » Le mot traduit sa compassion et son souci. « Et puis après ? Où vous allez ? Et l'épicerie ?

— Je ne sais pas, dis-je, en sentant monter en moi la peur comme une vague de sel dans laquelle je me noie une fois de plus. Je crois que je vais rentrer à la maison, Haroun, mais existe-t-il un chemin de retour ? »

Il prend ma main dans la sienne, Haroun qui me réconforte, nos rôles sont inversés.

« Pas pour moi, Ladyjaan. Mais pour vous… qui sait ? Je fais un *dua* à Allah pour votre bonheur.

— J'ai ici quelque chose pour vous. Ensuite, il faut que je parte.

— Attendez deux minutes, Ladyjaan. Hamîdâ va revenir dès qu'elle a préparé le repas. Ce soir, menu spécial, curry de chèvre avec des *paratha*. Elle s'y connaît en cuisine, toutes les épices bien mélangées, vous aimerez sûrement. » J'entends la fierté joyeuse dans sa voix. « Elle sera si contente de vous revoir. Vous nous ferez honneur si vous restez manger avec nous. »

Puis il demande, mon Haroun curieux : « Qu'est-ce que vous avez apporté pour moi ? »

Et soudain je sais ce que je dois faire. Et me réjouis, comme quelqu'un qui voit en pleine nuit, juste avant de faire le dernier pas, souligné par l'éclair, le bord du précipice fatal.

« A vrai dire, c'est pour Hamîdâ, pour tous les deux. »

Je repousse le paquet avec les piments rouges derrière moi. Puis j'enlève de mon cou le sachet de racine de lotus. Le lui remets.

Si le regret endeuille mon cœur (ô Raven) comme une traînée de brouillard, je n'y prête pas attention.

« Elle doit le porter la nuit de votre *nikah*, dis-je, pour une vie entière d'amour fou. »

C'est lui maintenant qui rougit.

« Donnez-lui mon *mubaarak*, dis-je du seuil. Et Haroun. Soyez prudent.

— Oui, Ladyjaan. J'ai compris ma bêtise. Hamîdâ aussi me gronde, pareil. Plus de travail la nuit, plus de quartiers dangereux, plus de clients qui m'inspirent un mauvais sentiment. Et je vais garder une batte de baseball sur le siège de devant. Shamsur va m'en trouver une. » Il m'adresse de la main un *Khuda hafiz,* Haroun qui a tant de raisons de vivre, pour qui le rêve de l'immigrant prend une forme à laquelle il n'avait jamais pensé.

*

« Cela a duré une éternité », dit Raven. A la lumière assourdie du lampadaire, il me lance un œil un peu réprobateur. « Qu'avez-vous fait pour avoir l'air si rayonnante ?

— *Raven !* » Je ris, me souvenant des filles-bougainvillées. « Etes-vous jaloux ?

— Vous me le reprochez ? Regardez-vous. » Il touche ma joue. M'attire à lui pour un long baiser époustouflant, pose la tête sur ma gorge, Raven qui apprend les contours de mon corps. Puis il devient sérieux. « C'est un peu comme – je sais que c'est idiot – mais j'ai le sentiment que vous pourriez disparaître d'un moment à l'autre. Comme si nous avions seulement peu de temps devant nous. » Il se recule pour plonger son regard dans le mien. « Dites-moi que c'est idiot.

— Idiot, dis-je, baissant les yeux sur l'éclat rose de coquillage de mes doigts.

— Hé ! Vous avez toujours ce colis. Je pensais que vous étiez venue ici pour le donner à votre ami.

— J'ai changé d'avis, Raven. Voulez-vous bien m'emmener dans un dernier endroit ? »

Il soupire. « Femme, ne me fais pas ça.

— Cela ne prendra que deux ou trois minutes.

— Bon, très bien. Essayez de faire vite, d'accord ? »

Quand il arrête le moteur, j'embrasse ses yeux, laisse mes lèvres s'attarder sur la ligne de ses sourcils, sur les doux creux en dessous. « Pour vous faire patienter jusqu'à mon retour », dis-je.

Il pousse un gémissement. « Je crois que je suis à bout de patience. »

Je ris de ce pouvoir nouveau qui oblige un homme à me parler ainsi pour la première fois de ma vie.

La jetée faiblement éclairée semble très longue, l'eau très noire, le colis très lourd. Ou est-ce le poids de mon cœur ? Mon souffle saccadé lacère ma poitrine. J'ai peur de ne jamais atteindre le bout.

Soudain, la vieille nostalgie me reprend. *Serpents, êtes-vous…*

Les mots, tels des flocons de neige tourbillonnant dans le faisceau d'un phare de voiture, s'évanouissent instantanément. Je sais qu'il n'est pas temps.

Epices, je regrette, dis-je debout au bord de l'eau d'un noir d'encre. Mais je finis par penser que j'ai bien fait. Il vaut mieux pour Haroun vivre une vie d'amour, et non de haine et de coups qui ne peut qu'amener d'autres coups.

Tu aurais dû penser à cela plus tôt, Tilo. Leur voix vient de nulle part et de partout, comme dans un jeu d'illusionniste. *Maintenant que tu nous as éveillées, nous devons exercer notre pouvoir. Il nous faut détruire quelque chose. Dis-nous quoi.*

Epices, j'entonne la formule de propitiation. Ne pouvez-vous pour une fois faire le chemin du pardon ?

Le monde ne marche pas de cette façon, Maîtresse idiote qui pense qu'elle peut retenir la chute de la cascade, contraindre l'incendie de forêt à retenir sa langue rouge de fureur. Ou, comme le dirait cet homme qui attend dans sa voiture, tenir de nouveau dans ses mains l'oiseau qui a déjà pris son envol.

Ne le mêlez pas à cela, épices, c'est une histoire entre vous et moi.

Le colis dans ma main flamboie sous l'effet de la chaleur. Ou de la fureur. *Tilo qui n'aurais pas dû jouer avec des forces au-delà de ton entendement, la destruction que tu as mise en branle atteindra toute vie autour de toi. La cité entière en tremblera.*

Je n'ai rien à ajouter, leur dis-je, mes lèvres desséchées par une peur soudaine dont je n'arrive pas à me défaire. Je mets le colis dans l'eau, le lâche. Il s'enfonce, incandescent, doucement. Quand il finit par disparaître, je relâche ma respiration. Et voilà ce que je déclare avant de refaire en sens inverse le long chemin.

Epices, commencez par ma vie si vous le devez. Prenez-moi d'abord. Passez votre haine sur moi.

Tilo, tu n'as pas vraiment compris grand-chose. Montant des profondeurs, la voix ressemble à un sifflement aigu, comme de l'eau versée sur un fer chauffé à blanc. Ou à un long soupir. *Pareilles à la cascade, à l'avalanche, à l'incendie de forêt, nous ne haïssons pas. Nous faisons seulement ce que nous devons faire.*

*

Raven vit au dernier étage d'un bâtiment qui me semble le plus haut du monde. Les murs sont en verre. Alors que l'ascenseur s'élève, nous voyons tomber en dessous de nous la cité qui étincelle de tous ses feux. C'est comme voler.

Il ouvre vivement la porte en faisant un grand geste. « Bienvenue chez moi. » Il y a un léger tremblement dans sa voix. Je suis stupéfaite de me rendre compte qu'il est nerveux, mon Américain. Du plus profond de moi, une puissante poussée qui monte. De l'amour et un désir nouveau, celui de rassurer cet homme.

« C'est beau », dis-je et c'est beau. Des puits de lumière autour de nous, bien que je ne saurais dire d'où elle vient. Un tapis d'un blanc doux dans lequel mes pieds s'enfoncent jusqu'aux chevilles. De larges sofas bas d'un cuir lisse et blanc. Une table basse qui est un simple ovale de verre. Un unique et imposant tableau sur un mur, tourbillon de couleurs de lever de soleil, ou de début du monde. Dans le coin, sous un grand ficus, la statue d'une *apsarâ.* Je m'agenouille pour toucher les traits affilés. C'est un peu comme toucher mon propre visage.

Dans la chambre, le même luxe discret, la même surprenante austérité. Un lit avec un dessus de lit de soie brodée, blanc sur blanc. Une lampe. Une grande bibliothèque couverte jusqu'au plafond de livres que l'on lit tard le soir jusqu'au moment de s'endormir. Le mur extérieur est tout en verre. A travers, je peux voir les lumières, de minuscules trous jaunes perforant la nuit, puis la courbe sombre de la Baie. La seule décoration dans la pièce est un batik de Bouddha, la main au lotus levée dans le geste de la compassion.

Raven le beau gosse, mon Américain qui aime faire la fête, je ne m'attendais pas à trouver cela chez toi.

Comme pour me répondre il dit : « J'ai refait la décoration, j'ai jeté un tas de vieilleries, en vous imaginant ici. Ça vous plaît ?

— Oui. » Ma voix est basse. Que quelqu'un puisse créer son espace à partir de ce qu'il imagine de moi m'emplit d'humilité. Et de culpabilité parce que...

« Bien que cela n'ait pas vraiment d'importance, n'est-ce pas, ajoute-t-il, puisque nous serons partis bientôt.

— Oui, bientôt », dis-je les lèvres serrées.

Raven éteint la lampe. Dans la lumière argentée et froide de la lune, je sens son souffle derrière moi, odeur d'amandes et de pêches. Il enroule ma taille de ses bras. Ses lèvres contre mon oreille, son murmure est chaud comme de la peau.

« Tilo. »

Je ferme les yeux. Il embrasse mes épaules, mon cou, dépose de petits baisers sur chaque protubérance de ma colonne vertébrale. Il me tourne vers lui, déboutonne ma robe et la laisse tomber dans un tourbillon de soie à mes pieds. Ses mains passent telles des colombes sur mon corps.

« Tilo, regardez-moi, touchez-moi aussi. »

Je suis trop timide pour ouvrir les yeux mais je glisse la main sous sa chemise. Sa peau est ferme et lisse partout, sauf sur sa clavicule où il y a une petite cicatrice froncée, vestige de quelque rixe d'autrefois. Cela suscite en moi une tendresse qui me stupéfie, moi qui ai toujours ardemment recherché le pouvoir de la perfection et découvre maintenant que la fragilité humaine possède son propre pouvoir. Je l'embrasse et entends son souffle qui s'accélère dans sa gorge. Puis ses lèvres sont partout, sa langue, taquine, me tirant hors de moi-même. Moi Tilo qui n'ai jamais pensé que j'apprendrais les chemins du plaisir avec cette rapidité foudroyante, plaisir qui recouvre le corps d'une coulée de miel chaud, bouts de doigts, orteils, chaque pore de la peau.

Nous sommes au lit maintenant ; les murs sont tombés, les étoiles brillent dans nos cheveux. Il me hisse sur lui, laisse mes cheveux se déverser sur son visage comme le chant de l'eau. « Par ici, chérie. »

Mais je sais déjà. *Makaradwaj* la reine des épices me dit ce qu'il faut faire si bien que Raven rit à voix basse, « Tilo ! » puis halète et frémit.

La voix de l'épice dans mes oreilles. *Use de tout. Bouche et main, oui, ongles et dents, battement de cils contre sa peau, ce regard spécial dans ton œil. Prends et reprends, excite, lutine. Comme le faisaient les grandes courtisanes à la cour d'Indra, roi des dieux.*

Laisse-le explorer la terre que tu es, montagne, lac et ville. Laisse-le creuser des routes là où personne avant lui ne s'est aventuré. Laisse-le entrer finalement là où tu es la plus profonde et la plus inconnue, vignes touffues, cri du jaguar, odeur enivrante de rajanigandha, la tubéreuse sauvage, fleur de nuit de noces. Car l'amour n'est-il pas l'illusion que vous voulez totalement ouvrir l'un avec l'autre, ne supportant de garder aucune distance ?

O *makaradwaj*, pourquoi dis-tu *illusion*. Je désire donner à cet homme tous mes secrets, mon passé et mon présent à la fois.

Et ton futur ? Lui diras-tu quand vous vous serez aimés que cette première fois est aussi la dernière ? Lui parleras-tu du brasier de Shampâti ?

« Tilo », crie Raven impatient, attirant mes hanches contre lui, en lui, encore, et encore, os contre os, jusqu'à ce que je sente la chaude émission nous emporter tous les deux. Jusqu'à ce que nous ne fassions plus qu'un seul corps et de nombreux corps et plus de corps, tout ensemble.

C'est à ce moment-là que je ressens la tristesse, une chaleur se retire de ma peau comme la dernière touche de couleur se retirant du ciel du soir, et me fait frissonner. Une part de moi meurt, je sens dans chacun de mes os évidé, chaque cheveu hérissé, chaque membre effondré retrouvant sa forme ancienne, une chanson qui décline. Raven la sent-il aussi ?

Les épices sont-elles en train de me quitter ?

Tilo, n'y pense pas maintenant.

Car, pour l'instant, nous sommes étendus nous tenant l'un l'autre sous ce couvre-lit blanc comme la fidélité, notre respiration se ralentissant. Un instant, ses bras qui m'encerclent sont un rempart que le temps ne peut détruire. Bouche contre bouche, nous nous susurrons, ensommeillés, de petits mots tendres qui n'ont de sens que quand on les écoute avec le cœur. Odeur de la sueur de l'amour sur sa peau. Le rythme de son sang qui m'est déjà aussi familier que le mien.

Cette tendresse quand le désir est rassasié, existe-t-il chose plus douce ?

Juste avant de sombrer dans le rêve, je l'entends dire, « Tilo chérie, je n'arrive pas à croire que nous allons passer ensemble toute une vie de nuits semblables ». Mais je suis trop profondément embarquée sur les eaux du rêve pour répondre.

Vous qui avez une plus grande connaissance des choses de l'amour, je vous pose cette question : Quand vous dormez dans les bras de votre amant, rêvez-vous les mêmes rêves ? Car c'est ce que je vois derrière mes paupières closes. Les séquoias à écorce rouge et les naïfs eucalyptus bleus, les écureuils avec leurs yeux d'un brun soyeux. Un pays où grandir, qui vous transforme. Son hiver de caves fraîches et de feux fumeux, ses cascades gelées silencieuses. Ses étés de terre granuleuse sous nos pieds nus, sous nos dos nus quand nous faisons l'amour dans des champs de pavots sauvages.

Raven, je sais maintenant que tu as raison, l'endroit que tu appelles le paradis terrestre nous attend vraiment quelque part. Et le désirer, alors même que je sais que je n'irai nulle part avec toi, moi Tilo dont le temps est compté, me fait mal.

Il bouge avec un gémissement comme s'il entendait ma pensée. Il murmure un mot qui ressemble à *feu*.

Je me raidis. Mon Américain, fais-tu le même rêve que moi ?

Il émerge du sommeil un instant pour m'offrir un sourire vague, se blottit sur mon épaule, ma gorge. « Ma fleur tropicale, dit-il. Ma mystérieuse beauté indienne. »

Puis il se rendort, inconscient de mon mouvement de recul.

Américain, tu fais bien de me le rappeler, moi Tilo qui étais sur le point de me perdre en toi. Tu m'as aimée pour la couleur de ma peau, l'accent de mon parler, la singularité de mes coutumes qui te promettaient la magie que tu ne trouvais plus avec les femmes de ton propre pays. Dans ton ardeur, tu as fait de moi ce que je ne suis pas.

Je ne te le reproche pas tant que ça. Peut-être ai-je fait de même avec toi. Mais comment le sol d'un malentendu peut-il nourrir le jeune plant d'amour ? Même sans les épices qui sont aux aguets entre nous, nous n'aurions pas réussi. Et qui peut dire si nous n'en serions pas venus à nous haïr l'un l'autre ?

Cela vaut mieux ainsi.

Cette pensée me donne la force d'arracher mon corps réticent à sa chaleur. De faire ce que je dois faire avant qu'il ne s'éveille.

Dans un tiroir de la cuisine, je trouve du papier et un crayon. Je me décide.

Le mot me prend du temps. Mes doigts sont engourdis. Mes yeux désobéissants ont envie de pleurer. Mais je finis par y arriver. J'ouvre l'armoire de la salle de bain, enveloppe mon mot autour d'un tube de pâte où Raven le trouvera demain matin.

Puis je le réveille.

Nous nous querellons, notre première brouille d'amoureux (*et notre dernière,* dit la voix en moi).

« Je dois retourner à l'épicerie », dis-je à Raven. Il est bouleversé. Pourquoi ne pouvons-nous pas rester ensemble jusqu'au matin, faire l'amour une fois encore à la lumière de l'aube ? Il m'apportera le petit déjeuner au lit.

O Raven, si tu savais à quel point j'aimerais…

Mais avant l'aube, quand le brasier de Shampâti flamboiera, que je le veuille ou non, je dois être loin de lui.

Je durcis ma voix, lui dis que j'ai besoin d'être seule, de réfléchir à la situation.

« Etes-vous déjà fatiguée de moi ? »

Raven, Raven, en moi je pleure.

Je lui dis que je dois faire quelque chose d'urgent que je ne peux pas lui expliquer.

Sa bouche se fige en une ligne dure, froissée. « Je pensais que nous ne devions plus avoir de secrets. Que nous devions partager notre vie, complètement, à partir de maintenant. N'est-ce pas la promesse que vous venez de me faire avec votre corps ?

— S'il vous plaît, Raven.

— Et notre endroit à nous ? N'allons-nous pas le chercher ensemble ?

— Pourquoi tant de hâte ? » Je suis stupéfaite par la calme assurance de ma voix alors que mon estomac se serre et bougonne.

« Nous ne devrions plus perdre de temps », la voix de Raven est pressante, « maintenant que nous nous sommes trouvés. Vous mieux que quiconque devriez savoir à quel point la vie est incertaine et fragile. »

Dans mes oreilles le sang bat, répétant *fragile, fragile.* Derrière sa fenêtre, les étoiles s'élancent vertigineusement vers le matin.

« D'accord, finis-je par dire à Raven, moi qui suis trop lâche pour regarder la vérité vaciller dans ses yeux : Revenez au matin et je partirai avec vous. » Tout bas, j'ajoute : « Si je suis encore là. »

Je sais que je ne serai plus.

Nous roulons en silence. Raven, encore mécontent, tripote l'écran de sa radio. Les animaux dans le zoo d'Oakland se sont comportés de façon inhabituelle, ils n'ont cessé de gémir et de crier toute la soirée, affirme le journaliste d'un bulletin de nuit. Un chanteur avec une voix de roseaux dans le vent nous informe que si nous voyageons plus vite que la vitesse du son, il faut s'attendre à être brûlés.

Brasier de Shampâti, à quelle vitesse vais-je voyager, quel éclat aurai-je en brûlant ?

Je vois le mot que Raven lira au matin, trébuchant dans la salle de bain, ses yeux ensommeillés portant encore l'empreinte de la forme de mes lèvres. Des yeux que de surprise il ouvrira, secouant la laine des rêves.

Raven, pardonnez-moi, dit le mot. *Je ne m'attends pas à ce que vous compreniez.*

Seulement à ce que vous me croyiez, je n'ai pas pu faire autrement. Je vous remercie pour tout ce que vous m'avez donné. J'espère que je vous ai donné un petit quelque chose aussi. Notre amour n'aurait jamais duré, car il était né de l'imagination, de la vôtre et de la mienne, de ce que cela peut vouloir dire, être indien. Etre américain. Mais là où je vais – vie ou mort, je ne sais pas – j'emporterai son éphémère et déchirante douceur. Eternellement.

Sésame

J'attends que la voiture de Raven ait disparu en rugissant avant de déverrouiller la porte de l'épicerie. J'ai peur de la rétribution qui m'attend pour ce dernier acte, amour volé d'une manière absolument interdite aux Maîtresses.

Mais tout est comme je l'ai laissé. Je ris. Je me sens presque abandonnée. Pendant tout ce temps, je me suis tourmentée sans aucune raison. Ce sera comme la Première Mère l'a dit – j'entrerai dans le brasier de Shampâti, m'éveillerai sur l'île pour en prendre la charge. Oh, il y aura une punition, je ne doute pas de cela. Peut-être un stigmate imprimé sur ma peau pour que je me souvienne toujours, peut-être (car je le sens changer déjà, les os vont-ils se nouer de nouveau) un corps plus vieux et plus laid, avec toutes les douleurs qui vont avec.

J'arpente les couloirs vides, faisant mes adieux, me remémorant des moments. Ici Haroun m'a offert la première fois sa paume à lire, ici la femme d'Ahuja s'est penchée pour admirer un sari coloré comme le cœur soyeux d'une papaye. Ici Jagjit, innocent avec son turban vert comme un perroquet, se tenait derrière sa mère. Mais déjà leurs noms m'échappent, leurs visages, même cette tristesse que cause l'oubli s'atténue, comme si j'étais déjà partie depuis longtemps.

Raven, vais-je t'oublier toi aussi ?

Ce n'est que quand j'ai atteint le milieu du magasin que je le sens, subtil comme le jeu de la lumière et de l'ombre dans un ciel nocturne quand une étoile s'éteint. La vieille Tilo aurait compris tout de suite.

La boutique n'est plus qu'une coquille vide. Tout ce qu'elle a contenu de chaleur et d'énergie s'en est évanoui.

Epices, qu'est-ce que cela signifie ?

Mais je n'ai pas le loisir de réfléchir à cela maintenant. Le troisième jour s'achève. J'entends les planètes tourner plus vite, les heures qui s'entrechoquent comme des rocs dans le ciel. J'ai tout juste le temps de préparer le brasier de Shampâti.

J'apporte tout ce qui reste dans la boutique – épices, *dâl*, sacs d'*atta,* riz et *bajra* – et construis un bûcher au centre de la pièce. Je saupoudre le tout avec l'épice qui porte mon nom, le sésame, des grains de *til* pour me couvrir et me protéger pendant mon long voyage. Frissonnant un peu, je laisse tomber la robe blanche. Je ne dois rien emporter de cette vie, et quitter l'Amérique nue comme j'y suis venue.

Je suis prête maintenant. Je plonge mes mains dans le curcuma, épice de renaissance avec laquelle j'ai commencé cette histoire, et prends la jarre de pierre qui contenait les piments. Je m'assieds en position de lotus sur le bûcher d'épices (mais déjà mes membres gémissent et protestent) et pour la dernière fois, j'ouvre la jarre. J'écarte de ma pensée tout ce que j'ai aimé, et au fur et à mesure qu'elle se vide (est-ce cela mourir ?), je ressens une paix surprenante m'envahir.

Je lève l'unique piment que j'avais laissé dans la jarre pour ce moment précis, et entonne l'invocation.

Viens Shampâti, prends-moi maintenant !

Première Mère, chantez-vous en ce moment la chanson de bienvenue, la chanson pour aider mon âme à traverser les couches, os et fer et mot interdit, qui séparent les deux mondes ? Ou, parce que vous êtes malade ou déçue peut-être, m'avez-vous abandonnée à mon sort ?

La peur fait battre le sang dans mes oreilles comme un oiseau effrayé par l'orage qui se cogne. A tout moment maintenant les flammes…

Mais rien n'arrive.

J'attends, puis répète la formule. Et une autre fois encore. Plus fort à chaque fois. Rien. Je sanglote en prononçant les mots, j'essaie d'autres incantations, jusqu'à la plus petite magie, s'il vous plaît, s'il vous plaît.

Toujours rien.

Epices, que faites-vous, quel est ce tour que vous me jouez là ?

Pas de réponse.

Epices, en esprit je suis déjà partie, sondant l'espace et le temps, des météores égratignent ma peau, mes cheveux sont en feu. Ne prolongez pas mon agonie, je vous en supplie, moi Tilo me voilà enfin humble et terrifiée, comme vous le souhaitiez.

Un silence plus profond qu'aucun que j'aie jamais entendu, les planètes s'arrêtent un instant dans leur course.

Et je comprends que ce silence, c'est la punition des épices.

Elles m'ont laissée ici, seule et dépouillée de toute magie. Pour moi, il n'y aura pas de brasier de Shampâti.

Le brasier de Shampâti, que je redoute depuis si longtemps. Soudain, je redoute plus encore ce que sera la vie sans lui.

Ah, beau corps dont le sang s'épaissit déjà et se traîne dans mes veines, je te vois maintenant. Je suis condamnée à vivre dans ce monde sans pitié sous l'apparence d'une vieille femme, sans pouvoir, sans moyen de vivre, sans un seul être vers qui me tourner.

O épices, qui connaissez si bien ma plus grande faiblesse, l'orgueil, votre condamnation est parfaite. Car comment puis-je aller dorénavant vers ceux que j'ai aidés, qui m'ont crainte et admirée pendant tout ce temps, qui m'ont aimée pour ce que je leur donnais, avec ce moi nu, érodé ? Comment supporterais-je la pitié dans leurs yeux, et sous la pitié la répulsion quand je tendrai ma main de mendiante ?

Raven, surtout toi, comment te faire face ?

Voilà. Ma vie gît tordue devant moi comme les impasses où je devrai habiter, édentée et sentant l'urine, dissimulant mon visage à ceux qui auraient pu me connaître, poussant le poids de ma vie dans une charrette volée, dormant sous des porches et priant pour qu'une nuit quelqu'un...

Chaque fibre de mon corps douloureux crie, *mieux vaut enjamber les grilles d'or rouge du pont, sentir l'eau sombre se refermer sur ma tête, les algues, sinueuses comme des serpents, s'enrouler autour de mes membres. Mieux vaut en finir tout de suite.*

Non...

Epices, moi Tilo j'accepte votre décret. En dépit de la terreur et du chagrin poignant de mon cœur qui se déchire, de la solitude de l'amour perdu et du pouvoir réduit en cendres, je prends sur moi de vivre aussi longtemps que je le dois. Eternellement, si c'est ce que vous décidez.

C'est mon châtiment. Je suis prête à le subir. Non pas parce que j'ai péché, car j'ai agi par amour, dans lequel il n'y a pas de péché. Si je devais recommencer, je commettrais la même faute. Je franchirais le seuil interdit de l'épicerie pour porter à Geeta dans sa tour étincelante des pickles à la mangue et la rassurer. Tiendrais la main de Lalitâ fermement dans la mienne et lui dirais qu'elle mérite la joie. Donnerais à Haroun de la racine de lotus pour que son amour vaille plus que son rêve d'immigrant. Encore, oui, je me ferais aussi ravissante que Tilottama, danseuse des dieux, pour le plaisir de Raven.

Mais je sais que je dois payer pour avoir enfreint les règles. L'équilibre bouleversé doit être restauré. Car pour que l'un soit heureux, un autre doit prendre sur soi la souffrance.

Un conte de mon enfance oubliée remonte à ma mémoire ; au début du monde, à la quête du nectar d'immortalité, les dieux et les démons barattèrent le *halahal,* le poison le plus amer de l'océan primordial. Ses émanations couvraient la terre, et toutes les créatures, mourantes, hurlaient de terreur. Puis le grand Shiva, dans ses mains en forme de coupe, prit le *halahal* et le but. Le poison mortel lui brûla la gorge, lui fit une meurtrissure bleue qui lui reste jusqu'à ce jour. Ah, même pour un dieu, ce dut être douloureux. Mais le monde fut sauvé.

Moi Tilo je ne suis pas une déesse mais seulement une femme ordinaire. Oui, je l'admets, j'ai essayé toute ma vie de fuir cette vérité. Et bien qu'autrefois j'aie pensé pouvoir sauver le monde, je comprends maintenant que je n'ai apporté qu'un bref bonheur dans quelques vies.

Et pourtant, cela ne suffit-il pas ?

Epices, pour eux je prendrai sur moi le fardeau que vous voulez que j'endosse. Donnez-moi seulement une heure de sommeil. Une heure d'oubli, que je n'aie pas à regarder ce corps se tordre et devenir informe. Une heure de repos, à l'abri de ce monde aux doigts d'épines qui m'attend, car je suis fatiguée et oui, j'ai peur.

Les épices ne disent pas non.

Je m'étends alors, pour la dernière fois, au centre du magasin dont je ne suis plus Maîtresse.

Je m'éveille au son d'une voix lointaine, porteuse de détresse comme le vent transporte la poussière, criant mon nom. Il me semble que je ne dors que depuis quelques instants. Mais je ne suis plus sûre de rien

La voix crie de nouveau. *Tilo, Tilo, Tilo.*

Est-ce quelqu'un que je connais, que j'aime ?

Je me lève si vite que la tête m'en tourne. Le plancher se soulève, le plat d'une main gigantesque qui veut me faire perdre l'équilibre. Un son tout autour de moi comme une déchirure, est-ce mon cœur ?

Non. Voyez, c'est la boutique construite avec l'enchantement des épices qui se fend en deux comme des coquilles d'œuf autour de moi. Les murs tremblent comme du papier, le plafond s'ouvre, le plancher s'enfle telle une vague et me jette à genoux.

Ah épices, vous n'avez pas besoin de m'arracher avec une telle violence à mon dernier refuge, moi qui rassemblais le courage de partir.

Puis un mot se présente à moi. *Tremblement de terre.*

Avant que je puisse comprendre tout à fait, le sol se cabre à nouveau. Quelque chose vole dans l'air – est-ce la jarre de pierre, est-ce un morceau de miroir ? – pour se fracasser contre ma tempe. Des étoiles rouges explosent dans mon crâne. A moins que ce ne soient les graines du piment ?

Mais alors même que je m'abîme dans la douleur, je suis désespérée, car je sais que je ne vais pas en mourir.

Mâyâ

Je me suis encore trompée.

Je suis morte.

A moins que je ne me sois éveillée trop tôt, sur mon chemin vers l'après-vie.

O Tilo (mais ce n'est plus mon nom), je te fais confiance, tu vas rater ça aussi.

Car quel est donc cet endroit, chaud comme une matrice et aussi sombre, vibrant de pouvoir, qui surgit du vide ?

J'essaie de voir si je peux bouger. Mes membres sont enveloppés dans quelque chose de doux, de soyeux – c'est mon habit de morte, ou mon drap de naissance. J'arrive à tourner un peu la tête.

La douleur, panthère aux aguets, m'attendait. Elle fond sur moi toutes griffes dehors, me faisant hurler.

Il me semble injuste qu'il doive y avoir tant de douleur même dans l'après-vie.

Tilo qui n'es plus Tilo, depuis quand te permets-tu de juger l'univers, qu'il soit juste ou non ?

« Je ne devrais pas, je l'admets », dis-je. Ma voix est rouillée, hors d'usage.

« Etes-vous réveillée ? demande une voix. Cela fait-il très mal ? »

Raven ! Est-il mort lui aussi ? Le tremblement de terre nous a-t-il tous tués, Haroun et Hamîdâ, Geeta et son grand-père, Kwesi, Jagjit, Lalitâ qui vient à peine de commencer à s'ouvrir à une vie nouvelle dans une autre ville ?

Oh, qu'il n'en soit pas ainsi !

« Vous pouvez bouger ? » demande la voix de Raven, sortant de quelque part sur le côté de cette raideur enflée qui est ma tête.

Je tends la main vers le son et rencontre un mur de fourrure. Le calfeutrage du sarcophage, je pense, un sarcophage commun où sont enterrés les amants, leur poussière se mêlant jusqu'à la fin des temps. Mais, celui-là doit voler à travers les galaxies en faisant de brusques embardées pour éviter les averses de météores qui nous frappent avec de subites lumières.

Puis j'entends un long, un long bruit de klaxon furieux.

« Si les gens faisaient attention à ce qu'ils font quand ils conduisent, dit Raven. C'est comme ça depuis le tremblement de terre, tout le monde est devenu fou.

— Je suis dans votre voiture », dis-je. Les mots tombent de ma bouche comme des galets plats. Ils n'expriment pas l'étonnement que je ressens. Je touche le tissu qui m'enveloppe. « C'est votre dessus de lit », dis-je. Même dans l'obscurité, je peux sentir les fils de la broderie, le dessin complexe, soie sur soie.

« Oui. Vous vous sentez capable de vous asseoir ? Il y a des vêtements près de votre tête. Vous pouvez les mettre. Seulement si vous voulez, bien sûr. »

Je m'accroche au sourire de sa voix. Il s'étend en moi comme une lumière sous-marine, me donne de la force tandis que, haletante, je me défais du dessus de lit. Ma tête est un bloc de béton posé de façon précaire sur mes épaules douloureuses. Le lourd tissu de soie glisse de mes mains maladroites qui ont oublié à quoi servaient les mains.

A moins que je ne désire retarder le plus longtemps possible la vue de ce corps décrépit ?

Timidement, je touche. Ayant connu la beauté, il sera beaucoup plus difficile cette fois-ci de m'accoutumer à la laideur. Et cette pensée que je ne peux encore me résoudre à affronter : en me transportant jusqu'à sa voiture, comme il a dû le faire, qu'a vu Raven ? Qu'a-t-il senti ? Mais qu'est-ce ? Sous mes doigts, la chair n'est pas desséchée comme une prune, et les cheveux ne sont pas si fins qu'ils laissent par endroits le crâne chauve. La poitrine tombe un peu, la taille n'est pas mince, mais ce n'est pas là un corps dépourvu de tout charme.

Comment cela se peut-il ?

Je touche à nouveau pour m'en assurer. L'arc du mollet, le triangle de la mâchoire, la colonne de la gorge. Aucune erreur. Ce n'est pas un corps dans le premier éclat de la jeunesse, mais pas dans la défloraison dernière de l'âge non plus.

Epices, ce jeu est au-delà de mon entendement. Pourquoi ne m'avez-vous pas punie ? Est-ce grâce à vous, Première Mère ? Mais pourquoi cette bonté envers une fille fautive qui ne le mérite pas ?

Mes questions s'élèvent en spirales dans la nuit. Et il me semble qu'un moment plus tard, une réponse descend, un doux murmure, à moins que ce ne soit seulement ce que je désire entendre.

Toi qui fus Maîtresse, quand tu as accepté notre punition dans ton cœur sans te rebeller, cela nous a suffi. T'étant préparée à souffrir, tu n'avais pas besoin de subir cette souffrance dans ton corps aussi.

La voix de Raven me tire du tourbillon de mes pensées.

« Si vous en avez la force, vous pouvez vous faufiler entre les sièges et venir vous asseoir près de moi. »

Je me glisse maladroitement dans le siège de devant, en jetant un coup d'œil rapide à Raven, qui arbore le même air que d'habitude. Je suis gênée dans mes nouveaux vêtements – une paire de jeans que je dois retenir avec une ceinture sanglée étroitement autour de la taille. Une chemise de flanelle trop grande qui a l'odeur des cheveux de Raven. Différent, évidemment, de la robe de lune arachnéenne de notre dernière rencontre. Heureusement, il fait sombre dans la voiture – plus sombre que d'habitude.

Je me demande pourquoi. Puis je remarque que la plupart des réverbères que nous dépassons sont éteints.

« Racontez-moi ce qui est arrivé. » Cette voix, hésitante et voilée – je n'arrive pas encore à accepter que ce soit la mienne.

Qu'y a-t-il encore de différent, toi qui fus autrefois Tilo ?

« Après vous avoir reconduite, je n'ai pas réussi à me rendormir, dit Raven. J'étais trop ému. J'ai commencé à me préparer pour le voyage. J'irai seul, me disais-je, si elle ne vient pas. Mais je savais que ce n'était pas ce que je désirais. Même au plus fort de ma colère, je n'arrivais pas à imaginer un futur sans vous. »

Ses mots coulent tel un vin sucré dans mes veines, me réchauffent. Mais tout en écoutant, je lorgne du côté du rétroviseur. Quand il s'arrête à un croisement, je le tourne vers moi.

« Il faut que je regarde », dis-je. Ma voix, honteuse, tremble un peu.

Raven hoche la tête, les yeux emplis de compassion.

Elle est différente de l'autre, cette femme dans le miroir. De hautes pommettes, des sourcils droits avec des rides entre. Quelques cheveux gris. Ni particulièrement jolie ou laide, ni particulièrement jeune ou vieille. Ordinaire.

Et moi qui, dans mes nombreuses existences, me suis soit refusée à tout ce qui était ordinaire soit l'ai souhaité avec ardeur, je me rends compte que ce n'est pas aussi détestable que je le croyais, et je l'accepte, moi qui fus, pour une nuit, Tilottama.

Le seul regret que j'éprouve est dicté par ce que Raven doit ressentir en me voyant.

« Vous savez, remarque Raven qui observe mon visage, cela ressemble plus à ce que j'ai toujours imaginé. » Il effleure ma joue d'un doigt tendre.

« Vous êtes vraiment trop gentil », dis-je avec raideur. Je ne veux pas de sa pitié.

« Non, c'est vrai. » D'une voix qui implore *croyez-moi.*

« Cela vous est égal ? Toute cette beauté évanouie ?

— Non, au début j'ai cru que non, mais ça m'est égal. Franchement, c'était un peu intimidant. J'avais le sentiment qu'il fallait que je me tienne droit tout le temps, que je rentre mon ventre. Ce genre de choses. »

Nous rions tous deux du rire fragile, étourdi de gens qui n'ont pas assez dormi, qui ont failli mourir, qui ont vu des choses en un jour qu'il faudra une vie entière pour évaluer.

Je regarde de nouveau dans le miroir.

Et vois que les yeux sont toujours les mêmes. Les yeux de Tilo. Toujours brillants, curieux. Toujours rebelles. Toujours prêts à remettre en question, à lutter. Ils me rappellent mon mot. Me rappellent que ce que j'ai écrit n'a pas changé.

Je retire vivement ma main qu'il porte à ses lèvres.

« Qu'y a-t-il encore, chérie ? » Son ton est mi-sérieux, mi-amusé.

« Mon mot. Vous l'avez lu ?

— Oui. C'est pour cela que je suis revenu si vite. Je l'ai trouvé alors que j'étais en train de préparer ma trousse de toilette. Cela m'a effrayé, cette façon de dire que vous partiez, mais je ne savais pas pour où. Cela m'a rappelé la mort de mon arrière-grand-père, j'étais face à une étrangeté au-delà de mon entendement. J'ai toujours su que dans cette autre face de votre vie, il n'y avait pas de place pour moi.

— Il n'y a plus d'autre face. »

Raven entend la tristesse dans ma voix, touche ma main.

« Dans notre paradis, vous n'en aurez pas besoin. Vous n'aurez besoin de rien d'autre que de moi. » Sa main resserre son étreinte.

Je ne dis ni oui ni non, et il reprend :

« Lire votre mot m'a fait revivre, aussi, ce moment dans la voiture avec ma mère, ce moment que j'avais si misérablement bousillé. C'était comme si on m'accordait une seconde chance. Cette fois-ci, j'étais résolu à faire ce qu'il fallait. Alors je suis parti. Mes bagages n'étaient qu'à moitié prêts mais cela n'avait pas d'importance. Il fallait que je vous rejoigne avant que vous me soyez enlevée pour toujours. Et j'ai bien fait, parce que dès que j'ai franchi le pont, ils ont annoncé – il frappe de son doigt la radio – que le pont était endommagé. J'aurais pu rester coincé de l'autre côté.

« Alors que je me rapprochais de l'épicerie, je sentais ce poids menaçant qui m'écrasait s'alourdir de plus en plus. J'ai accéléré – comme si je faisais la course avec quelque chose d'invisible, je ne peux pas expliquer quoi. Heureusement il n'y avait presque personne sur l'autoroute. Puis – je me trouvais à trois ou quatre kilomètres du magasin, je longeais la rive – il y a eu une secousse. Comme un poing géant surgissant du sous-sol frappant un coup, juste sous ma voiture. Comme si quelqu'un m'avait visé. C'est une idée folle, non ? J'ai été propulsé contre la porte. J'ai lâché le volant. J'ai senti la voiture se renverser. J'étais persuadé que je n'en réchapperais pas. J'ai crié votre nom à plusieurs reprises, mais je ne m'en suis rendu compte que plus tard. La voiture s'est rétablie au dernier moment. Puis j'ai vu une vague, lumineuse, phosphorescente, enfourcher le remblai. Un mur solide, enflé de puissance, qui aurait pu fracasser un semi-remorque en mille morceaux. M'a manqué de très peu. De très peu. Mes mains tremblaient si fort que je pouvais à peine tenir le volant. J'ai dû quitter la route et m'arrêter sur le bas-côté. Je suis resté là à peu près dix minutes à écouter le bruit. C'était un rugissement qui venait de loin, comme une sorte d'animal terrestre qui se serait réveillé. Je ne sais combien de temps cela a duré réellement, mais je l'ai entendu encore pendant quelques instants.

« Je dois l'admettre, je n'ai jamais eu aussi peur de ma vie.

« Alors j'ai pensé à vous et me suis forcé à retourner sur la route. C'était dur. Mes jambes tremblaient encore comme si j'avais couru sur une longue distance. Je n'arrivais pas à contrôler la pression de mon pied sur l'accélérateur. La voiture avançait par saccades et ne cessait de faire des bonds, et j'avais peur de quitter la route de nouveau. Il y avait de grandes fissures zébrant la largeur de l'autoroute, des fissures avec des exhalaisons de gaz. Une odeur de soufre enveloppait tout. Les bâtiments étaient en flammes, et de temps en temps on voyait le gaz exploser. Même avec les fenêtres fermées, j'entendais les gens hurler. Des sirènes. Des ambulances. Pendant un instant, j'ai craint de ne pas arriver à traverser tout ça.

« Et pendant tout ce temps-là, vous savez ce que je pensais ? *Mon Dieu, s'il vous plaît, faites qu'elle aille bien. Si quelqu'un doit être blessé, que ce soit moi.* Je ne me souviens pas d'avoir jamais de ma vie pensé quelque chose avec une telle intensité. »

Je me rapproche, pose ma tête sur l'épaule de Raven, et murmure : « Cela me touche, personne n'a jamais désiré souffrir à ma place auparavant.

— C'est nouveau pour moi aussi, penser à quelqu'un d'autre avant moi-même, ne plus vraiment différencier les deux, ne plus voir l'autre comme étranger à moi. » Ses cils frottent sa joue quand il baisse les yeux, mon Américain que parler de ces choses rend timide. Il finit par ajouter, très doucement : « Je suppose que c'est cela l'amour. »

L'*amour*. Le mot me fait penser à mon message. Mais avant que j'aie pu ouvrir la bouche, Raven reprend son récit.

« J'ai pris des routes secondaires, je me suis débrouillé pour arriver à l'épicerie. Le bâtiment était totalement détruit, pas un seul mur debout. Comme si – oui, c'est une idée stupide, je sais – comme si quelqu'un s'était acharné à le détruire avec une violence particulière. Mais du moins il n'était pas en feu.

« Je n'étais pas très sûr de ce que je devais faire. Je sais que je n'ai cessé de crier votre nom comme un fou. J'ai appelé à l'aide, mais il n'y avait personne. Je me suis frayé un chemin, en déblayant les éboulis à mains nues – j'aurais donné n'importe quoi pour avoir une pelle –, en jurant parce que je ne pouvais pas progresser plus vite, sans savoir si je me rapprochais de vous. J'étais terrifié à l'idée que vous pourriez étouffer avant que je n'arrive jusqu'à vous. J'avais lu des cas de ce genre. Ou de marcher sur quelque chose sous lequel vous étiez coincée au risque de vous écraser. Finalement, j'étais sur le point d'abandonner quand j'ai vu une main. Etreignant un piment rouge, qui plus est. J'ai creusé frénétiquement les décombres, et j'ai trouvé le reste de votre corps – si ce n'est que vous ne portiez pas de vêtements. »

Il s'interrompt pour me jeter un coup d'œil.

« Un jour, il faudra que vous me racontiez ce que vous étiez en train de faire.

— Un jour, dis-je, peut-être.

— Vous ne ressembliez ni à celle que j'avais déposée le matin, ni à celle d'avant non plus. Mais *j'ai compris*. Alors je vous ai transportée jusqu'à la voiture. Vous ai enveloppée. J'ai repris la route en direction du nord. Nous roulons depuis environ une heure. Il a fallu faire certains détours – des tronçons d'autoroute sont en très mauvais état. Mais nous avons presque atteint Richmond Bridge. C'est le seul pont qui n'ait pas été endommagé – un peu comme si le destin, vous ne croyez pas, s'arrangeait pour que nous puissions le franchir et continuer notre route vers le nord, jusqu'au paradis. »

Il se tait, guettant ma réaction. Je ne dis rien, mais je me sens étrangement légère ; tout mon corps est un sourire, comme un coureur d'obstacles qui pensait ne jamais y arriver et qui vient juste de franchir majestueusement la dernière haie. Raven, tu as décidé pour moi. Peut-être le reste est-il imputable au destin, et le temps est-il venu pour moi de me reposer et de lui faire confiance, moi qui, toute ma vie, ai combattu ma destinée avec tant d'acharnement.

Mais il reste encore quelque chose qui n'est pas résolu.

Je me renfrogne dans mon coin de la voiture. « Raven, avez-vous lu mon message ?

— Oui, bien sûr je l'ai lu. Je ne vous l'ai pas dit ?

— L'avez-vous lu entièrement ? La partie qui explique pourquoi nous ne pourrons jamais…

— Ecoutez, ne peut-on pas parler de cela une autre fois ? S'il vous plaît. Dans notre endroit à nous, ces choses trouveront une solution d'elles-mêmes. J'en suis sûr.

— Non. » Ma voix est disgracieuse, intraitable. J'aimerais pouvoir acquiescer gracieusement, comme les femmes – indiennes et autres – sont supposées le faire si souvent. Chasser le conflit d'un baiser. Mais je sais que j'ai raison de ne pas agir ainsi. Raven voit mon expression, s'arrête sur le bas-côté de la route.

« Très bien, dit-il, parlons !

— Vous ne comprenez donc pas ? Vous ne voyez pas pourquoi cela ne marchera jamais ? Chacun de nous n'aimant l'autre qu'à cause de l'image exotique que nous avons façonnée à partir de notre propre manque, notre propre…

— Ce n'est pas vrai. » Sa voix est rauque, blessée. « Je vous aime. Comment pouvez-vous dire que ce n'est pas vrai ?

— Raven, vous ne connaissez rien de moi.

— Je connais votre cœur, chérie. Je connais votre façon d'aimer. Est-ce que cela ne compte pas ? »

Oui, j'ai envie de crier. Mais je me raidis de toutes mes forces et repousse mon désir... « Tout ce qui vous a attiré vers moi – mon pouvoir, mon mystère – tout cela s'est évanoui.

— Et vous voyez, je suis toujours là. » Il tend sa main vers la mienne. « Cela ne prouve-t-il pas que vous avez tort ? »

Mes mains bougent de leur propre volonté, elles ont envie de reposer dans la sienne. Mais je les recule et les pose sur mes genoux.

Raven me regarde un instant et soupire.

« D'accord, mes idées sur vous et votre peuple sont sans doute fausses. Et, comme vous le dites, il se peut que vous ne sachiez pas qui je – nous – sommes. Mais si vous continuez seule, nous ne serons pas plus avancés, alors ? »

Comme je ne dis rien, il reprend. « Apprenons l'un de l'autre ce que nous avons besoin de savoir. Je promets d'écouter. Quant à vous – je sais déjà que vous savez bien écouter. »

Je me mords la lèvre, j'hésite. Se peut-il qu'il ait raison ?

« S'il vous plaît, implore Raven. Donnez-moi – nous – une chance. » De nouveau, il avance la main. Et je remarque ce que je n'ai pas vu avant : les paumes abîmées, les ongles cassés.

Pour moi.

Toi qui fus autrefois Tilo la folle, qui es peut-être encore folle, cela ne vaut-il pas tout le savoir du monde ?

« Raven », dis-je dans un murmure, et je porte ses mains blessées à mes lèvres.

Quand nous avons fini de dire ce que les amants disent quand ils ont failli se perdre, quand nous nous sommes tenus l'un l'autre assez longtemps pour que nos souffles se soient mêlés, Raven reprend la route.

« Il y a une boîte de cartes à vos pieds, dit-il. Différents itinéraires mènent aux montagnes du nord. Pourquoi ne les regardez-vous pas et ne choisissez-vous pas celui que vous préférez ?

— Moi ? Mais je ne connais rien à ces itinéraires, ceux qui sont bons ou non…

— Je fais confiance à votre intuition. Et si nous nous trompons, nous en essaierons un autre. Nous chercherons jusqu'à ce que nous trouvions notre paradis, et nous prendrons plaisir à chaque pas que nous ferons ensemble sur le chemin. »

Son rire est une fontaine dorée à laquelle je m'abreuve goulûment. Je passe la main sur les cartes et j'en choisis une. Je la sens qui envoie sa promesse dans le bout de mes doigts.

Oui, Raven, ensemble.

Un dernier arrêt, le péage, puis il n'y aura plus que nous et la nuit.

Le pont s'élève en pente douce, ses lumières sereines et impartiales comme le furent autrefois les épices. Elles me donnent la permission. *Oui, oui*, je murmure les mots en moi-même et pose la main sur le genou de Raven. Il sourit en ralentissant pour payer. Je rêvasse, me laisse porter par son sourire, et l'entends vaguement dire quelque chose à l'homme de la baraque du péage.

« Ouais, très mauvais, dit l'homme. Le pire depuis des années. L'incendie a fait plus de dégâts que le tremblement de terre. Vous venez d'où ? Oakland ? Ils disent que c'est là que ça a commencé, au sud de la ville.

Etrange, non ? Personne n'a jamais prévu que la ligne de faille passait par là. »

Je retire brusquement ma main comme si son toucher pouvait brûler, abaisse les yeux sur ma paume. Ah, Raven, elle est là la ligne de faille.

La voiture s'ébranle à nouveau, douce, rapide et confiante. Je regarde fixement le nord au-delà de la mer agitée, de ses reflets brisés d'étoiles. Au-delà, vers cette terre, au-delà des montagnes, au-delà cet endroit, ce paradis avec un oiseau noir pendu immobile dans un ciel argenté.

Il existe, cet endroit, pour Raven ; mais pour moi, peut-il exister ?

Quand nous atteignons l'autre extrémité du pont, je pose la main sur son bras.

« Arrêtez, Raven.

— Pourquoi ? »

Il est bouleversé, je le vois. Il n'aime pas cela, se méfie un peu de ce que je pourrais faire. Tout son corps tend à continuer de rouler.

Mais il s'arrête sur l'aire panoramique.

J'ouvre en hâte la porte, et descends.

« Que faites-vous maintenant ? »

Mais il l'a deviné déjà. Il me suit jusqu'au bord et regarde avec moi.

Au sud, au-delà de l'eau, un rougeoiement sale, une ville en feu. Je peux presque l'entendre, le sifflement nourri des flammes, les maisons qui se fendent d'un coup, les pompiers, les voitures de police, les sirènes des ambulances. Les gens qui hurlent de douleur.

« Raven, je murmure, c'est moi qui ai causé cela.

— Soyez raisonnable. C'est une zone de tremblements de terre. Ce genre de chose arrive tous les quatre ou cinq ans. » Il glisse la main sous mon coude et essaie de me ramener à la voiture. Dans son imagination, nous marchons déjà sous les arbres rouges, humant leur odeur fraîche. Nous ramassons des glands pour nous nourrir et du bois pour allumer le feu. Si seulement je voulais bien arrêter de me montrer aussi fantasque.

Je connais les odeurs de brûlé. Je n'ai pas oublié la mort de mon village, bien que cela se soit passé il y a des vies de cela, car de cela aussi je fus la cause. La fumée et la chaleur torride. L'épais brouillard. Chaque objet qui se consume dégage une odeur différente. Les vêtements de nuit, la charrette à bœufs, le berceau. C'est ainsi qu'un village s'envole en fumée. Une ville aura sa façon, des bus et des voitures, des housses de sofa en vinyle, une télévision qui explose.

Mais l'odeur de chair calcinée est partout la même.

Raven me regarde. De nouvelles lignes, un faisceau serré autour de sa bouche, trahissent sa fatigue. Une nouvelle lassitude dans l'œil ; la peur que son rêve ne s'écroule, ici, si près du but, après avoir franchi le dernier pont.

Le regret monte dans ma voix comme une coulée de lave. Raven, moi qui t'aime plus que tout ce que j'ai pu aimer dans tous les mondes que j'ai visités, penser que je suis responsable de cette expression.

Ce serait si facile pour moi de tourner le dos à cette cité en flammes. Prendre ta main. Je nous imagine, la voiture rapide comme une flèche traversant l'aube, la lumière du soleil miroitante caressant ses flancs, sans s'arrêter jusqu'à ce que nous trouvions le bonheur.

Chaque pore de mon corps désire ardemment ce bonheur.

« Raven. » Les mots sont des os tordus que je dois tirer sanguinolents de ma gorge. « Je ne peux pas m'en aller avec vous. »

Une part de moi se déteste de provoquer la douleur qui surgit dans ses yeux.

Il tend une main comme pour m'agripper. Me secouer pour me faire entendre raison. Mais il la laisse retomber l'instant d'après. « Que voulez-vous dire ?

— Il faut que je retourne là-bas.

— Quoi ?

— Oui, à Oakland.

— Mais pourquoi ? » La frustration ébrèche sa voix.

« Pour essayer d'aider.

— Je vous l'ai dit, c'est de la folie de penser que vous êtes responsable. D'ailleurs, ils ont toutes sortes de gens entraînés spécialement pour ce genre de situation. Vous ne feriez que les gêner.

— Même si vous avez raison, dis-je, même si ce n'est pas moi qui en suis la cause, je ne peux pas laisser derrière moi tant de souffrance.

— Vous avez aidé des gens toute votre vie. Le temps n'est-il pas venu de faire quelque chose de différent, quelque chose pour vous-même ? »

Son visage est si nu quand il implore. Si seulement je pouvais céder.

Parce que je ne peux pas, je dis : « Tout ce que nous faisons n'est-il pas, à tout prendre, pour nous-mêmes ? Quand j'étais Maîtresse, aussi… »

Mais il n'est pas d'humeur à écouter. « Foutaises », dit-il. Il frappe du poing la rambarde. Ses lèvres sont minces et blanches.

« Que devient le paradis terrestre ? » finit-il par demander. Dans sa bouche, l'expression rend un son heurté.

« Allez-y. S'il vous plaît. Inutile de me ramener. Je vais faire du stop.

— Ainsi vous allez reprendre votre promesse, hum ? Tout simplement ? » La colère inexprimée emplit ses yeux.

Mon cœur me fait si mal que je dois me tenir à la rambarde pour ne pas m'effondrer. Est-il possible à deux personnes, peu importe que l'amour soit profond, de comprendre la vie de l'autre ? D'expliquer ses motifs ? Devons-nous seulement essayer ?

Je suis sur le point de soupirer. De dire, laissez, vous ne comprendrez jamais.

Puis je pense, non. Raven, parce que je t'ai mis dans mon cœur, je dois te dire ce qui est pour moi la vérité. Que tu la comprennes ou non. Que tu la croies ou non.

Je me tourne vers lui, et pour la dernière fois, prends son menton dans le creux de ma paume. Sa barbe de la nuit est si douce, comme des aiguilles de jeune pin.

Il semble vouloir me repousser, mais me laisse faire.

« Cela ne marcherait pas, Raven. Même si nous trouvions notre endroit à nous. »

J'inspire profondément, puis le dit. « Parce qu'il n'y a pas de paradis terrestre. Si ce n'est celui que nous pouvons créer de retour là-bas, dans la suie, les gravats, dans la chair desséchée. Dans les armes et les aiguilles des seringues, la blanche poussière de drogue, les jeunes hommes et les jeunes femmes qui se couchent pour rêver de richesses, de pouvoir et s'éveillent dans des cellules. Oui, dans la haine, dans la peur. »

Il ferme les yeux. Il ne désire pas en entendre plus.

Au revoir, Raven. Chaque cellule de mon corps clame son désir de rester mais je dois partir, car au bout du compte il y a des choses qui sont plus importantes que sa propre joie.

Je m'apprête à repasser le pont, moi la Tilo d'autrefois, qui apprends seulement maintenant que la fleur d'amour ne pousse qu'au sein des orties.

« Attendez. » Ses yeux sont ouverts, et il y a en eux un regard résigné, vague. « Alors je crois que je vais venir aussi. »

Mon cœur vacille tant que je dois à nouveau me tenir à la rampe. O mes oreilles, quel tour cruel me jouez-vous ? N'est-ce pas assez dur de penser que je vais passer le reste de ma vie seule ?

Raven hoche la tête en réponse au doute qu'il voit dans mon regard. « C'est ça, vous m'avez bien entendu.

— Vous êtes sûr ? Ce sera difficile. Je ne veux pas que vous le regrettiez plus tard. »

Il rit d'un rire résolu. « Je ne suis pas sûr du tout. Je le regretterai probablement une centaine de fois avant même d'arriver à Oakland.

— Mais alors ?

— Mais », dit-il. Et puis je me retrouve, serrée contre lui, à rire contre sa bouche.

Nous nous embrassons, longtemps, longtemps.

« Est-ce là ce que vous entendiez ? demande-t-il lorsque nous reprenons haleine. Est-ce là ce que vous entendiez par paradis terrestre ? »

Je m'apprête à répondre, mais je comprends qu'il n'attend pas de réponse.

Plus tard, je dis : « Maintenant il faut m'aider à me trouver un nouveau nom. Ma vie en tant que Tilo est terminée, et ce nom n'a plus de sens.

— Quelle sorte de nom voulez-vous ?

— Un nom qui parle à la fois de mon pays et du vôtre, de l'Inde et de l'Amérique, car j'appartiens aux deux maintenant. Un tel nom existe-t-il ? »

Il réfléchit. « Anita, dit-il. Sheila. Rita. »

Je secoue la tête.

Il en essaie quelques autres. Puis dit : « Que pensez-vous de Mâyâ ? »

Mâyâ. J'essaie le son, j'en aime la forme. La façon dont il coule, large et frais, sur ma langue.

« Est-ce qu'il n'a pas de sens indien particulier ?

— Si, dis-je. Dans la vieille langue, il a plus d'un sens. Illusion, magie, enchantement, le pouvoir qui garde ce monde imparfait en mouvement jour après jour. J'ai besoin d'un nom comme ça, moi qui maintenant n'ai plus que moi pour me soutenir.

— Vous m'avez aussi, n'oubliez pas.

— Oui, dis-je, oui, en m'appuyant contre sa poitrine qui sent les champs à ciel ouvert.

— Mâyâ, chérie », murmure-t-il contre mon oreille.

Comme ce nom résonne différemment du dernier ! Pas de lumière insulaire perlée, pas de sœurs Maîtresses pour m'entourer, pas de Première Mère pour bénir. Et pourtant, n'est-il pas aussi vrai ? Aussi sacré ?

Je regarde par-dessus son épaule en pensant à cela. La fumée pend, gris-vert dans le ciel, comme de la mousse de champignons dans une forêt mourante. Mais l'eau de la baie est couleur de perle rose, couleur d'aurore.

Et j'aperçois un mouvement. Ce ne sont pas des vagues. Quelque chose d'autre.

« Raven, vous entendez ?

— Seul le vent dans les poutres du pont, amour. Seul ton cœur qui bat. Partons maintenant. »

Mais moi je l'entends, clair, fort, plus fort maintenant, la chanson des serpents de mer. Cet éclat dans les vagues, ce sont les bijoux de leurs yeux qui retiennent mon regard.

Ah !

Vous qui m'avez suivie dans les péripéties de ma vie, je vous quitte en vous posant cette question : La grâce du monde, prise ou donnée, peut-on en rendre compte ?

« Moi, Mâyâ, je murmure, moi, Mâyâ, je vous remercie. »

Les yeux-bijoux clignent leur accord. Puis le soleil se faufile avec effort par une déchirure dans la fumée et ils ont disparu.

Mais ils n'ont pas vraiment disparu, ils sont en mon cœur.

« Venez », dis-je à Raven et, main dans la main, nous allons vers la voiture.

Postface

Tilottama est maîtresse épicière au sens où certains compagnons artisans sont maîtres d'œuvre. C'est elle qui a choisi ce nom, le jour de son initiation par le feu, d'après celui d'une danseuse célèbre à la cour du roi des dieux Indra, *apsarâ* rebelle d'une éblouissante beauté. Mais c'est sous un corps d'emprunt, celui d'une vieille boutiquière dans un quartier d'immigrés d'Oakland en Californie, que notre nymphe céleste apparaît aux yeux des familiers du coin et sous le diminutif de Tilo. Dans Tilo, il y a *til*, le sésame magique des contes orientaux qui ouvre les portes de chambres recélant les trésors enfouis.

« Sésame », tel est le titre du dernier des douze chapitres dédiés aux épices ; après le curcuma, la cannelle, le fenugrec, l'assa-foetida, le fenouil, le gingembre… qui recèlent tous des vertus spécifiques et juste avant le chapitre « Mâyâ » qui ferme le temps du récit. Illusion du temps cyclique qui renaît de ses cendres…

Cette « deux-fois-née », qui porta autrefois les noms de Nayan Târâ la Prophétesse et Bhagavatî la Bienheureuse, vient accomplir une sorte de mission « humanitaire » auprès de ceux qui ont, comme elle, quitté la terre-mère de leurs ancêtres pour un Nouveau Monde.

Médecins et cuisiniers emploient depuis l'Antiquité ces substances végétales que sont les épices. Utilisées avec discernement, les épices soignent ; trop fortement dosées, elles peuvent empoisonner. Et Tilo, être intermédiaire entre les hommes et des entités supérieures, investie du pouvoir des épices, s'est incarnée pour aider les faibles. Elle intercède en faveur de ceux qui viennent à elle, les assiste sur le chemin de leurs vrais désirs, s'emploie à redresser, secrètement, humblement, l'équilibre des humeurs, maux du corps et de l'âme, et à les protéger des forces d'un Mal qui les dépasse.

Le maniement des épices est affaire de mesure et d'expérience, affaire de cuisine, d'alchimie – dans les temples indiens, les brâhmanes officient dans des sortes de petites cuisines –, travail de laboratoire ; Tilo possède, au centre de son épicerie, sa pièce privée, intérieure. C'est de la Vieille ou Première Mère, Maîtresse entre les Maîtresses, Mère de tout le manifesté, auprès de compagnes qui étudient d'autres disciplines (celle des métaux ou des lapidaires – car les pierres soignent aussi et l'Inde possède sa science des lapidaires avec ses traités et ses spécialistes), que Tilo tient son savoir immémorial.

Epicière-apothicaire, elle aurait pu appartenir à ces « gardiens des poids et des mesures » de nos contrées dont Louis XI anoblit la profession lucrative en les dotant d'un blason. Chez nous aussi, il fallait trois ans d'apprentissage puis trois autres années en compagnonnage pour obtenir la « maîtrise » professionnelle. (La distinction entre un épicier et un pharmacien ne s'établit qu'au XVIIIe siècle.)

Les épices échauffent, stimulent, fluidifient, neutralisent, libèrent... le sang, le souffle, le flux vital, affectent comme nos drogues modernes les émotions. En Inde, la médecine âyurvédique, science « de longue vie », enseigne dans ses universités que l'énergie des aliments et des épices répond tout ensemble aux besoins du continuum corps-esprit. La règle fondamentale se résume grossièrement à un « ni trop, ni trop peu » des éléments de base : nourriture, repos, sexualité. Travail de l'énergie à quoi il faut ajouter la conscience des autres énergies, celle de l'amour, de la paix intérieure, et de l'absolu. Les aliments émettent des radiations solaires, terrestres, et humaines car les aliments se chargent des radiations des personnes qui les manipulent. Néammoins, chaque personne est différente, possède une nature et un équilibre propres ; Tilo, en thérapeute, chaman, cherche l'épice particulière, l'épice-racine, clef intime, qui convient à chacun et à chaque situation. Les nombreuses variétés de sucreries dont les Indiens et leurs dieux sont si friands ont la réputation d'enlever l'amertume, de soigner le deuil et de concilier la peine ; la cannelle et le fenugrec tonifient, le gingembre atténue les douleurs, le sésame soigne les maladies de bouche, le poivre combat tant les fièvres que la léthargie, le lotus régularise le pouls. Le drame cosmique se joue à l'intérieur du corps de l'homme cosmique.

L'art ne s'acquiert qu'après la plus âpre des disciplines et ne se pratique que dans le plus grand respect des règles qui comportent des interdits stricts. Les *brahmâchârin* doivent observer certaines règles de vie ; Tilo, elle, ne doit pas quitter l'enceinte de son affectation ; elle doit rester chaste (les Vierges peuvent rester unes, unies en elles-mêmes, toute leur volonté tendue vers un seul but), ne pas se regarder dans un miroir (pour éviter les pièges du narcissisme réputé féminin) ; elle ne doit pas toucher la peau, le corps de l'autre pour ne pas mêler les énergies ni prendre le risque de se laisser contaminer par l'émotion ou la peur de son vis-à-vis, et surtout ne pas tomber dans la suprême confusion amoureuse, car dépenser la précieuse énergie-semence en des ébats érotiques lui ferait oublier ses devoirs de servante consacrée... Mais comment respecter dans cette Amérique tous les nobles préceptes de la tradition ? Comment, par sympathie, ne pas ressentir et faire sienne la détresse de Lalitâ, épouse légalement violée, ou de Geeta, la petite amoureuse contrariée par sa famille conventionnelle, la violence rentrée du petit sikh Jagjit au turban vert... Tilo, « rebelle et complaisante », va peu à peu entamer ses vœux, outrepasser ses fonctions et, un à un, transgresser les interdits ; curieuse et gourmande de tout, elle va faire dans sa chair l'expérience de ces faiblesses humaines qu'elle aspire à goûter.

En sanskrit, « langue des dieux », langue parfaite, les mots renvoient, plus qu'à des conventions, à des convictions ; les noms définissent et portent des desseins. Les sons mêmes, car chacun des phonèmes représente un dieu ou une déesse, porte une couleur et un but ; Tilo accompagne ses mélanges et ses poudres rituelles de ces formules propitiatoires, prières ou mantras. Magie ? Les mantras sont une technique de concentration et leur répétition, telle la méditation, aide le récitant à atteindre un état psychique de réceptivité et d'équilibre optimal.

Tilo est *yoginî*, elle pratique l'*âsana* de l'assise en lotus ; Tilo entend ce qui ne peut se formuler, devine le passé et prévoit le futur, bien qu'elle se défende de bonimenter comme une vulgaire diseuse d'aventures ; elle sait que chaque parole, chaque geste, chaque pensée est un acte lourd de conséquences. C'est pourtant l'abandon de la distance nécessaire à l'efficacité de sa pratique, c'est parce qu'elle se laisse contaminer par l'émotion et risque de perdre sa maîtrise, c'est l'adoption de la « voie humide » des larmes et des passions qui vont lui permettre de mettre en lumière les ombres que l'orgueil du savoir-pouvoir réglementé lui présentait jusqu'alors en un ordre parfait ; dans l'éloignement de la maison-mère et la désobéissance, elle va faire l'expérience du silence et de la solitude, de la peur et du doute, quand la voix des épices se refusera à elle. Elle va souffrir et compatir, conjuguer puis décliner tous les rôles de l'aimer au féminin, de l'infirmière du service des sidéens à l'affriolant exotisme des starlettes relookées à la mode de chez nous.

Si le lundi, jour de fermeture de l'épicerie, est consacré aux Mères, à chaque autre jour correspond une épice ; cela est conforme à la tradition, car chaque jour a sa déité particulière. Il est des jours où l'on prescrit de donner de l'argent et de l'huile aux pauvres, des jours où il faut protéger les enfants, un jour consacré au *gurû* ; chaque jour fait entendre un aspect de ce divin aux si nombreuses facettes, le divin au cœur de la matière de chaque graine comme de chaque étoile. Tilo ne déroge pas à ces lois-là.

Tilo honore et nourrit les serpents invisibles qui peuplent les coins sombres de sa boutique, lovés dans les replis souterrains de notre inconscience ; en Inde, ce sont des frères et on leur rend un culte en leur offrant riz et lait. Les serpents vont l'accompagner du début à la fin de ses démêlages et leur réapparition, après une période de latence quand elle s'embrouille dans les dédales de ses propres désirs, signera pour Tilo le chemin retrouvé d'un nouvel anneau de cette spirale de la Conscience qu'il nous faut, en nos tréfonds, vénérer et sustenter.

Tilo, au cœur vif, resplendissante sous sa peau fripée de sorcière, nous embarque dans une fable qui résonne de mille références à cette culture si étrange ou si séduisante pour l'indigène américain ; avec elle et dans sa fonction sacerdotale de femme – être femme n'est-ce pas un sacerdoce ? –, nous allons faire l'épreuve, qui laissera, l'instant de la rencontre des personnages, l'empreinte sur la cire de notre âme de cette vertu suprême de compassion, celle de la Mère que chante l'Inde entière, toutes appartenances confondues, inscrite dans le nom propre de notre auteur, *karunâ*.

Pour goûter la fable sérieuse sous le lyrisme poétique et gai, ironique, nos cœurs compliqués ont besoin du réconfort de notre savoir livresque, différents en cela de n'importe quel paysan indien « illettré » qui décèle, immédiatement et sans analyse, ce sacré au cœur de toute chose car la fréquentation quotidienne des temples, les arts du spectacle, les fêtes rituelles, la musique l'impriment en lui.

Citons donc, très vite et dans un désordre irrévérencieux, quelques grands noms de textes : le *Gîtâgovinda*, de Jayadeva – poète à la cour du roi Lakshmanadeva au Bengale (XIIe siècle) – où Krishna célèbre Râdhâ – « ton nez ressemble à du sésame » –, ses seins et ses cuisses, où la glace se fait brûlante, et où Krishna, amant exemplaire, est toujours associé au bleu profond, au gris-noir des nuages de mousson.

L'*Océan des rivières de contes*, attribué à Somadeva, classique de la littérature narrative médiévale en langue sanskrite, où les êtres changent de forme, et où les objets magiques, tel le petit couteau ordinaire avec lequel Tilo coupe en deux des graines magiques elles aussi, ont une apparence anodine, et où l'on trouve force onguents et baumes d'invisibilité.

La chanson de geste du *Râmâyana* où Vishnu, en sa qualité de « Maître de la *Mâyâ* », fait figure de Grand Illusionniste et où Tulsî Dâs (XVIe siècle) chante, en langue vulgaire (le hindi), les louanges du Protecteur des pauvres et des petits, car une humble tendresse lui est plus agréable que la science des sages. L'Absolu est enraciné dans le quotidien.

Les Chants à Kâli de Râmprasâd (XVIIIe siècle) : « Absorbé dans les choses du monde, tu broies en ta tête le piment des plaisirs futiles. »

Le *Devîmâhâtmya*, Célébration de la Grande Déesse, matrice, origine de toutes choses et en laquelle toutes choses retournent.

Invoquons en italique quelques beaux mots à consonances exotiques... sur l'île de la Mère primordiale, entourée de roues d'énergie concentriques que Ratnanâga le serpent trop curieux ne peut approcher, se profile une sorte de mont Meru, Axe du Monde, sur lequel se dresse une colonne de feu tel un *lingam* de lumière quand la Vieille s'y tient de tout son corps tendue.

Raven le Corbeau, notre héros américain, porte le nom d'un bruyant oiseau, omniprésent en Inde, symbole des attachements mondains, qui mange goulûment les fruits de l'Arbre de vie, et si notre play-boy souffre du cœur, c'est peut-être parce que le cœur donne sa forme au diagramme de l'unité des principes masculin et féminin. Raven divin amant, avec ses chaussures sur mesure et sa voiture supersonique, que Tilo, experte d'une nuit dans les sûtras du désir, chevauche dans un pudique *âsana* tantrique.

Les gosses rôdeurs de la nuit d'Oakland font penser à ces troupes d'adolescents serviteurs de Shiva, sortes de délinquants du Ciel à la recherche de quelque méfait ou de quelque farce à faire. Fiers et brailleurs, on les entend la nuit dans la tempête ; courageux et généreux, ils se battent contre l'hypocrisie.

Les filles-bougainvillées, apprenties stars délurées aux robes de strass fendues, papillonnent comme les jouvencelles de la tradition, les fameuses *gopî*, autour de Raven-Krishna aux cheveux noirs de jais. Tilo est magicienne, elle maîtrise les formules de métamorphose dans la plus pure des traditions qui dit aussi qu'être tenté par l'amour, c'est risquer l'échec.

Chitra Banerjee Divakaruni, sans pesante et sentencieuse référence aucune, nous fait sa petite cuisine, dans son melting-pot californien, où le samedi se confondent le hindi, l'urdû, l'assamais, l'oriyâ, le bengali, le panjâbî, et trouve les dénominateurs communs qui parlent, par la grâce de son lyrisme, à notre âme mécréante, dans la diversité des divinités alternatives – les dieux changent de nom en changeant de lieu, empruntent d'autres aspects et se côtoient souvent à l'intérieur des mêmes temples.

Tilo voulait être la meilleure danseuse à la cour du roi des dieux Indra... elle devait, pour ce faire, danser pieds nus sur des couteaux ouverts ou, selon les versions de la légende, sur du verre pilé. La danse est *Mâyâ* ; le corps de la danseuse, multiple dans ses postures et un dans son intention profonde, est l'image de ce mystère ; tel le corps de la lettre dans la polysémie des métaphores que C. B. Divakaruni invoque, puis dose et mélange dans une composition magistralement pimentée, réussissant à nous faire participer de ce mode de sentir, si indien dans son fondement, qui n'est pas un colifichet culturel importé. Tilo, sous son sari blanc de veuve (de Mère Teresa), va changer en Amérique ; la femme nourricière – la femme – ne va plus s'immoler dans le feu de l'ego masculin ; elle va affirmer son droit à l'individualité, à la sensualité sans rien perdre de cette âme dont d'autres gardiens de la Loi niaient aux femmes, en d'autres temps, sous d'autres cieux, jusqu'à l'existence.

Le récit se déroule, s'enroule ; le mouvement, l'écriture est contemplation de l'énergie divine. Entre la sagesse et l'art existe une harmonie profonde. Sous l'habillage du vieux conte, les histoires entremêlées des familiers du quartier de Tilo déroulent à nos yeux d'indigènes, *si seulement nous savions le voir*, l'histoire de nos quartiers.

MARIE-ODILE PROBST

Répertoire

Certains mots viennent de diverses langues indiennes, principalement le hindi et le bengali, l'urdû, l'oriyâ, l'assamais, le tamoul. Certains mots sont des expressions anglaises indianisées de l'époque coloniale, d'autres de l'américain déformé. (Les voyelles longues a, i, u, *sont indiquées par un accent circonflexe. Le* u *se prononce* ou*).*

Les rubriques ayant trait à la culture indienne doivent beaucoup au Dictionnaire de la civilisation indienne *publié aux éditions Robert Laffont (collection « Bouquins ») sous la direction de Louis Frédéric.*

Achâr. Marinade pimentée de fruits ou de légumes.
Adrak ou ***Ada***. Gingembre frais. Une des panacées de la médecine, pour ses vertus digestives, fortifiantes et aphrodisiaques.
Afim. Opium.
Agni. Dieu du feu sous toutes ses formes. Là où existe une ardeur se trouve aussi Agni. Le feu sacrificiel est un point de contact entre le monde visible et l'au-delà. Agni n'a pas de temple parce qu'il se manifeste dans tous les sanctuaires.
Akhrot. Noix principalement cultivée au Cachemire, semblable à notre noix de Grenoble.
Alum. *Phatkiri alum*, antiseptique, morceau de « marbre » qu'on se passe sur le visage pour atténuer le feu du rasoir.
Âmalaka. Fruit du myrobolan. Ovale, de la taille d'une prune, rougeâtre quand il est mûr. Réputé pour ses propriétés

curatives, sa valeur nutritive et sa saveur. L'âmalaki est un petit âmalaka, considéré comme ayant des vertus magiques, utilisé pour étancher la soif et combattre les refroidissements. En philosophie, il représenterait la « vie réelle ».

Amchûr. Condiment en poudre fait de chair de mangue verte séchée, sel noir et épices.

Apârâjitâ. « Invaincu, insoumis ». *Aparâjitâ* s'applique à la déesse Durgâ et à plusieurs plantes. La fleur a la forme de la *yoni*, de la vulve, et occupe une place particulière dans le rite tantrique.

Apsarâ (sanskrit). Nymphe céleste, « venue des eaux » ; parangons de beauté féminine et compagnes de plaisir des dieux, elles sont nées du barattage de la mer de lait. Elles vivent au paradis d'Indra où elles assistent aux fêtes et dansent. Le dieu a recours à leurs services pour faire échec à l'accumulation de puissance des ascètes. Elles peuvent, déchues, faire l'objet d'une malédiction temporaire. Toujours représentées comme de très belles femmes aux cheveux flottants. Tilottama est une *apsarâ* rebelle.

Âsana. Position du corps prise lors des exercices de yoga et attitude d'une représentation d'une divinité.

Asansol. Bengale occidental.

Assamais. Langue sœur du bengali dont il partage l'alphabet, l'assamais est l'une des quinze langues constitutionnelles de l'Inde.

Asura (sanskrit). Ennemis des dieux (*a* privatif : non-dieux), les *asura* font obstacle au bon déroulement des sacrifices ; ils sont susceptibles de réapparaître incarnés, auquel cas il faut que les dieux suscitent un héros capable de les anéantir.

Atta. Farine (*bajra atta*, farine de millet).

Âyurveda. Science de longue vie. Médecine traditionnelle indienne d'origine védique, attribuée au médecin des dieux Dhanvantari.

Baba (bengali). Forme d'adresse polie ajoutée à un prénom masculin. Père.

Babu. Terme de respect pour un aîné ; ici pour un employé de bureau qui « parle » anglais.

Bajra. Millet.
Bap (urdû). Père. En Inde, l'urdû est, pour simplifier, la langue des musulmans qui pour une bonne part parlent aussi une autre langue.
Bâul (bengali). « Fou ». Chanteurs-musiciens qui colportent à travers le Bengale ou Bangladesh des chants d'amour divin. Les *bâul* ont puisé à plusieurs courants spirituels (bouddhisme tantrique, soufisme, vishnouisme) mais ont rejeté tous les systèmes. Leur quête ignore les conventions, ils refusent tous les rituels et n'acceptent que l'adoration de la Divinité. Selon eux, celle-ci se trouve uniquement dans le « temple intérieur » de chaque individu. Leur ascèse consiste à mendier leur riz quotidien en chantant ; leur poésie réaliste et populaire comprend des chants dévotionnels, des chants de pratiques initiatiques, des chants de quête et des chants d'amour, des chants contestataires et des chants de sagesse. Plusieurs registres peuvent se mêler dans un même chant. Le terme *bâul* vient d'un mot sanskrit signifiant « celui qui est étourdi ou emporté par le vent », car leurs chants sont pleins d'énigmes et de paradoxes. Tagore s'est beaucoup inspiré de leur génie poétique.
Bengali. Deuxième langue après le hindi et l'urdû, parlée au Bengale et au Bangladesh. Le fonds lexical est essentiellement emprunté au sanskrit.
Besan. Farine de pois chiche, agent de liaison surtout utilisé pour la confection d'une pâte à friture.
Betî. Fils ; ***betâ*** : fille.
Bhagavatî. « Celle qui est bénie ». *Shâkti,* déesse, sous sa forme bienveillante, la « Bienheureuse », parèdre de Shiva et de Vishnu, réputée pour l'excellence de ses pouvoirs magiques.
Bhaî (bengali). « Frère », expression de camaraderie entre hommes. *Bhaîjaan*, ou *Bhaîya*, variantes du suffixe de respect *jî*.
Bhangra (panjâbî). Danse populaire.
Blanc. La couleur blanche n'est pas, en Inde, symbolique de pureté, elle est aussi associée à la gloire et au rire, alors que le noir est généralement associé au déshonneur, exception faite pour le teint sombre du bel adolescent Krishna.

Brahmâchârin. « Celui qui étudie le Brahman ». Nom donné aux jeunes hindous lors de leur consécration en tant que « deux fois né » (*dvija*) et qui, à partir de ce moment, doivent faire leur éducation sous la direction d'un *gurû*. Il doit demeurer chaste.
Brahmâ muhûrta. Moment sacré de l'aube.
Biryani. Riz frit avec des oignons, des raisins et des épices, souvent de la viande.
Burfi ou ***Barfi***. Sucrerie au lait condensé.
Chaî. Thé aux épices (girofle, cannelle, cardamome, gingembre) et au lait très sucré.
Champak. Fleur de l'arbre *Michelia champaka*, blanche à cœur jaune. Emblème du Bouddha du futur.
Chana. Pois chiche.
Chana dâl. Pois de Bengale cassé.
Chandan. Santal.
Chapati. Galette de pain sans levain, cuite à sec sur une plaque de tôle exposée au feu ou sur une plaque de terre cuite mise sur la braise.
Charaka. Célèbre médecin (Ier-IIe siècle), un des meilleurs représentants de la médecine indienne ancienne. On lui attribue la rédaction d'un traité considérable de médecine âyurvédique en prose traitant de thérapeutique, de pharmacopée ainsi que d'éthique et de philosophie.
Chur. Mélange.
Chyavanprash. Tonique, fortifiant.
Corbeau. Oiseau important dans la culture indienne, connu pour son avidité, joue un rôle dans les présages.
Curcuma (*halud*). Poudre de couleur jaune extraite d'un rhizome, condiment et cosmétique, il est connu sous le nom de safran des Indes. Purifie le sang, nettoie la peau, tue les germes dans la gorge. Epice de bon augure.
Dacca. Bangladesh.
Dâdâ (hindi). Frère aîné, par extension tout homme plus âgé.
Dâl. Le mot est employé aussi bien pour les lentilles et les pois cassés que pour différentes légumineuses. Cf. *chana dâl, masoor dâl, mung dâl*.
Dâlchînî. Cannelle.

Dânâ. Grain, graine.
Deva. Dieu, principe, être lumineux, divinité présidant aux jours de la semaine, personnification de phénomènes ou de forces naturelles.
Dhania. Coriandre (feuilles de).
Dhania jîra. Mélange de poudre de coriandre et de cumin.
Dhavantari. Incarnation mineure de Vishnu née du barattage de l'océan de lait, le médecin des *deva* à qui Indra aurait enseigné l'art de la médecine, l'âyurveda.
Dhokla (hindi). Sorte de crêpe épaisse cuite à la vapeur.
Dhruva. Privé par la jalousie d'une marâtre de la tendresse du père, le jeune Dhruva se consacra à la dévotion et chanta le nom de Vishnu. En récompense, il obtint de Vishnu une place stable au firmament sous la forme de l'étoile polaire. Symbolise la puissance de la volonté.
Dîdî. « Sœur aînée », s'emploie pour une femme plus âgée que soi. Le suffixe *dî* peut aussi être ajouté au prénom féminin. Le suffixe *dâ* aux prénoms masculins.
Divâlî. Fête hindoue des lumières en l'honneur de Lakshmî, parèdre de Vishnu, célébrée à la nouvelle lune du mois de *kartik* (octobre-novembre).
Draksha. Raisin.
Dua (terme musulman). Prière, souhait.
Dubaî. Emirats arabes unis.
Dupatta (hindi). Longue écharpe portée (par les femmes panjâbî) avec une tunique *kamîz* et une *kurtâ*.
Durgâ. « Celle qui est difficile d'accès ». La parèdre de Shiva, sous son aspect guerrier de la Déesse-Mère car elle lutte contre les démons. Elle possède le pouvoir d'accorder des formules magiques à ses dévots. Sa fête, la Durgâ pûjâ, est la plus grande fête du Bengale.
Ekadashi. Onzième jour des quinzaines claire (lune croissante) et sombre (lune décroissante) de chaque mois lunaire hindou. Jour pendant lequel les veuves devraient jeûner.
Elaichi (hindi). Cardamome.
Ganesha. Le dieu à la tête d'éléphant, fils de Shiva et de Pârvatî. On fait appel à lui pour lever les obstacles.

Garam masala. Poudre très aromatique d'un brun verdâtre composée de coriandre, cumin, cardamome, poivre noir, clous de girofle, cannelle, noix muscade.
Ghî. Beurre clarifié utilisé largement pour cuire la nourriture. Souvent écrit *ghee* à l'anglaise.
Gîtâ. « Chanté », « chanson », nom donné à la musique vocale.
Gîtâgovinda. Poème sanskrit considéré comme un des chefs-d'œuvre de la poésie sanskrite, qui raconte les amours de Râdhâ et de Krishna sous forme de drame lyrique ; écrit aux environs de 1200 par Jayadeva. Ce poème fut traduit dans toutes les langues de l'Inde.
Gopî (sanskrit). « Vachère ». Les *gopî*, amantes de Krishna, sont le symbole des âmes qu'attire le divin Joueur de flûte. Ces pastourelles entourent le dieu au cours d'une danse rituelle, ronde des âmes satellisées par la fascination amoureuse du dieu.
Gulab jamun (hindi). Boulette de caillé frite dans le *ghî* et trempée dans un sirop de sucre.
Halahal. Le poison. Du barattage de la mer de lait sortit un terrible poison capable de détruire l'univers entier. Pour éviter la catastrophe, Shiva but le poison et sa gorge en fut bleuie.
Hindi. Langue indo-européenne parlée dans la vallée du Gange et le Nord de l'Inde. L'hindi se développa à partir du sanskrit et de divers *prâkrit*. L'hindi sert de *lingua franca* entre les diverses régions du pays.
Hing. Assa-fœtida : *asa* probablement persan. Gomme résineuse extraite d'un arbre originaire d'Asie ; antispasmodique et tonique nerveux ; en médecine âyurvédique, elle est réputée augmenter l'élan vital. Apéritive et purifiante, elle rentre dans la composition de nombreux médicaments âyurvédiques.
Indra. Roi des dieux, héros des dieux védiques, grand destructeur de démons, grand buveur de *soma*.
Ishânâ. Nord-est.
Jagre. Sucre de palme non raffiné.
Jî. Suffixe marquant le respect.
Jîra. Cumin.
Kâlî. La « Noire », déesse ancienne qui se manifeste ordinairement sous une forme terrifiante ; son image a évolué et elle est

devenue une manifestation primordiale de l'énergie divine. *Kâlâ* : noir ou *kâlo*. Littéralement, jeter de l'encre au visage de quelqu'un signifie en bengali qu'on se joue de lui ou qu'on l'insulte.

Kamîz. Chemise, tunique.

Kanyâ. Vierge.

Karela (hindi). Sorte de courge amère.

Karma. La « loi des actes » par laquelle chaque action ou pensée produit ses effets sur la somme « spirituelle » de l'être et par conséquent influe sur son devenir cosmique. Actes en tant qu'ils conditionnent le bonheur ou le malheur à venir. Chacun doit récolter le fruit de ses pensées, paroles et actions passées.

Karunâ. Dans la philosophie, la danse, les arts et la musique, c'est le sentiment de pure compassion envers tous les êtres.

Kastûri. Musc.

Kathak. Style de danse classique du Nord. Danse de cour, à la différence de la danse sacrée des temples du Sud.

Keramat. Don, savoir-faire, magie.

Kesar. Safran. Rôle médicinal (problèmes menstruels et dermatologiques) et religieux (on enduit les statues de pâte safranée, et il figure dans les rituels de naissance et de mariage).

Ketu. « Clarté », nom d'une planète, nom de la queue du dragon considéré comme responsable des éclipses, comptée comme l'une des neuf planètes. Elle est, malgré son nom, un astre noir tel Râhu, tous deux nés d'*asura* (démons).

Khânâ. Nourriture, dîner pour les musulmans.

Khas (hindi). Racine de vétiver.

Kheer ou ***Khîr***. Riz qui a cuit longtemps dans du lait sucré et épicé.

Kheti. Sorte de hutte, cabane.

Khus khus. Graines de pavot

Kismat. Equivalent du Karma pour les musulmans.

Kumkum. Marque de poudre rouge que les femmes mariées portent sur le front. On l'offre aussi en signe de vénération ou d'hospitalité.

Kurtâ. Tunique vague et sans col portée par les hommes et les femmes.

Laddu. Boulette de caillé sucrée.
Lakshmî. Déesse de la prospérité. Parèdre du dieu Vishnu.
Lalitâ. « Amoureuse, Passionnée », jeune bouvière compagne de Râdhâ, sa messagère auprès de Krishna. Aspect érotique de la *Shâkti* (Durgâ).
Lassi. Boisson rafraîchissante, salée ou sucrée ou neutre, faite de yaourt battu avec une égale quantité d'eau.
Lavang. Clou de girofle, anesthésiant utilisé dans des baumes, rafraîchit l'haleine.
Lotus. Le lotus occupe une place considérable dans la vie quotidienne des Indiens. Il est le symbole de la vie sans cesse renouvelée et il évoque la fraîcheur apaisante. Symbole de pureté dont la fleur n'est jamais souillée par la boue qui la nourrit. En médecine, c'est un tonique du cœur, il provoque une sensation de chaleur et augmente le pouls.
Lune. Astre masculin ; les phases de la lune servent de point de référence au calendrier.
Madôl ou ***Dhôl***. Instrument de percussion.
Mantra. Formule qui assure l'efficacité du sacrifice. Au cours des temps, le sacrifice s'intériorisant, le mantra devient une aide pour le cheminement de l'individu. La formule se réduit souvent à de simples syllabes dont la vibration peut induire des états de perception élargie.
Masala. Mélange d'épices : piment, moutarde, fenugrec, assa fœtida. Certains *masala* sont réputés pour augmenter l'énergie, aiguiser l'intelligence.
Masjid. Mosquée.
Masoor dâl. Lentilles noires ou rouge corail, cassées.
Mâtâ. « Mère », nom donné parfois à la *Shâkti* d'une divinité, ainsi qu'aux femmes d'un certain âge que l'on veut ainsi honorer. Aussi *Mâtâjî*.
Mâyâ. « Subterfuge », « illusion », « magie », puissance d'égarement, l'univers des apparences. Mâyâ est le voile qui cache la Réalité et nous dérobe la vision de Dieu. Le monde semble réel, mais ne l'est pas au regard de l'éternité. En sanskrit, puissance créatrice des formes, au mirage desquelles les créatures se laissent prendre, oubliant leur réalité essentielle.

Memsaab (bengali). « Madame ». Femme mariée, maîtresse de maison, terme respectueux employé par les serviteurs.
Methi. Graines de fenugrec ocre jaune, carrées et plates.
Mithai. Nom général pour les douceurs, sucreries et desserts.
Mubaarak. Félicitations et bons vœux (musulmans).
Muhûrta. « Instant », ancienne division du temps, valant environ quarante-huit de nos minutes.
Mung dâl. Lentilles vertes cassées.
Nâga. Dieux serpents, habitants du monde souterrain ou liés aux arbres. Ils sont toujours l'objet d'un culte populaire.
Nâgarâja. Le roi des serpents.
Namaaz. Prière musulmane.
Namaste. Salutation, bonjour (salut à la divinité qui est en l'autre).
Nân. Pain chauffé sur une plaque de terre cuite, avec l'addition d'un peu de *ghî*.
Nayan Târâ. Littéralement, *târâ* : pupille de l'œil et *nayana* : œil.
Nikah. Terme musulman pour noces.
Nîm. Arbre aux feuilles amères et médicinales, margousier.
Oiseau. Figure de l'âme passant indéfiniment de corps en corps tant qu'elle n'est pas délivrée du cycle des renaissances. Voir Corbeau et Shampâti.
Oriyâ. Langue indo-européenne assez proche du bengali, principalement parlée dans l'Etat d'Orissâ. Très proche du sanskrit. Une des langues constitutionnelles de l'Inde (importante littérature orale).
Pakora. Beignet de farine de pois chiche fourré aux légumes.
Pallu. Extrémité du sari, d'un mètre environ, habituellement orné et rabattu sur l'épaule.
Pân. Chique de feuilles de bétel, de noix d'arec et de chaux.
Pani-puri. En-cas frits fourrés aux pommes de terre et aux épices.
Panjâbî. Langue très proche de l'hindi et donc de l'urdû. C'est la langue des sikhs.
Papad. Petite galette très fine composée d'un mélange de différents légumes secs, pimentée, poivrée ou nature.
Paratha. Galette semblable à une pâte feuilletée.

Piment. En urdû, le piment est appelé poivre rouge ; antiseptique, il stimule la salive, les glandes sudoripares et le transit tout en provoquant une sensation de bien-être car sa consommation entraîne la production de substances opioïdes cousines de la morphine.
Pîppal. Arbre sacré à larges feuilles jointes à de longs et souples pédoncules, consacré à la trinité hindoue. On utilise son bois pour allumer le feu sacré.
Prishnîparnî. Littéralement, aux feuilles mouchetées, et en botanique, *Hemionitis cordifolia*.
Pûjâ (sanskrit). Culte, offrande rituelle à la divinité. Généralement des fleurs, des fruits et des sucreries.
Pullao. Riz, variante du riz *biryani,* les sortes d'épices utilisées diffèrent.
Puri. Beignet de blé frit dans le *ghî.*
Purî *(Pura)*. Capitale ou ville sainte hindoue.
Raita. Légumes (tomates, concombres) coupés en dés dans une sauce au yaourt pimentée.
Rajma. Haricots rouges.
Râma. Râma est le champion du Dharma, destiné à dompter et à anéantir les forces du mal. Prince irréprochable, héros sans peur et sans reproche.
Râni. Reine, princesse.
Rasmalai. Mélange dc lait, d'amandes, de sucre.
Rasogollah, rasgulla. Boulette de fromage blanc trempée dans un sirop de sucre.
Ratna. Pierre précieuse, joyau.
Ratnanâga. Littéralement, « Le plus beau des joyaux ».
Râvana. Roi-démon. Dans le *Râmâyana*, il usurpa le trône de son demi-frère Kuvera et lui vola son palais volant avec lequel il put ravir l'épouse de Râma, Sîtâ.
Ritha. Graines d'une plante qui sert à laver.
Rogan josh. Curry d'agneau épicé.
Saag. Légumes verts, plantes potagères.
Sabu. Semoule, sagou du sagoutier (palmier).
Safran. Cf. *Kesar*. Réconforte, soigne le foie ; aphrodisiaque par excellence. Euphorisant, une consommation excessive peut devenir mortelle.

Salwaar. Large pantalon flottant porté avec la chemise *kamîz* et une écharpe *dupatta*.
Samosa. Chausson salé fourré à la viande et aux légumes.
Samudra Purî. La Cité de la mer.
Sanskrit. Le sanskrit est une construction artificielle, œuvre de linguistes et de grammairiens indiens qui cherchèrent à constituer une langue parfaite capable d'exprimer toutes les nuances de la pensée.
Santal. On en fait une pâte possédant des vertus curatives et rafraîchissantes aptes à apaiser les blessures et la fièvre de l'amour.
Sardâr. Titre persan généralement conféré aux personnalités sikhs ou personnages importants.
Sârod. Instrument à cordes, semblable au sitâr, avec des cordes normales et sympathiques.
Sarpa. Le cobra.
Sarpa kanyâ. La Vierge-serpent.
Saunf. Graines de fenouil d'un vert jaunâtre, plus grosses que les graines d'anis.
Shaitaan. Esprit démoniaque.
Shâlaparnî. Plante. *Desmodium* ou *Hedysarum Gangeticum*.
Shampâti. Dans le *Râmâyana*, oiseau fabuleux (fils de Garuda et frère de Jatâyus) qui combattit aux côtés de Râma.
Sharam. Honte.
Shehnai. Sorte de hautbois.
Shikara. Bateau-maison à toit pointu.
Shiva (sanskrit). « Le Propice », le Seigneur du Bien Suprême. Le seul à pouvoir boire le poison mortel pour en délivrer le monde.
Shon. Jute.
Sikh. Littéralement, « disciple ». Les sikhs ne reconnaissent pas le système hindou des castes. Ils se distinguent par le port de cinq attributs dont le sabre ou le couteau. Ils constituent une communauté et ont coutume de partager leurs repas. Les sikhs ne reconnaissent qu'une seule divinité, qui n'est pas nommée, la secte admettant toutes les croyances. Ils n'adorent aucune image et ne comptent que sur eux-mêmes pour s'améliorer. Il

n'existe aucune puissance surnaturelle, mantra ou procédé magique. Les hommes sont considérés comme égaux, et les femmes ont les mêmes prérogatives que les hommes. L'activité religieuse la plus recommandée est celle du service envers les autres. Ils refusèrent de se soumettre tant aux *râja* hindous qu'aux musulmans et furent, à certains moments de leur histoire, persécutés. Les hommes portent toujours un turban, un couteau et enferment leurs barbes dans une résille.
Sindur. Vermillon que les femmes mariées appliquent dans la raie de leurs cheveux.
Sîtâ. Epouse, l'épouse à la vertu exemplaire de Râma, héroïne du *Râmâyana*.
Sitâr. Instrument de musique à cordes.
Surma. Khôl.
Sûtra. « Fil », mot sanskrit désignant les aphorismes ou textes qui exposent une idée, une doctrine, une science.
Svastikâ. Signe solaire ancien représentant probablement les forces cosmiques, pictogramme signifiant littéralement : « Cela est bon ».
Svâti. L'étoile Arcturus, une des épouses du Soleil.
Tamil ou ***Tamoul***. La plus ancienne des quatre grandes langues dravidiennes.
Tampura. Instrument à cordes tenant lieu de bourdon, accompagnant les chants dans la musique classique du Nord de l'Inde, d'une forme ressemblant à celle de la *vîna* mais sans calebasse supplémentaire.
Temple d'Or. A Amritsar, le temple le plus sacré de la communauté des sikhs. Opposés au régime politique d'Indîrâ Gandhî, ils se barricadèrent dans le temple. Indîrâ Gandhî y fit pénétrer les troupes qui tuèrent le chef des révoltés ; elle déclencha un tel sentiment de haine que, le 31 octobre 1984, deux d'entre eux l'assassinèrent.
Tilaka ou ***Tikâ***. « Sésame », marque apposée sur le front des dévots hindous, représentant l'œil de la connaissance, généralement faite avec le doigt et de la poudre vermillon (*sindur*). Certains préfèrent une autre couleur (ocre) faite avec de la pâte de bois de santal (*chandan*). On appose soi-même cette marque

lors de la *pûjâ* ou lorsqu'on se rend au temple. Les femmes mariées portent de manière permanente cette marque rouge sur le front.

Tilottama. *Apsarâ* extrêmement belle. Elle essaya de s'affranchir de la tutelle d'Indra et encourut sa malédiction. Elle-même, lorsqu'elle se sent humiliée, a le pouvoir de maudire. La légende raconte qu'elle voulait devenir la meilleure danseuse à la cour du roi Indra. Indra lui dit qu'elle le deviendrait à condition de danser sur des couteaux ouverts, ou selon les versions, du verre pilé.

Tola. Unité de masse équivalant à 11,664 grammes.

Tulsî. Plante analogue à notre basilic et consacrée à Vishnu. Les feuilles de cette plante auraient le pouvoir de purifier le corps et l'esprit.

Turban. Le turban est un accessoire de la toilette des hommes, principalement des musulmans et des hindous du Râjasthân, du Gujarât. Les sikhs en ont fait une partie essentielle de leur costume. La façon de porter le turban varie selon les individus, les groupes sociaux ou religieux. Généralement bande de tissu étroite, il est de longueur variable et s'utilise aussi comme ceinture. Il est fait de simple coton écru comme de riche brocart.

Urdû. Langue officielle du Pakistan et langue constitutionnelle de l'Inde, l'urdû ne diffère de l'hindi que par son écriture, basée sur l'alphabet arabe. En Inde, l'urdû est, pour simplifier, la langue des musulmans mais une bonne part de ceux-ci parlent également une autre langue. L'hindi est le produit d'une « désislamisation » de l'urdû et d'un effort de « re-sanskritation » de la langue. Ces changements n'empêchent pas l'unité linguistique de l'ensemble urdû-hindi, ni l'intercompréhension de la langue parlée.

Vîna. Instument à cordes servant de bourdon (*raga*).

Zumîndâr. Propriétaire terrien. *Zumîndâri* : système de propriété des terres inspiré d'une institution moghole qui donna lieu à de nombreux abus et provoqua des révoltes paysannes.

Zari. Brocart.

Achevé d'imprimer
sur les presses de
l'imprimerie France Quercy
à Cahors
N° d'impression : 32992

Dépôt légal : août 2002